ЗЕЛЬДА

ФИЦДЖЕРАЛЬД

ЗЕЛЬДА
ФИЦДЖЕРАЛЬД

СПАСИ МЕНЯ, ВАЛЬС

АСТ
москва

УДК 821.111(73)
ББК 84 (7Сое)
Ф66

Zelda Fitzgerald
SAVE ME THE WALTZ

Перевод с английского Л.И. Володарской

Компьютерный дизайн Г.В. Смирновой

Фицджеральд, Зельда

Ф66 Спаси меня, вальс : [роман] / Зельда Фицджеральд; пер. с англ. Л.И. Володарской. — Москва: АСТ, 2014. — 318, [2] с.

ISBN 978-5-17-083186-9

«Спаси меня, вальс» — единственный роман, написанный Зельдой Фицджеральд. В пику своему мужу, который работал над рукописью «Ночь нежна» в течение нескольких лет, она создала его за полтора месяца.

Во многом роман носит автобиографический характер, позволяя увидеть великого Фицджеральда за работой, на отдыхе, в кругу семьи. Однако литературная ценность этой книги заключается не только в этом. Перед нами — живая, трогательная история «светской львицы» 1920-х, в судьбе которой отразилась целая эпоха.

УДК 821.111(73)
ББК 84 (7Сое)

От переводчика

«Я влюблен в ураган... Но я влюблен!
Я люблю ее, я люблю ее, я ее люблю!»

Ф.С. Фицджеральд. Дневник

Зельда Фицджеральд (1900—1947), жена Фрэнсиса Скотта Фицджеральда (с 1920 г.), родилась в небольшом южном городе Монтгомери, штат Алабама. Она была шестым ребенком в семье, и назвали девочку в честь цыганки из романа, который во время беременности читала ее немного взбалмошная мать. Словно оправдывая свое необычное имя, Зельда никогда не была тихой, застенчивой, скромной, добропорядочной южанкой, словом, она не была и не хотела быть как все. Своевольная девушка наверняка вызывала ужас у соседей, но она была красивой, на редкость раскрепощенной, в ней бурлила кровь, и вокруг нее толпой вились юноши и мужчины из располагавшегося рядом военного лагеря. При этом она была практичной и не собиралась вести нищенскую жизнь, даже ради брака по любви. И Фрэнсису Скотту Фицджеральду, бросившему университет ради армии и армию то ли ради Зельды, то ли ради писательства, то ли ради Зельды и писательства вместе, пришлось ехать домой и засесть за роман, начатый еще в колледже, который получил название «По эту сторону рая» (1920). Как говорится, наутро после выхода книги в свет Ф.С. Фицджеральд проснулся богатым и знаменитым и помчался к возлюбленной — снова предлагать ей руку и сердце. Не скучавшая в его отсутствие, однако пока еще свободная, Зельда с готовностью приняла предложение, родители тоже больше возражать не стали, и молодые зажили в соответствии с начинавшимся новым временем, в котором они изо всех сил стремились стать самыми модными, самыми успешными, самыми узнаваемыми.

Двадцатые годы двадцатого века в Америке называют временем джаза, в Европе — временем потерянного поколения. Послевоенная молодежь не желала повторять жизненный путь своих родителей, осознав, что в их мире не было ничего такого, за что стоило бы держаться, раз в нем случилась кровопролитная война. Из этого постулата молодые мужчины и женщины сделали главный вывод: война может повториться, и нельзя откладывать на завтра удовольствия, которым можно предаться немедленно. Молодым людям не было дела до морали и условностей, коли они не спасали от войны и смерти! Для них не существовало ничего стабильного, что помогало бы удерживаться в рамках здравого смысла и не гнаться безостановочно за нарочитой экстравагантностью, сметая на своем пути не только внешние, но и внутренние устои, что, к несчастью, приводило к страшным зависимостям, истощавшим и талант, и здоровье, и кошелек. Для Фицджеральдов это было веселье без удержу и напоказ, потому что все происходившее с ними тотчас попадало или в газеты, или по крайней мере в городской фольклор. Они были первыми в умении эпатировать и постоянно оставаться на виду. Наверное, поначалу им это нравилось, потом, судя по всему, нравиться перестало — захотелось больше творчества и меньше шума, но добровольно выскочить из затянувшей круговерти не удалось.

Соперничая со знаменитым мужем, женские образы которого списаны с нее и ее прославили, Зельда пыталась рисовать, писать, занималась танцами. В 1930 г., когда с ней случился первый приступ болезни, она написала три рассказа и балетное либретто, а за шесть недель в январе — феврале 1932 года — роман «Спаси меня, вальс», как известно, «на зависть» мужу, который к этому времени уже пять лет работал над романом «Ночь нежна». Однако потом она еще примерно три месяца, до середины мая, вносила в текст и существенные, и мелкие поправки.

Роман «Спаси меня, вальс», несомненно, в большой степени автобиографический, но это не автобиография, в меньшей степени он документальный, но это и не документальная проза. На самом деле Зельда, используя события из собственной биографии, атмосферу реальной эпохи и фантазии о возможном варианте своей жизни, предприняла попытку осмыслить взаимоотношения женщины и того времени. На фоне жизни артистических кругов Нью-Йорка и Парижа после Первой мировой войны иногда абсолютно точно, а иногда с точностью до наоборот (особенно в последней части романа) отображена жизнь легендарной четы, и, словно на авансцене, любит, мучается, набирается мудрости мятущаяся американка из южного штата. Зельде Фицджеральд удалось создать, как мне кажется, самый удачный женский литературный автопортрет в истории американской литературы, который, не исключено, повлиял на Маргарет Митчелл, когда она создавала свою знаменитую южанку Скарлетт О'Хара.

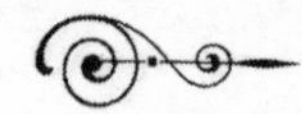

О романе «Спаси меня, вальс» довольно много спорят в западной критике, выясняя, насколько самостоятельно творение Зельды Фицджеральд. Не утихают бесконечные дискуссии о том, какую роль сыграл Ф.С. Фицджеральд в «доводке» единственного романа своей жены. Надо сказать, что сохранилось кое-что из его переписки на сей счет, причем переписки в высшей степени противоречивой. То ему нравится роман, и он считает его настоящей удачей Зельды, то вдруг высказывается категорически против его художественных достоинств. Известно его утверждение, что все изменения, внесенные в текст по требованию издательства, были сделаны исключительно самой Зельдой Фицджеральд. Правда, он оговаривает и то, что давал ей советы. Но, с другой стороны, ходят слухи, что и она давала ему советы...

Мне привелось перевести несколько рассказов самого Фицджеральда, и, конечно же, я внимательно читала его прозу. Перечитывала его и в последнее время, поддавшись желанию найти ответ на возникающий у всех вопрос: был он соавтором своей жены или не был? Должна сказать, что эти два прозаика говорят как будто на разных языках, используют разную лексику, да и способы построения фразы и ее энергетическое наполнение у них совершенно разные. Несомненно, что роман «Спаси меня, вальс» из числа так называемых первых романов начинающих авторов, которые вкладывают в эти романы *весь* свой жизненный опыт, как правило, перенасыщая их информацией и эмоциями в ущерб остальным компонентам. Скорее всего роль опытного Ф.С. Фицджеральда в редактировании этого произведения как раз и заключалась в том, чтобы предостеречь Зельду от этой ошибки.

Зато выправить положение с главным героем романа ему не очень-то удалось, и художник Дэвид Найт, муж Алабамы, очень бледный персонаж, по собственному определению Фицджеральда, и в общем-то он не стал живее, выразительнее, глубже в окончательном варианте, во всяком случае, не стал вровень с Алабамой и даже с некоторыми второстепенными персонажами после редактуры, хотя у Зельды, судя по всему, было желание не только изобразить своего мужа, но и сделать его образ как можно более привлекательным (наверное, в этом состояла ее ошибка). Подобно многим первым романам, «Спаси меня, вальс» перегружен языковыми «украшениями», а также не очень-то известными широкой публике понятиями... Как говорится, «словечка в простоте не скажут».

Как бы то ни было, и сегодня роман Зельды Фицджеральд востребован, его постоянно перепечатывают, он находит все новых читателей и почитателей. А несчастливая счастливица Зельда Фицджеральд, не сумевшая обрести покой в собственной жизни, все же подарила его своему литературному отражению — Алабаме Найт.

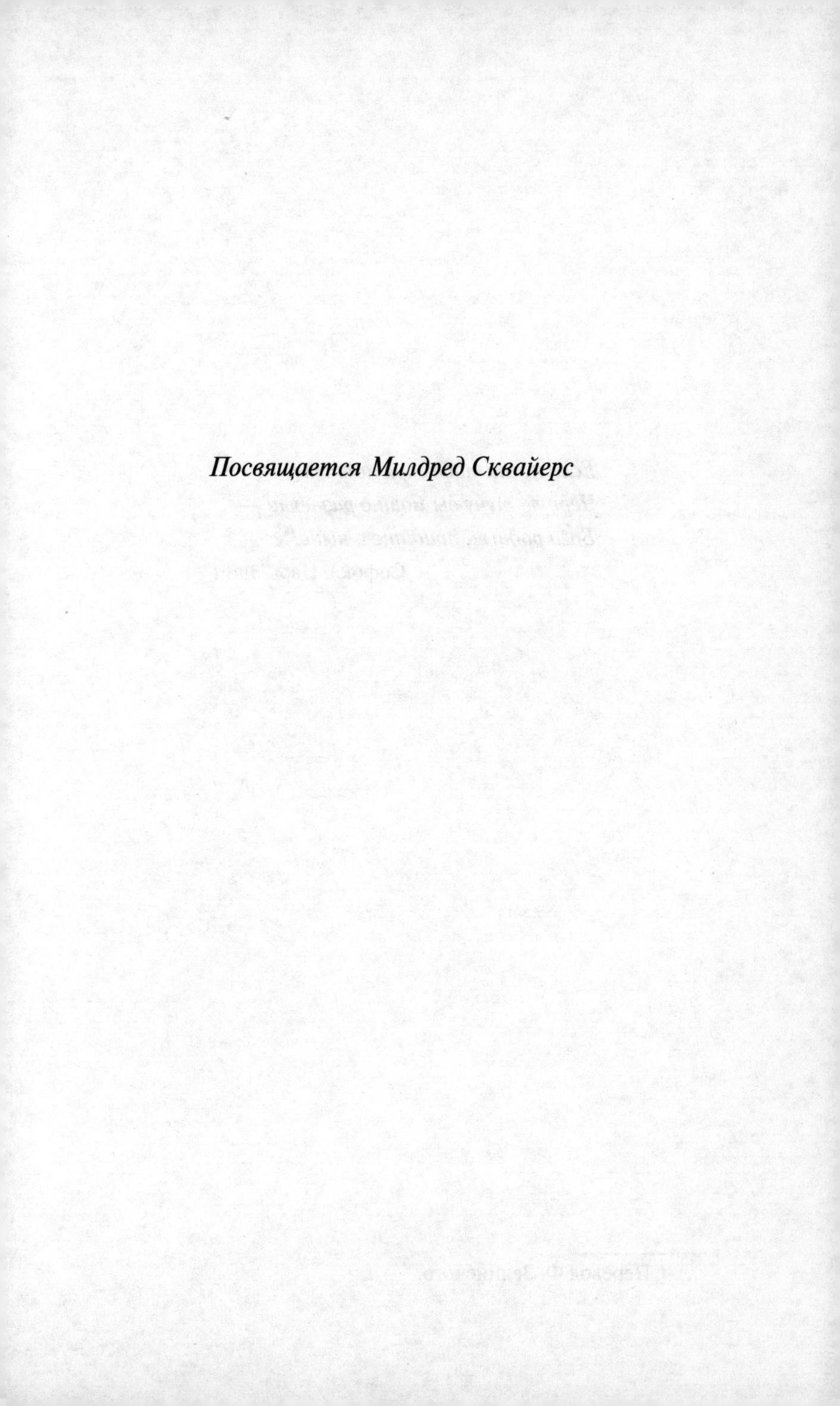

Посвящается Милдред Сквайерс

Если когда-либо горя нависшего
Черную тучу вы мощно развеяли —
*Боги родные, придите и ныне!**

Софокл. Царь Эдип

---

* Перевод Ф. Зелинского.

ЧАСТЬ ПЕРВАЯ

I

— Ох уж эти девчонки, — говорили в округе, — творят невесть что, будто им всё нипочем.

А нипочем потому, что девчонки верили в своего надежного отца. Для них он был как живая крепость. Большинство людей выигрывают жизненные битвы с помощью компромиссов, возводят неприступные башни благодаря смиренному здравомыслию, строят философские мосты из отречения от эмоций и из ожогов, достающихся мародерам от бурлящего кипятка незрелых чувств. В своих воззрениях Судья Беггс укрепился, будучи еще очень молодым: его башни и часовни сооружались из интеллектуального материала. Насколько было известно его близким, он не оставил ни одной тропинки, и к его крепости не могли подойти ни приятель-пастух, ни воинственный барон. Однако именно эта неприступность обернулась брешью в его блистательном облике, и это, возможно, не позволило ему стать значительной фигурой в национальной политике. То, что в штате милостиво принимали его превосходство, помешало детям приложить необходимые усилия для создания собственных цитаделей. В жизненном цикле поколений достаточно одного господина, способного поднять их существование над бедами и болезнями, обеспечив выживание потомству этого господина.

 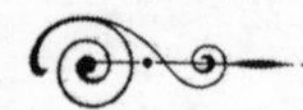

Один сильный человек может стать подпоркой для многих, отбирая для своих чад такие пожертвования в натурфилософию, которые обретали для его семьи видимость некоей цели. Когда дети из семьи Беггсов научились принимать насущно необходимые перемены своего времени, проклятый старик* уже уселся им на шею. Прихрамывая от тяжести, они вцепились в крепостные башни своих пращуров, обнесли забором свое духовное наследство — которого могло бы остаться больше, если бы они подготовили соответствующее хранилище.

Школьная подружка Милли Беггс говорила, что в жизни не видала более беспокойных младенцев. Если им что-то приспичивало, Милли либо сама выполняла их требования, либо звала врача, чтобы он обуздал жестокий мир, который был недостаточно хорош для ее исключительных деток. Немного получив от отца, Остин Беггс работал день и ночь в лаборатории своего мозга, чтобы ни в чем не отказывать семье. Волей-неволей Милли приходилось самой в три часа ночи брать на руки малышей и тихонько петь им или трясти погремушками, чтобы происхождение «Кодекса Наполеона» не улетучилось из головы ее мужа. А он говаривал без тени улыбки: «Я возведу для себя крепостной вал с колючей проволокой наверху и пущу вокруг диких зверей, чтобы никого из этих хулиганок не видеть и не слышать».

Остин любил девочек Милли с беспристрастной нежностью, анализируя свои чувства, как это свойственно мужчинам, занимающим высокое положение,

---

* Имеются в виду искусственные цели. Намек на старика, усевшегося обманом на шею Синдбада-Морехода, и тот никак не мог скинуть этого мучителя. (См. арабские сказки «Тысяча и одна ночь».) — *Здесь и далее примеч. пер.*

если они имеют дело с напоминанием о своей юности, с памятью о далеком прошлом, когда они еще предпочитали набираться опыта, а не стали творением обретенных житейских познаний. Что это значит, легко понять, уловив сердечные ноты в бетховенской «Весенней» сонате. Наверное, Остин был бы ближе к семье, не похорони он единственного сына, совсем еще маленького. Уйдя в неистовое оплакивание своей потери, Судья как будто бежал от разочарования. Мужчинам и женщинам дано разделить поровну лишь финансовые трудности, однако как раз именно их Судья и взвалил на Милли. Швырнув ей на колени счет за похороны мальчика, он крикнул душераздирающе: «Ради Бога, как, по-твоему, я смогу это оплатить?!»

Никогда особенно не приближавшаяся к реальной жизни, Милли не сумела примирить эту мужскую жестокость со своим представлением о справедливости и благородстве. С тех пор она больше не пыталась составить объективное суждение о людях, но, замечая в первую очередь все их несовершенства, она все же заставила себя быть преданной им и таким образом достигла едва ли не ангельской гармонии в своей жизни.

— Возможно, у меня плохие дети, — сказала она как-то подруге, — но я этого не замечаю.

Накопленные представления о непримиримых противоречиях в характере человека научили Милли мысленно переключаться, этот трюк она освоила после рождения последнего ребенка. Когда Остин, впадая в ярость из-за косности современной цивилизации, метал над ее терпеливой головкой громы и молнии своего разочарования, неверия в человечество и денежных затруднений, она тут же переносила возникшее раздражение на простуду Джоанны или вывихнутую лодыжку

Дикси, преодолевая все жизненные невзгоды с блаженной скорбью греческого хора.

Оказавшись перед лицом реальной нищеты, Милли погрузилась в стоический непоколебимый оптимизм, отчего сделалась недостижимой для бед, преследовавших ее до самой старости.

Взращенная мистическим духом негритянских мамок, семья, как наседка, холила и опекала девочек. Когда же они стали взрослеть, из-за скандалов по поводу каждого истраченного без спросу лишнего цента, трамвайной поездки на природу, пакетика мятных лепешек, Судья стал для них карающим органом, неумолимой Судьбой, могущественным законом, установленным порядком, дисциплиной. Молодость и старость: гидравлический фуникулер, с возрастом теряющий силу напора, но не желающий сдаваться. Повзрослевшие девочки искали у матери передышки от нотаций по поводу их девичьих капризов, как искали бы тенистую рощу, чтобы спастись от ослепительного света.

Скрипит крыльцо, светящийся жук с яростью поворачивает к цветкам клематиса, насекомые роем устремляются к золотистым гибельным светильникам в холле. Тени влажно касаются южной ночи, будто тяжелые мокрые швабры, возвращая ей жаркую черноту. Меланхоличный луноцвет выставляет темные жадные лапы над веревочными шпалерами.

— Расскажи, какой я была, — требует самая младшая дочь, прижимаясь к матери, чтобы ощутить ее близость.

— Ты была хорошей.

Девочке не хватало знаний про саму себя, ведь она родилась слишком поздно, когда из отношений родителей уже исчезли страсть и азарт и дочь уже не столь-

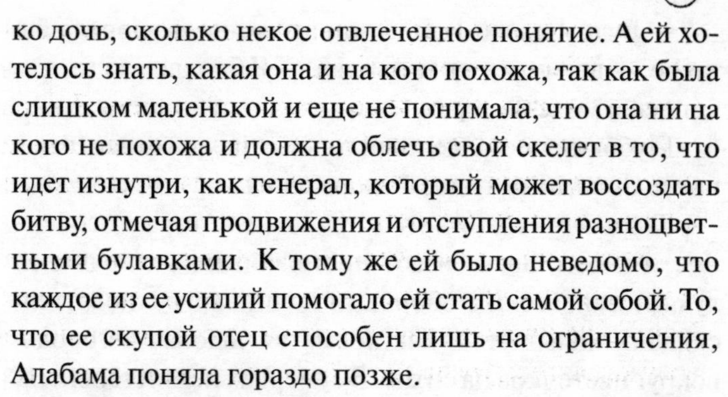

ко дочь, сколько некое отвлеченное понятие. А ей хотелось знать, какая она и на кого похожа, так как была слишком маленькой и еще не понимала, что она ни на кого не похожа и должна облечь свой скелет в то, что идет изнутри, как генерал, который может воссоздать битву, отмечая продвижения и отступления разноцветными булавками. К тому же ей было неведомо, что каждое из ее усилий помогало ей стать самой собой. То, что ее скупой отец способен лишь на ограничения, Алабама поняла гораздо позже.

— А я плакала по ночам? Кричала так, что ты и папа желали мне смерти?

— Чепуха! Все мои дети были замечательные.

— И бабушкины тоже?

— Думаю, да.

— А почему она прогнала дядю Кэла, когда он вернулся с Гражданской войны?

— Твоя бабушка была странной старой дамой.

— И Кэл был странным?

— Да. Когда он приехал, бабушка послала сказать Флоренс Фетер, мол, если она собирается ждать ее смерти, чтобы выйти замуж за Кэла, то пусть Фетеры имеют в виду: Беггсы имеют обыкновение жить долго.

— Она была очень богатой?

— Нет. Дело не в деньгах. Тогда Флоренс сказала, что с матерью Кэла может ужиться разве что дьявол.

— И Кэл не женился на ней?

— Нет. Бабушки всегда умеют настоять на своем.

Мама засмеялась — это был смех барышника, который рассказывает о своих удачах, как бы извиняясь за скопидомство, смех одного из членов семьи-победительницы, которая в вечном соперничестве одержала верх над другой семьей-победительницей.

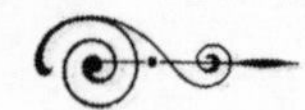

— Будь я дядей Кэлом, ни за что не потерпела бы такое, — возмутилась малышка. — Я бы сделала то, что хотела, с мисс Фетер.

Глубокий поставленный голос отца подчиняет тьму последним диминуэндо*: пора спать.

Закрывая ставни, отец прячет некоторые особенности своего дома: и вот пронизанные солнечными лучами занавески с оборками начинают волноваться, складки колышутся, как косматая садовая изгородь, вокруг цветочков на ситце. В сумерках нет ни теней, ни искаженных очертаний мебели, зато комнаты становятся смутными серыми мирами. Зимой и весной дом похож на прекрасное сияющее отражение в зеркале. И тогда не имеет никакого значения то, что стулья разваливаются, а в коврах появляется все больше дыр. Дом становится как безвоздушное пространство, заполненное цельной натурой Остина Беггса. Как сверкающий меч, он покоится ночью в ножнах своего усталого благородства.

Жестяная крыша трескается в жару; внутри духота, как в закупоренной вентиляционной шахте. Во фрамуге над одной из дверей в верхней зале нет света.

— Где Дикси? — спрашивает отец.

— Гуляет с друзьями.

Почувствовав, что мать чего-то не договаривает, девочка придвигается к ней поближе, наслаждаясь своим участием в семейных делах.

«У нас что-то происходит, — думает она. — Как интересно быть семьей».

— Милли, — не успокаивается отец, — если Дикси опять болтается по городу с Рэндольфом Макинтошем, пусть катится вон из моего дома.

* Постепенное ослабление силы звучания.

У отца от ярости трясется голова, с носа падают очки. Мама бесшумно ступает по теплым коврам своей комнаты, а девочка лежит в темноте, гордясь тем, что она тоже причастна к жизни семьи. Прямо в батистовой ночной сорочке отец отправляется вниз ждать старшую дочь.

Над кроватью младшей витает аромат спелых груш, доносящийся из сада. Где-то вдалеке оркестр репетирует вальс. Все белое сияет в темноте — белые цветы и брусчатка. Подобно серебряному веслу, луна в оконном стекле, наклонясь к саду, рассекает густой туман. Мир кажется моложе, чем на самом деле, ну а девочка ощущает себя старой и мудрой, у нее свои проблемы, она борется с ними как со своими собственными, а не унаследованными от предков. Но пока всё сверкает и цветет. Девочка важно исследует жизнь, словно ходит по диковинному саду, воображая, что вокруг не скучные ухоженные газоны. Она презирает упорядоченные посадки, она верит, что есть некий сказочный садовник, который приносит сладко пахнущие цветы с самых неприступных гор и расцветающие ночью плющи — с каменных пустошей, это он сажает дыхание сумерек и холит ноготки. Ей хочется, чтобы жизнь была легкой и наполненной приятными воспоминаниями.

В раздумья девочки вторгаются романтические мысли о beau* ее сестры. У Рэндольфа перламутровое изобилие волос, отсвет которых ложится на его лицо. Когда в ночном смятении она размышляет о своих чувствах и своем отношении к красоте, ей кажется, что она такая же, только изнутри. И о Дикси она думает с волнением, как о себе самой, но взрослой, отделенной от нее тепе-

* Кавалер, поклонник (*фр.*).

решней, преображенной временем, это как увидеть вдруг свою дочерна загоревшую руку, и не поймешь сразу, что она твоя, если не заметишь, как она коричневела. И влюбленность сестры она тоже присваивает себе. От пережитого возбуждения на нее нападает сонливость. Алабама постепенно забывается в своих слабеющих грезах. Она спит. Луна ласкает лучами ее загорелое личико. Во сне девочка взрослеет. В один прекрасный день она откроет глаза и увидит, что растения в горных садах — это в основном грибы, которым не требуется забота, а белые диски, наполняющие ночь своим ароматом, в сущности не цветы, а результат эмбрионального роста; а став еще старше, будет с чувством горечи бродить по геометрически ровным тропинкам философа классицизма Ленотра*, а не по туманным дорожкам между грушевыми деревьями и клумбами с ноготками из своего детства.

Алабама никогда не могла понять, отчего просыпалась по утрам. Глядела кругом, осознавая, какое у нее бессмысленное лицо, словно бы укрытое мокрым банным полотенцем. Потом она с усилием приходила в себя. На неподвижном, как туго натянутая сетка, лице блестели живые глаза пушистого дикого зверька, попавшего в коварно распахнутую ловушку. Лимонно-желтые волосы льнули к спине, невидимые. Одеваясь, чтобы идти в школу, Алабама позволяла себе много лишних жестов, приглядываясь к своему телу. Падал на безмятежный Юг школьный бемольный звонок, напоминая позвякивание бакена на заглушающей всякие звуки беспредельности моря. На цыпочках она шла в комнату Дикси и красила щеки ее румянами.

* Имеется в виду Андре Ленотр (1613—1700) — французский архитектор и создатель регулярных садов, в том числе в Версальском дворцовом ансамбле.

Ей говорили: «Алабама, у тебя на лице румяна». А она отвечала: «Я терла лицо щеткой для ногтей».

Дикси вполне соответствовала всем требованиям младшей сестры; в ее комнате чего только не было; повсюду лежали шелковые штучки. Спичечница с «Тремя Обезьянками» стояла на каминной полке. «Темный цветок», «Гранатовый дом», «Свет погас», «Сирано де Бержерак» и иллюстрированное издание «Рубайят»* располагались между двумя гипсовыми «Мыслителями»**. Алабама знала, что «Декамерон» спрятан на верхней полке комода — она уже читала рискованные страницы. Над книжками гибсоновская*** девушка, целящаяся шляпной булавкой в мужчину через увеличительное стекло; парочка медвежат, блаженствующих на беленьких качелях. У Дикси была розовая нарядная шляпа, аметистовая брошка и электрические щипцы для волос. Ей уже исполнилось двадцать пять лет. Алабаме исполнится четырнадцать в два часа ночи четырнадцатого июля. Другой сестре — Джоанне — было двадцать три, но Джоанна жила отдельно; впрочем, она была такой обыкновенной, что ничего не менялось оттого, жила она дома или не жила.

Как обычно с легкой опаской, Алабама съехала вниз по перилам. Иногда ей снилось, будто она падает с перил, но все же спасается, оказавшись верхом на перилах самой нижней лестницы — скользя вниз, она заново переживала испытанные во сне чувства.

---

* «Темный цветок» — роман Джона Голсуорси, «Гранатовый дом» — сборник сказок Оскара Уайльда, «Свет погас» — роман Редьярда Киплинга, «Рубайят» — стихи Омара Хайяма.

** Вероятно, речь идет о фигурке из каменного века, которую ученые назвали «Мыслитель», и о скульптуре «Мыслитель» Огюста Родена.

*** Идеальная американка 90-х годов XIX века: полногрудая красавица с тонкой талией и высокой прической. Этот образ был создан художником Чарлзом Гибсоном (1867—1944).

Дикси уже сидела за столом, отрешенная от мира, словно бы бросая ему тайный вызов. На подбородке и на лбу у нее выступили красные пятна, потому что она плакала. Лицо то вздувалось, то опадало в разных местах, как кипяток в кастрюле.

— Я не просила, чтобы меня рожали, — заявила Дикси.

— Остин, она ведь уже взрослая женщина.

— Этот человек — пустышка и бездельник. Он даже не разведен.

— Я сама зарабатываю себе на жизнь и делаю что хочу.

— Милли, его ноги больше не будет в моем доме.

Алабама сидела очень тихо, предвкушая эффектный протест против отцовского вмешательства в романтическую историю. Но ничего необычного не происходило, разве что выжидательное спокойствие самой Алабамы.

Солнце сверкало на резных серебристых листьях папоротника и на серебряном кувшине для воды, и Судья Беггс шагал по бело-голубому полу в свой кабинет, где ему было отмерено много времени и много пространства — и ничего больше. Алабама слышала, как остановился на углу под розово-пурпурными катальпами трамвай и как ушел Судья. Без него солнечный свет заиграл на папоротниках совсем в другом, вольном ритме; дом Судьи подчинялся воле хозяина.

Алабама смотрела на ветви плюща «кампсиса», обвившего задний забор, было очень похоже на бусы из коралловых обломков, только нанизанных на стебель. Утренняя тень под мелией была такой же хрупкой и надменной, как утренний свет.

— Мама, я больше не хочу ходить в школу, — задумчиво проговорила Алабама.

— Почему?

— Я и так все знаю.

Мать воззрилась на дочь в слегка враждебном изумлении; но девочка, не желая демонстрировать свои чувства, отвернулась к сестре.

— Как ты думаешь, что папа сделает с Дикси?

— Ах, ради Бога! Не забивай свою хорошенькую головку вещами, которые тебя пока не касаются, если, конечно, тебя это действительно волнует.

— Будь я на месте Дикси, ни за что не позволила бы ему вмешиваться. Мне нравится Дольф.

— В этом мире нельзя иметь всё, что хочется. А теперь беги, не то опоздаешь в школу.

Вспыхнув жарким пульсирующим огнем щек, школьный класс оттолкнулся от больших квадратных окон, чтобы прибиться взглядом к унылой литографии с изображением сцены подписания Декларации независимости. Медлительные июньские дни прибавляли солнечного света на далекой доске. Белые катышки от стирающих ластиков взвивались в воздух. Отросшие волосы, зимний серж, осадок из чернильниц мешали еще не распалившемуся лету, прорывавшему белые туннели под деревьями на улице и отпарившему окна головокружительным жаром. Заунывно-напевные негритянские голоса нарушали тишину.

— Покупайте помидоры, красные вкусные помидоры! Овощи, берите овощи!

На мальчиках были зимние длинные черные чулки, отливавшие на солнце зеленью.

Алабама вписала «Рэндольф Макинтош» под «Дебаты в Афинской ассамблее». Взяла в кольцо фразу: «Все мужчины были немедленно преданы смерти, а женщины и дети проданы в рабство». Раскрасила губы Алкивиаду и сделала ему модную прическу, закрыв на

 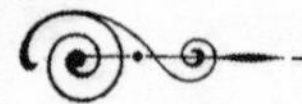

этом «Древнюю историю» Майера*. Ее мысли были заняты совсем не книгой. Как это у Дикси получается быть такой легкой и всегда готовой ко всяким неожиданностям? Алабама подумала, что сама никогда и ни на что не решится с бухты-барахты — она никогда не сможет жить в состоянии постоянной готовности. По мнению Алабамы, Дикси воплощала идеально подходящий для жизни инструмент.

В городской газете Дикси вела колонку светской жизни. Едва она приходила со службы, телефон начинал звонить и звонил беспрерывно до самого ужина. Ее воркующий жеманный говорок не умолкал и словно сам прислушивался к своему звучанию.

— Не могу сейчас сказать...

Потом слышалось долгое медленное бульканье, как бульканье воды в ванной.

— Ну, скажу, когда увидимся. Нет, сейчас не могу.

Судья Беггс лежал на жесткой железной кровати и перебирал пачки желтеющих газет. Весь он, как листьями, был укрыт томами «Анналов британского правосудия» и «Особых случаев в судебной практике» в переплетах из телячьей кожи. Телефон мешал ему сосредоточиться.

Судья знал, когда звонил Рэндольф. Через полчаса он ворвался в холл, и его голос дрожал от едва сдерживаемого негодования.

— Если ты не можешь говорить, зачем тянешь эту волынку?

Судья Беггс бесцеремонно выхватил у дочери трубку. В его голосе звучала беспощадность, схожая с беспощадностью рук таксидермиста, работающего над чучелом.

* В «Записных книжках» Скотта Фицджеральда есть такая запись: «Начало плохого образования — из «Древней истории» Майера и особого внимания к римским колоннам».

— Буду весьма вам признателен, если вы раз и навсегда перестанете встречаться с моей дочерью и звонить ей.

Дикси заперлась в своей комнате, два дня не выходила оттуда и ничего не ела. Алабама наслаждалась своим участием в семейной драме.

— Мне хотелось бы, чтобы Алабама танцевала со мной на «Балу красавиц», — телеграммой сообщил Рэндольф.

Матери было невозможно устоять перед слезами своих детей.

— Зачем волновать отца? Ты бы могла договариваться обо всем вне дома, — успокаивала она дочь.

Безграничное и противозаконное великодушие матери было вскормлено многими годами сосуществования с неопровержимо логичным, блестящим Судьей. При такой жизни женская терпимость не играла никакой роли и ничем не могла помочь материнским чувствам. Достигнув сорока пяти лет, Милли Беггс стала анархисткой — в своих эмоциях. Таким образом она доказывала себе, что ей самой тоже необходимо выжить. Заложенными в ней противоречиями она как будто отстаивала свое право на тот образ жизни, которого так жаждала. Остину нельзя было умирать и болеть, ведь у него трое детей, и нет денег, и скоро выборы, у него страховки и каждый шаг в согласии с законом; тогда как Милли чувствовала, что, будучи не настолько важной нитью в рисунке ткани, она может позволить себе и то и другое.

Алабама опустила в почтовый ящик письмо, которое Дикси написала по совету матери, и они встретились с Рэндольфом в кафе «Тип-Топ».

Плывя по реке своего отрочества, Алабама часто попадала в водовороты юношеского максимализма и

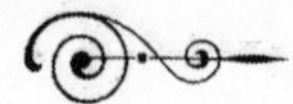

потому интуитивно не принимала «намерений», соединявших ее сестру и Рэндольфа.

Рэндольф писал репортажи для газеты Дикси. Его мать приютила свою маленькую внучку в некрашеном доме на окраине города возле тростниковых зарослей.

В мимике и в глазах Рэндольфа никогда не отражалось его душевное состояние, словно телесное существование само по себе было самым замечательным из всего для него возможного. Его главным занятием была вечерняя школа танцев, и Дикси поставляла ему учеников — как и его галстуки, которые тоже служили этой цели (да, впрочем, и все остальное), следовательно, их надо было правильно подобрать.

— Солнышко, надо класть нож на тарелку, если он не нужен, — сказала Дикси, пытаясь переплавить его личность в печи своего социального круга.

Никогда нельзя было понять, слышал ли он ее, хотя вид у него всегда был такой, словно он к чему-то прислушивался — наверное, к долгожданной серенаде эльфов или невероятному сверхъестественному намеку относительно его социального положения в солнечной системе.

— Я хочу фаршированные помидоры и картошку au gratin*, еще кукурузу и оладьи, и шоколадный крем, — нетерпеливо перебила ее Алабама.

— Боже мой!.. Ладно, Алабама, поставим «Балет часов»**, я надену штаны арлекина, а ты — тарлатановую*** юбочку и треуголку. Сможешь за три недели придумать танец?

---

* В сухарях (*фр.*).

** Возможно, балет «Симфония “Часы”» на музыку Гайдна, или «Танец часов» из оперы «Джоконда» Амилькаре Понкьелли. Или собственная выдумка Алабамы Беггс.

*** Из сильно накрахмаленной кисеи.

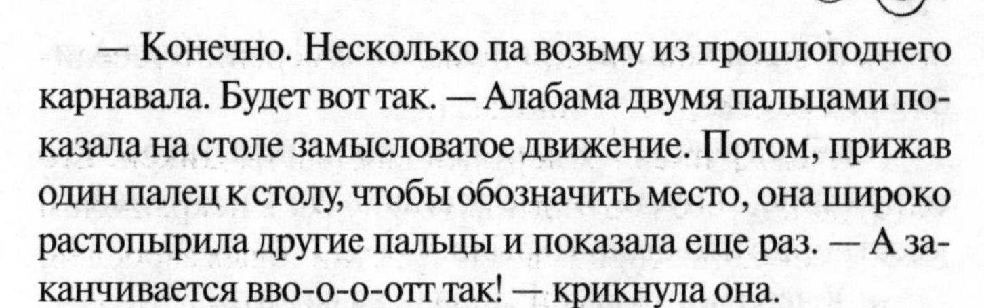

— Конечно. Несколько па возьму из прошлогоднего карнавала. Будет вот так. — Алабама двумя пальцами показала на столе замысловатое движение. Потом, прижав один палец к столу, чтобы обозначить место, она широко растопырила другие пальцы и показала еще раз. — А заканчивается вво-о-о-отт так! — крикнула она.

Рэндольф и Дикси не сводили с девочки недоверчивых взглядов.

— Очень мило, — нерешительно проговорила Дикси, поддавшись энтузиазму сестры.

— Можешь шить костюмы, — пылая собственническим восторгом, подвела итог Алабама.

Мародерша, радующаяся любому поводу поиграть, она хватала все, что было под рукой, не чураясь ни сестер, ни их возлюбленных, ни представлений, ни доспехов. Все годилось для импровизаций изменчивой беспрестанно девицы.

Каждый день Алабама и Рэндольф репетировали в старой аудитории, пока в ней не становилось темно от пыли, а деревья снаружи не начинали казаться яркими и влажными, как будто их омыл дождь или они вышли из-под кисти Паоло Веронезе. Из этой самой залы первый алабамский полк ушел на Гражданскую войну. Узкий балкон провис на железных столбах, да и в полу зияли дыры. Лестница спускалась вниз и шла через городские рынки: плимутроки* в клетках, рыба, ледышки из лавки мясника, гирлянды негритянских башмаков и куча солдатских шинелей. Взбудораженная Алабама жила ради одного мгновения в мире якобы профессиональных секретов.

— Алабама унаследовала от матери чудный румянец, — обменивались впечатлениями влиятельные зрители, наблюдая за ее вращениями по кругу.

* Порода кур.

— Я терла щеки щеткой для ногтей! — вопила Алабама со сцены.

Алабама всегда так отвечала, когда речь заходила о ее румянце; и пусть это не всегда было убедительно и уместно, но что было то было.

— У девочки талант. Его надо развивать.

— Я сама все придумала, — слегка приврала Алабама.

Когда после финальной сцены упал занавес, она услыхала аплодисменты, напоминавшие грохот городского транспорта. На балу играли два оркестра; губернатор возглавлял танцевальное шествие. После танца Алабама стояла в темном коридоре, который вел в артистическую уборную.

— Я забыла одну фигуру, — прошептала она выжидающе. Жаркое волнение, вызванное представлением, выплескивалось теперь наружу.

— Ты была великолепна, — рассмеялся Рэндольф.

Девочка повисла на этих словах, как платье на вешалке в ожидании хозяйки. Потворствуя ей, Рэндольф стиснул ее длинные руки и коснулся губами девчоночьих губ, но при этом был похож на моряка, высматривающего на горизонте мачты других кораблей. Алабама же приняла этот поцелуй как свидетельство того, что доросла до такого знака доблести — много дней она ощущала его на своем лице, всякий раз, когда ее охватывало волнение.

— Ты ведь уже почти взрослая, правда? — спросил он.

Алабама не разрешила себе обдумать другие варианты, предпочитая те грани своего «я», в которых уже проявлялась женщина, пригрезившаяся ей за его спиной благодаря поцелую. Усомниться в собственной взрослости означало поколебать уверенность в себе. Она испугалась; ей казалось, что ее сердце одиноко бредет само по себе. Так и было. Так бывает со всеми. Волшебство закончилось.

— Алабама, почему бы тебе не вернуться в залу?

— Я никогда не танцевала. Мне страшно.

— Ты получишь доллар, если станцуешь с молодым человеком, который поджидает тебя.

— Ладно. А что если я упаду или он упадет из-за меня?

Рэндольф представил ее юноше. Все сошло вполне благополучно, только на поворотах кавалер вел ее не очень уверенно.

— Вы такая красивая, — сказал он. — Я думал, вы не из нашего города.

Алабама сказала, что он может как-нибудь прийти к ней в гости, потом была дюжина других, а потом она обещала рыжему мужчине, который скользил по полу так, будто снимал пенки с молока, поехать с ним в Загородный клуб. Прежде она даже вообразить не могла, каково это — назначить свидание.

На другой день, когда она умылась, от косметики не осталось и следа. Алабама расстроилась. Только запасы Дикси могли ее выручить — замаскировать для назначенных рандеву.

Окуная край утренней газеты в чашку с кофе, Судья читал подробный отчет о «Бале красавиц». «Талантливая мисс Дикси Беггс, старшая дочь Судьи и миссис Остин Беггс, — писала газета, — приложила много стараний для успеха предприятия, выступив в качестве импресарио своей не менее одаренной сестры, мисс Алабамы Беггс, и воспользовавшись помощью мистера Рэндольфа Макинтоша. Танец был потрясающей красоты, и исполнение было великолепным».

— Если Дикси думает, что ей дозволено превратить мой дом в бордель, она больше мне не дочь. Не хватало

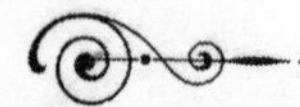

только, чтобы ее выставляли в газетах этакой козой отпущения для здешних вульгарных сборищ! Моим детям следует уважать мое имя. Это все, что у них есть, — взорвался Судья.

Ничего подобного Алабама прежде от отца не слышала. Утратив из-за своего блестящего ума надежду на нормальное общение, Судья жил сам по себе, потихоньку мирно развлекаясь за счет юридического сообщества, требуя только должного почтения к его отшельничеству.

Днем пришел Рэндольф, чтобы попрощаться.

Скрипнула дверь, и «Дороти Перкинс»* сразу потемнела в облаке солнечной пыли. Усевшись на крылечке, Алабама стала поливать газон из нагретого шланга, поливая заодно и платье. Ей было грустно, ведь она рассчитывала, что при удобном случае опять поцелует Рэндольфа. Как бы то ни было, решила Алабама, тот поцелуй она постарается запомнить на многие годы.

Дикси не отрывала глаз от пальцев Рэндольфа, словно ждала, что он возьмет ее за руку и уведет на край земли.

— Может быть, ты вернешься, когда получишь развод? — услыхала Алабама дрожащий голос сестры.

Взгляд Рэндольфа был отягощен окончательностью решения, даже розы не могли его смягчить. А голос звучал твердо и четко.

— Дикси, — проговорил он, — ты научила меня пользоваться ножом и вилкой, танцевать и выбирать костюмы, но я бы не пришел в дом твоего отца, не приведи меня сюда Иисус. Для твоего отца все плохи.

Наверняка не пришел бы. Алабама уже знала, если в разговоре поминают Спасителя, не жди ничего хорошего. Память о первом поцелуе улетучилась вместе с надеждой на его повторение.

---

* Сорт роз.

Обычно наманикюренные, ногти на руках Дикси стали желтыми, да и румяна были небрежно нанесены на щеки. Она бросила работу в газете и устроилась в банк. Алабаме досталась ее розовая шляпа, а красивую заколку кто-то раздавил. Когда Джоанна вернулась домой, комната оказалась до того грязной, что ей пришлось призвать на помощь Алабаму. Дикси копила деньги. За год она не купила ничего, кроме репродукций центральных фигур из «Весны» Боттичелли и немецкой литографии «Сентябрьского утра»*.

Фрамугу над дверью Дикси заклеила картоном, чтобы отец не знал о посиделках за полночь. Подруги появлялись и исчезали. Когда Лора как-то осталась на ночь, все испугались, как бы не подхватить туберкулез; у золотоволосой и лучезарноглазой Полы отец выступал за смертную казнь; у прелестной и злой Маршалл было много врагов и плохая репутация; когда же Джесси проделала долгий путь из самого Нью-Йорка, то отослала чулки в химчистку. Во всем этом было что-то непристойное на вкус Остина Беггса.

— Не понимаю, — говорил он, — почему моя дочь выбирает себе подруг из всякой грязи.

— Это как посмотреть, — возражала Милли. — Иногда грязь может оказаться весьма ценной.

Подруги Дикси читали друг дружке вслух. Сидя в маленькой белой качалке, Алабама внимательно слушала, перенимая их элегантность и мысленно составляя каталог вежливых смешков, которые они перенимали друг у друга.

— Она не поймет, — повторяли они, глядя на девочку с неведомо откуда взявшимися англосаксонскими глазами.

* Картина Поля Шаба (1869—1937).

— Не поймет чего? — любопытствовала Алабама.

Зима задыхалась в девичьих рюшах. Дикси плакала, когда какому-нибудь мужчине удавалось добиться от нее свидания. А весной прошел слух о смерти Рэндольфа.

— Ненавижу жизнь, — в истерике кричала Дикси. — Ненавижу, ненавижу, ненавижу! Если бы я могла выйти за него замуж, этого не случилось бы.

— Милли, вызови врача!

— Ничего серьезного, Судья Беггс, у нее немного сдали нервы, — сказал доктор. — Не волнуйтесь.

— Не могу больше терпеть все эти ваши эмоции, — заявил Остин.

Дикси поправилась и нашла работу в Нью-Йорке. Прощаясь с родными, она плакала и не выпускала из рук букетик анютиных глазок. В Нью-Йорке она поселилась на Мэдисон-авеню вместе с Джесси и встречалась со всеми, кто приезжал из родного города. Работу ей подыскала Джесси — в той же страховой фирме, в которой работала сама.

— Мама, я хочу поехать в Нью-Йорк, — сказала Алабама, когда они читали письма Дикси.

— Это еще зачем?

— Чтобы мной никто не командовал.

Милли засмеялась.

— Пустяки. Чтобы тобой не командовали, не надо куда-то ехать. Почему бы не добиться этого дома?

Через три месяца Дикси вышла замуж — за уроженца штата Алабама. Когда они приехали после свадьбы, Дикси пролила много слез, словно оплакивая членов своей семьи, которым приходится жить тут. Она поменяла мебель в старом доме, купила буфет в столовую. Купила Алабаме «Кодак», и они вместе снимались и на лестнице Капитолия их штата, и под орехами, и, взявшись за руки, на парадном крыльце родительского дома. Она попросила Милли простегать для нее лоскутное одеяло и посадить розы за старым домом, а Алабаму — не краситься слишком сильно, потому что она слишком юна для этого, в Нью-Йорке девочки так не делают.

— Но я же не в Нью-Йорке, — возразила Алабама. — Но даже если приеду в Нью-Йорк, все равно буду краситься.

Потом Дикси с мужем уехали — прочь от южной хандры. В день отъезда сестры Алабама сидела на заднем крыльце и смотрела, как мать режет помидоры к ланчу.

— Лук я режу заранее, за час, — сказала Милли, — а потом вынимаю его, чтобы в салате оставался только его аромат.

— Ага. Можно мне перышки?

— Хочешь целый, с головкой?

— Не-а. Мне нравится зеленый.

Мать Алабамы была похожа на хозяйку замка, помогавшую бедной крестьянке. У мисс Милли были добрые хозяйские и личные отношения с помидорами, которые ее властью оказывались в салате. Припухшие веки над голубыми глазами были устало приподняты, в нищенских условиях творила она добрыми руками милосердные поступки. Одна дочь уехала. Но кое-что от Дикси было и в Алабаме — буйство. Она вглядывалась в лицо девочки, ища фамильное сходство. А Джоанна еще вернется домой.

— Мама, ты очень любила Дикси?

— Я и сейчас ее очень люблю.

— Но от нее много беспокойства.

— Да нет. Просто она всегда влюблена.

— Ты любишь ее больше, чем, например, меня?

— Я люблю тебя не меньше.

— Но от меня тоже не будет покоя, если я не буду делать что хочу.

— Знаешь, Алабама, такое со всеми бывает. Кому то не так, кому это — просто нельзя давать себе воли.

— Да, мама.

За решеткой, похожие на экзотические украшения, созревали гранаты в бархатной шкурке. В глубине сада бронзовые шары траурного мирта раскалывались, выпуская бледно-лиловые кисейные пузыри. Японские сливы закидывали тяжелые кули, набитые летом, на крышу птичника.

Кудах-кудах-кудах!

— Наверное, старая курица опять несется.

— Или хруща съела?

— Хрущей нет, ведь фиги еще не созрели.

Соседка напротив стала звать детей домой. У других соседей закурлыкали голуби, и из их кухни послышались ритмичные шлепки переворачиваемых бифштексов.

— Мам, я не понимаю, зачем Дикси понадобилось ехать в Нью-Йорк и там искать себе здешнего мужа?

— Он очень хороший человек.

— Будь я на месте Дикси, ни за что не вышла бы за него замуж. Я бы нашла себе ньюйоркца.

— Почему? — удивилась Милли.

— Ну, не знаю.

— Потруднее было бы? — усмехнулась Милли.

— Да, правильно.

Издалека донесся скрежет трамвая, тормозящего на ржавых рельсах.

— Это трамвай, да? Держу пари, сейчас придет твой отец.

II

— Говорю тебе, не надену я это, пока не переделаешь! — визжала Алабама, колотя кулаком по швейной машинке.

— Но, дорогая, получилось очень красиво.

— Ладно, пусть из синей саржи, но зачем такое длинное?

— Раз ходишь на свидания с мальчиками, забудь о коротких платьях.

— Но я ведь не устраиваю свидания днем, — возразила Алабама. — Днем я буду танцевать, а на свидания буду ходить вечером.

Алабама так и так поворачивала зеркало, чтобы получше разглядеть сшитую клиньями длинную юбку. И расплакалась в бессильной ярости.

— Такую мне не надо! Не надо!.. Как в ней бегать и вообще?

— Красиво, правда, Джоанна?

— Будь это моя дочь, я бы залепила ей пощечину, — отозвалась Джоанна.

— Ты бы! Ты бы! Я бы сама тебе залепила.

— Я в твоем возрасте, когда мне шили хоть что-то новое, всегда радовалась, ведь я постоянно донашивала вещи Дикси. Тебя просто чудовищно избаловали, — не унималась Джоанна.

— Не надо, Джоанна! Алабама всего лишь хочет покороче.

— Маменькин ангелочек! А мне помнится, она хотела как раз такую длину.

— Откуда мне было знать, что так будет смотреться?

— Я бы знала, как тебя приструнить, будь ты моей дочерью, — с угрозой произнесла Джоанна.

Алабама, стоя на теплом субботнем солнце, разглаживала матросский воротник. Потом осторожно сунула пальцы в нагрудный карман, не отрывая недовольного взгляда от своего отражения в зеркале.

— В этой юбке у меня как будто не мои ноги, — проговорила она. — А впрочем, может быть, и ничего.

— Никогда не слышала столько криков из-за платья, — сказала Джоанна. — На месте мамы я бы покупала тебе готовые.

— То, что в магазинах, мне не нравится. Кстати, у тебя все отделано кружевом.

— Но я же сама плачу.

Стукнула дверь в комнате Остина.

— Алабама, хватит спорить! Я хочу подремать.

— Девочки, папа! — испугалась Милли.

— Сэр, я не виновата, это Джоанна! — взвизгнула Алабама.

— Господи! Она всегда на кого-нибудь кивает. Не я, так мама виновата или любой другой, кто подвернется под руку. Сама же она всегда ни при чем.

Алабама удрученно подумала о том, как несправедлива жизнь, которая сначала создала Джоанну, а уж потом ее. Мало того, она еще наделила сестру недостижимой красотой, она была прекрасна, как черный опал. Что бы Алабама ни делала, ей все равно не удалось бы изменить цвет глаз на этот золотисто-карий и она не могла заполучить эти загадочно оттененные скулы. Когда на Джоанну падал прямой свет, она была похожа на блеклый призрак самой себя, своей красоты. От ее зубов исходило прозрачное голубое сияние, и волосы были до того гладкими, что казались бесцветными из-за блеска.

Все считали Джои милой девочкой — в сравнении с другими сестрами. Когда ей перевалило за двадцать,

Джоанна как будто завоевала право быть в центре родительских интересов. Стоило Алабаме услыхать, как отец с матерью сдержанно что-то обсуждают насчет Джоанны, она тут же в этих редких родительских погружениях в прошлое отлавливала то, что, как ей казалось, могло принадлежать и ей. Ей было очень важно узнавать то об одном, то о другом семейном наследии, которое, возможно, перешло к ней, это все равно как удостовериться в том, что у нее все пять пальцев на ноге, потому что пока ей удалось насчитать только четыре. Здорово, когда есть какие-никакие опознавательные знаки, благодаря которым можно еще что-то разведать.

— Милли, — как-то вечером озабоченным тоном спросил Остин, — как ты думаешь, Джои в самом деле собирается замуж за сына Эктонов?

— Не знаю, дорогой.

— Полагаю, ей не стоит всюду разъезжать с ним и посещать его родственников, если тут ничего серьезного. К тому же она слишком часто встречается с Гарланом.

— Я тоже нанесла визит Эктонам, ведь они нам родственники по моему отцу. Почему же ты разрешаешь ей?

— Я не знал о Гарлане. Есть обязательства...

— Мама, а ты хорошо помнишь своего папу? — вмешалась в разговор Алабама.

— Конечно. Когда ему было восемьдесят три года, лошадь выбросила его из повозки. На скачках в Кентукки.

То, что у маминого папы была своя яркая жизнь, которую можно так или иначе использовать, звучало для Алабамы весьма многообещающе. Это тоже пригодится для спектакля. Она рассчитывала на время, которое само обо всем позаботится и само — обязатель-

но — предоставит ей случай разыграть историю своей жизни.

— Так что там с Гарланом? — стоял на своем Остин.

— Да ладно тебе! — уклонилась от ответа Милли.

— Не знаю. Джои как будто от него в восторге. А ведь у него ни гроша. Зато Эктон твердо стоит на ногах. Я не могу позволить своей дочери выйти замуж за нищего.

Гарлан приходил каждый вечер и вместе с Джоанной пел песни, которые она привезла из Кентукки: «Время, место и девушка», «Девушка из Саскачевана», «Шоколадный солдатик»*, песни из книг с двухцветными литографиями на обложках, изображавшими мужчин с трубками, принцев на балюстрадах и луну в облаках. Голос у него был звучный, как орган. Очень часто Гарлан засиживался до ужина. Кстати, у него были такие длинные ноги, что все остальное казалось неким декоративным приложением к ним.

Алабама придумывала танцы и показывала их Гарлану, аккуратно ступая вокруг ковра.

— Он когда-нибудь отправится к себе домой? — каждый раз Остин спрашивал у Милли. — Не понимаю, о чем думает Эктон. Джоанна не должна быть такой безответственной.

Гарлан умел добиваться расположения. Но Остина не устраивал его статус. Если бы Джоанна вышла за него замуж, ей пришлось бы начинать с того, с чего начинали Судья и Милли, вот только у Остина не было скаковых лошадей, чтобы поддержать ее в первое время, как это делал отец Милли.

---

* «Время, место и девушка» (1907) — вальс из мюзикла Джозефа Е. Говарда, «Шоколадный солдатик» (1908) — вальс из оперетты Оскара Штрауса (1870—1954), «Девушка из Саскачевана» — популярный вальс.

— Привет, Алабама. У тебя прелестный нагрудничек.

Алабама зарумянилась. Однако старалась не показать, как ей приятно. Насколько ей помнилось, покраснела она тогда впервые; и это было еще одним убедительным доказательством того, что все ее реакции заложены в ней наследственностью — смущение и гордость, и умение с ними справиться.

— Это фартук. Мне сшили новое платье, а пришлось помогать на кухне с ужином.

И она продемонстрировала восхищенному Гарлану новое саржевое платье.

Тот посадил долговязую девочку на колени.

Во что бы то ни стало желая продлить разговор о себе, Алабама торопливо продолжала:

— У меня есть очень красивое платье для танцев, даже красивее, чем у Джоанны.

— Рано тебе ходить на танцы. Ты еще такой ребенок, что мне даже стыдно поцеловать тебя.

Алабама была разочарована столь отеческим обращением. Гарлан убрал светлую прядку с ее застывшего лица, на котором мгновенно обозначились геометрически ровные тени и светящиеся выпуклости и отразилась покорность одалиски. Черты этого личика были строгими, как у отца, но чистота мускульных линий выдавала ее совсем еще раннюю юность.

Пришел Остин в поисках газеты.

— Алабама, ты уже слишком взрослая, чтобы сидеть на коленях у мужчины.

— Но, папа, он не *мой* кавалер!

— Добрый вечер, Судья.

Судья задумчиво сплюнул в камин, стараясь сдержать раздражение.

— Все равно. Ты уже взрослая.

— Теперь я всегда буду взрослой?

Спихнув Алабаму с колен, Гарлан вскочил. В дверях стояла Джоанна.

— Мисс Джои Бегтс, — объявил он, — самая красивая девушка нашего города!

Джоанна хихикнула как человек, знающий себе цену, но не желающий подчеркивать свое превосходство, щадя чувства окружающих — словно ей всегда было известно, что она краше всех.

С завистью Алабама смотрела, как Гарлан подает Джои пальто и по-хозяйски уводит ее из дома. Она рассудительно отмечала, как, доверяя себя мужчине, сестра становится все более нерешительной, более вкрадчивой. Алабаме хотелось оказаться на ее месте. За ужином будет отец. Это почти то же самое; необходимость быть другой, не такой, какая ты на самом деле, — вот в каком смысле то же самое. Алабаме пришло в голову, что отец совсем не знает, какая она.

Ужин бывал забавным; тост с угольным привкусом и иногда цыпленок — теплый, как будто из-под одеяла, под церемониальные беседы Милли и Судьи о хозяйстве и детях. Семейная жизнь превратилась в ритуальное действо, пройдя через сито глубоких убеждений Остина.

— Я хочу еще клубничного джема.

— А живот не заболит?

— Милли, я считаю, что уважающей себя девушке негоже быть обрученной с одним мужчиной и позволять себе интересоваться другим.

— Ничего страшного. Джоанна хорошая девочка. И она не обручена с Эктоном.

Но на самом деле мама знала, что Джоанна обручена с Эктоном, потому что однажды летним вечером, когда дождь лил как из ведра и шумел, как подобранные шелковые юбки, когда вода в водостоках печально курлыкала по-голубиному и текла пенистыми потоками, Милли послала Алабаму с зонтиком к Джоанне. Алабама застала обоих тесно прижавшимися друг к другу, как намокшие марки в записной книжке. Потом Эктон сказал Милли, что они собираются пожениться. А Гарлан присылал по воскресеньям розы. Один Бог знал, где он брал деньги на цветы. Но попросить руки Джоанны он не смел — из-за своей бедности.

Когда зацвели и похорошели городские парки, Гарлан и Джоанна стали брать Алабаму с собой на прогулки. И Алабама, и большие магнолии с листьями, как шершавое железо, и кусты калины и заросли вербены, и лепестки японской магнолии, устилавшие газоны и напоминавшие лоскуты от вечерних платьев, укрепляли связывавшие молодых людей тайные узы. При Алабаме Джоанна и Гарлан беседовали о пустяках. При ней они не давали себе воли.

— Когда у меня будет свой дом, мне хотелось бы иметь такой куст, — сказала Джоанна.

— Джои! У меня нет денег! Давай я лучше отращу бороду! — взмолился Гарлан.

— Мне нравятся невысокие деревья, туя, можжевельник, и у меня обязательно будет тропинка между ними, похожая на шов в елочку, а в конце я устрою террасу, как у Клотильды Суперт.

Алабама решила, что не суть важно, думает ее сестра о Гарлане или об Эктоне, зато сад у нее будет замечательный — или об обоих сразу, в замешательстве поправила себя Алабама.

— О Господи! Почему у меня нет денег! — воскликнул Гарлан.

Та весна запомнилась Алабаме желтыми флагами, похожими на листы из анатомического атласа, прудами

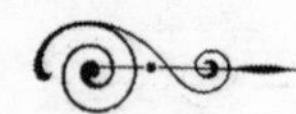

с лотосами, коричнево-белым батиком словно присыпанных снегом цветущих кустов, неожиданным жаром от легких прикосновений и мертвенной фарфоровой бледностью лица Джои, затененного соломенной шляпкой. Алабама интуитивно понимала, почему Гарлан звенит ключами в кармане, где никогда не было денег, и почему, пошатываясь, бредет по улицам, словно тащит тяжелое бревно. У других людей деньги были, а ему хватало лишь на розы. Даже без покупки роз у него все равно еще очень долго ничего не было бы, а тем временем Джоанна все равно ушла бы, разлюбила бы его, была бы потеряна навсегда.

Когда воцарялась жара, они нанимали легкую двухместную коляску с откидным верхом и ехали по пыльной дороге на луга с ромашками, как в детских стихах, где сонные коровы, оседланные тенями, сжевывали лето с белых склонов. Алабама шла позади и рвала цветы. Ей казалось особенно важным то, что она произносила в этом чужом мире затаенных чувств, и была похожа на человека, который воображает, будто сильно поумнел, заговорив на незнакомом языке. Джоанна жаловалась Милли, что Алабама слишком много болтает для своего возраста.

Скрипя и качаясь, как парусник в бурном море, любовный сюжет одолел июнь. Наконец пришло письмо от Эктона. Алабама заметила его на каминной полке в комнате Судьи.

«И, будучи в состоянии окружить Вашу дочь необходимым комфортом, а также, надеюсь, счастьем, я прошу Вашего согласия на наш брак».

Алабама пожелала сохранить письмо.

— Пусть будет в семейном архиве, — сказала она.

— Нет, — возразил Судья Беггс.

Он и Милли никогда ничего не хранили.

В ожиданиях Алабамы в отношении сестры было предусмотрено как будто все, но она не учла, что любовь может катить и дальше, забирая с собой тела павших, чтобы закрыть ими воронки от бомб на пути к очередной линии фронта. Много времени понадобилось Алабаме, чтобы научиться думать о жизни без романтических фантазий, как о длинной и беспрерывной череде отдельных событий, где всякий эмоциональный опыт служит подспорьем в подготовке к другому.

Когда Джои произнесла свое «да», Алабаме показалось, что ее обманули и не показали долгожданный спектакль, на который она купила билет. «Сегодня шоу отменяется, премьерша подхватила простуду», — мысленно произнесла она.

Неизвестно, плакала Джоанна или не плакала, пока Алабама начищала белые комнатные туфли в верхнем холле. Ей была видна кровать Джоанны: казалось, сестра уложила себя, а сама ушла, но потом забыла вернуться, из ее спальни не доносилось ни звука.

— Почему ты не хочешь выйти замуж за Эктона? — услыхала Алабама кроткий голос отца.

— Ах... У меня нет сундука, да теперь еще придется уехать, и платья у меня все старые, — уклонилась от ответа Джоанна.

— Сундук я дам, Джои, а он даст тебе и платья, и новый дом, и все остальное.

Судья был ласков с Джоанной. Она меньше всех походила на него; из-за своей застенчивости она казалась более сдержанной и менее приспособленной к тому, чтобы нести свой крест, — менее, чем Алабама и Дикси.

Жара давила на все живое на земле, раздувая тени, распахивая окна и двери, пока лето не раскололось в жутком ударе грома. При свете молний было видно, как деревья тянутся в маниакальном порыве вверх и размахивают ветками, словно фурии — руками. Алабама знала, что Джоанна боится грозы. Она тихонько залезла в кровать сестры и обняла ее загорелой рукой, словно укрепляя прочным засовом ненадежную дверь. У Алабамы не было сомнений в том, что Джоанна поступит правильно и сделает правильный выбор; теперь она понимала, как это важно — особенно для Джоанны, которая всегда и во всем любила порядок. Ведь и Алабама была такой же иногда, по воскресеньям, когда оставалась одна в доме, в котором царила первозданная тишина.

Алабаме хотелось успокоить сестру. Ей хотелось сказать: «Послушай, Джои, если тебе так жалко магнолии и ромашковые поля, не бойся их забыть, я обязательно расскажу тебе, каково это — чувствовать то, что ты уже забудешь, — ведь когда-нибудь через много лет со мной случится что-то такое, что напомнит тебе о сегодняшнем».

— Убирайся с моей кровати, — внезапно сказала Джоанна.

И Алабама печально бродила по дому, то ныряя, то выныривая из белых ацетиленовых вспышек света.

— Мама, Джои боится.

— Дорогая, не хочешь полежать со мной?

— Я не боюсь. Просто не могу спать. Но я бы полежала с тобой, если можно.

Судья часто засиживался за чтением Филдинга. Зажав нужную страницу большим пальцем, он закрыл книгу, отметив таким образом конец дня.

— Что за служба в католических соборах? — спросил Судья. — Гарлан католик?

— Нет, думаю, нет.

— Я рад, что она решила выйти за Эктона, — с непроницаемым лицом проговорил Судья.

У Алабамы был мудрый отец. Своими предпочтениями в отношении женщин он сотворил и Милли и девочек. Он все знает, говорила себе Алабама. Наверное, так оно и было. Если знание — это иметь свое отношение к не испытанному на своем опыте и стойкое отрицательное отношение к испытанному, то она не ошибалась.

— Мне грустно, — решительно заявила Алабама. — У Гарлана прическа, как у испанского короля. Лучше бы Джои вышла замуж за него.

— На прическу испанского короля не проживешь, — парировал Остин.

Эктон телеграфировал о том, что приезжает в конце недели и что он очень счастлив.

Гарлан и Джоанна качались на качелях — дребезжавшая цепь скрипела, они стояли на облезшей серой доске и на лету сбивали цветы с вьюнков.

— На этом крыльце всегда так хорошо и прохладно, как нигде больше, — сказал Гарлан.

— Потому что здесь пахнет жимолостью и жасмином, — проговорила Джоанна.

— Нет, — сказала Милли, — напротив, через дорогу, скосили сено, пахнет им и еще здесь пахнет моей душистой геранью.

— Ох, мисс Милли, мне не хочется уходить.

— Вы еще вернетесь.

— Нет, не вернусь.

— Простите, Гарлан... — Милли поцеловала его в щеку. — Не расстраивайтесь, ведь вы еще почти ребенок. Будут другие девушки.

— Мама, это груши так пахнут, — прошептала Джоанна.

— Это мои духи, — с раздражением заявила Алабама, — и они, между прочим, стоят шесть долларов за унцию.

Гарлан прислал корзинку раков к ужину, на который был приглашен Эктон. Раки ползали по кухне, залезали под плиту, и Милли одного за другим бросала их живыми и зелеными в кастрюлю с кипятком.

Все ели их, кроме Джоанны.

— Слишком они неуклюжие, — сказала она.

— Наверняка объявились в животном мире в тот момент, когда началось бурное развитие техники. Прут как танки.

— Они едят мертвых людей, — заявила Джоанна.

— Джои, зачем же так за столом?

— Ничего не попишешь, — с неприязнью произнесла Милли, — едят.

— Мне кажется, я могла бы сделать такого рака, было бы из чего, — вмешалась Алабама.

— Хорошо съездили, мистер Эктон?

Весь дом был заполнен приданым Джоанны — платьями из синей тафты, в черно-белую клетку, из перламутрово-розового атласа, с бирюзово-синей талией, а также черными замшевыми туфлями.

Коричневый и желтый шелк, кружева, шотландка, строгий костюм и мешочки с розовыми сухими лепестками заполняли новый сундук.

— Не хочу такой фасон, — рыдала Джоанна. — У меня слишком большая грудь.

— Тебе очень идет, да и пригодится в городе.

— Вы должны навестить меня, — говорила Джоанна подругам. — Будете в Кентукки, приходите. Потом мы переберемся в Нью-Йорк.

Джоанна волновалась и подспудно протестовала против предстоящей жизни, как щенок, которому не дает покоя шнурок от ботинка. Ее раздражал Эктон, и в то же время она чего-то постоянно требовала от него, словно ждала, что посредством обручального кольца он обеспечит ей полный набор радостей.

Они уехали ночью. Джоанна не плакала, но, кажется, стыдилась того, что готова заплакать. Пересекая железнодорожные пути, когда возвращались назад, Алабама, как никогда прежде, ощущала силу и власть Остина. Джоанну произвели на свет, вырастили и выставили вон. Расставшись с Джоанной, отец как будто состарил ее; отныне между ним и его абсолютной властью над прошлым было только будущее Алабамы. Она оставалась единственной неразрешенной проблемой, унаследованной им из его молодости.

Алабама думала о Джоанне. И вот к какому выводу она пришла. Любить — это всего-навсего отдать другому человеку свое прошлое, из которого многое уже сделалось таким громоздким, что в одиночку с ним не справиться. Искать любовь все равно что искать еще один пункт отправления, размышляла она, еще один шанс начать новую жизнь. Не по годам развитая, Алабама думала еще и о том, что человек ищет другого человека вовсе не затем, чтобы разделить с ним будущее, жадно приберегая для себя свои тайные ожидания. Ей иногда приходили в голову замечательные и, как правило, невеселые мысли, но они никак не отражались на ее поведении. В свои семнадцать она стала философом-гурманом и отбирала возможности, обгладывая кости разочарований, оставшиеся после семейных скромных трапез. Надо сказать, в ней было много от отца, который судил и рядил все, независимо от нее.

 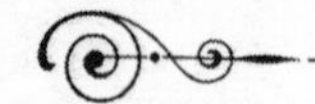

Вслед за ним она не понимала, почему не может длиться вечно живое и важное ощущение сопричастия, преодолевающее статическую рутину. Со всем остальным дело как будто обстояло неплохо. Она, как и отец, наслаждалась быстротой и полнотой сестринского перемещения из одной семьи в другую.

Однако без Джоанны в доме стало тоскливо. Но Алабама могла почти целиком оживлять образ сестры в памяти — по тем мелочам, что та не забрала с собой.

— Когда мне грустно, я работаю, — сказала мама.

— Не понимаю, как ты научилась хорошо шить.

— Училась на вас.

— Только пусть это платье будет совсем без рукавов, а розы поместим на плече, ладно?

— Ладно, как хочешь. Руки у меня стали грубые, не годятся для шелка, и шью я хуже, чем прежде.

— А какой чудесный материал. Мне оно очень идет, больше, чем Джоанне.

Алабама прикинула на себя летящий шелк, чтобы увидеть, как он будет плескаться на ветру и как смотрелся бы в музее на Венере Милосской.

«Вот прямо бы сейчас и на танцы, — подумала Алабама, — это было бы здорово. А то ведь вконец измучаешься».

— Алабама, *о чем* ты думаешь?

— О развлечениях.

— Хорошее дело.

— И еще о том, какая она красивая, — поддразнил ее отец. Посвященный в маленькие тайны семьи, Остин, который был совершенно лишен тщеславия, с любопытством открывал его в своих детях. — Все любуется собой в зеркале.

— Папа! Я не любуюсь!

Алабама знала, что действительно смотрится в зеркало чаще не просто из удовольствия, она постоянно надеется увидеть в нем нечто большее, чем есть на самом деле.

Алабама обвела смущенным взглядом кучу ничейных вещей в соседней комнате, похожую на куст примулы за окном. Горели на солнце пять медных щитов ярко-красного гибискуса, перед сараем алтей клонил к земле бледно-розовый балдахин, Юг как бы приглашал всех на вечеринку — не определяя точного адреса.

— Милли, запрети ей загорать дочерна, если она собирается носить такие платья.

— Она же еще ребенок, Остин.

Ради танцев перешивали розовое платье Джоанны. Мисс Милли с трудом разогнула спину. В доме было слишком душно. Не успевала она слегка взбить волосы с одной стороны, как с другой они прилипли к шее. Она принесла себе холодный лимонад. Пудра вокруг носа сбилась в сухие круги. Милли и Алабама вышли на крыльцо. Алабама села на качели, которые были для нее своего рода музыкальным инструментом; раскачивая цепи, можно было сотворить веселую мелодию или убаюкивающий протест против скучного свидания. Алабама уже давно была готова отправиться на бал, подготовиться еще лучше было попросту невозможно. Почему же никто не идет и не звонит? Почему ничего не происходит? У соседей часы пробили десять раз.

— Если сейчас же никто не придет, все пропало, — как бы между прочим проговорила Алабама, делая вид, будто ее не волнует, пропустит она танцы или не пропустит.

Далекие судорожные рыдания разорвали тишину летнего вечера. С улицы донеслись, одолев знойное марево, крики мальчишки-газетчика.

— Покупайте газету! Покупайте газету! Новости! Читайте новости!

Его голос летал из стороны в сторону, вверх-вниз, словно эхо в соборе.

— Мальчик, что случилось?

— Не знаю, мэм.

— Пойди сюда! Дай мне газету!

— Это ужасно, папа! Что теперь будет?

— Будет война.

— Но их же предупредили, чтобы они не плыли на «Лузитании»*, — сказала Милли.

Остин раздраженно откинул назад голову.

— Как можно? — отозвался он. — Они не имеют права предупреждать граждан нейтральных стран.

Автомобиль с мальчишками затормозил на обочине. В темноте раздался долгий пронзительный свист, но ни один из мальчишек не вышел из машины.

— Ты не покинешь дом, пока они сами не изволят за тобой зайти, — строго произнес Судья.

Освещенный лампой в холле, он казался очень красивым и серьезным — таким же серьезным, как предполагаемая война. Алабаме стало стыдно за своих приятелей, как только она сравнила их с отцом. Один из мальчиков вылез из автомобиля и открыл калитку; и Алабама и отец назвали бы это компромиссом.

«Война! Будет война!» — думала она.

От возбуждения сердце едва не выпрыгивало у нее из груди, и она так высоко поднимала ноги, что, казалось, летела над лестницей, устремившись к ожидавшему ее автомобилю.

---

* 7 мая 1915 г. немцы потопили британский пассажирский лайнер «Лузитания», что вызвало бурю протестов в США и послужило одной из причин вступления США в Первую мировую войну.

— Будет война, — сказала Алабама.

— Вот и повеселимся на танцах, — отозвался ее эскорт.

Весь вечер Алабама думала о войне. Теперь начнется другая жизнь, и будут другие удовольствия. С юношеским ницшеанством Алабама уже предвкушала, что благодаря мировому катаклизму избавится от ощущения удушья, и новые ощущения затмят и семью, и сестру, и мать. Алабама говорила себе, что будет с улыбкой шагать по высотам, останавливаясь, чтобы нарушать правила, грешить и любить, а если цена будет слишком высока... ну, не стоит жадничать заранее. Переполненная подобными самонадеянными заключениями, Алабама обещала себе, что если в будущем ее душа изголодается и будет молить о хлебе, пусть ест камень, который она предложит ей без сожалений и раскаяния. Она без устали убеждала себя в том, что главное — при первой же возможности взять желаемое. И она старалась добиться своего.

III

— Эта оказалась самой неукротимой, но и самой стоящей из девочек Беггс, — говорили в округе.

Алабаме было известно все, что о ней говорили, — рядом с ней было так много юношей, жаждавших «защитить» ее, что избежать сплетен оказалось невозможно. Она откидывалась назад, раскачивая качели, и старалась представить себя такой, какой ее представляли другие.

«Стоящая, — думала она, — означает, что я никогда не обману их ожиданий, я и правда жутко способная — мои шоу чертовски хороши».

 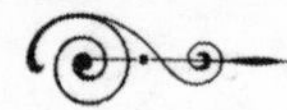

«Он очень похож на чистопородного пса, — думала она о высоком офицере, который стоял рядом с ней, — на гончую, благородную гончую! Интересно, он может достать ушами до кончика носа?» Она уже не воспринимала его как мужчину, увлекшись сравнением.

У офицера было длинное печально-сентиментальное лицо, наиболее выдающаяся точка которого находилась на кончике чувствительного носа. Время от времени офицер яростно себя ругал, просто разрывал в клочья и обрушивал эти клочья ей на голову. Несомненно, его терзали муки любви.

— Маленькая леди, как вы думаете, вам хватило бы пяти тысяч в год? — спросил он, открывая свою душу. — Для начала, — подумав, добавил он.

— Хватило бы, но я не хочу жить на пять тысяч.

— Тогда почему вы поцеловали меня?

— Никогда еще не целовалась с усатым мужчиной.

— Вряд ли это может служить объяснением...

— Вы правы. Но это объяснение ничем не хуже тех, которыми многие прикрывают свой уход в монастырь.

— Тогда мне нет смысла оставаться дольше, — печально проговорил офицер.

— Наверно, нет. Уже половина двенадцатого.

— Алабама, вы совершенно невыносимы. Вам известно, какая у вас репутация? А я все равно предлагаю вам руку и сердце...

— И сердитесь, потому что я не делаю из вас жертву, честного мужчину.

Молодой человек тут же стушевался и словно бы спрятался за обезличивающим всех военным мундиром.

— Вы пожалеете, — недовольно проговорил он.

— Надеюсь, — ответила Алабама. — Мне нравится платить за то, что я делаю, — тогда я чувствую себя в расчете со всем миром.

— Вы похожи на диких команчей. Зачем вам нужно притворяться злой и жестокосердной?

— Может быть, вы правы — в любом случае, в тот день, когда я раскаюсь, напишу «простите» в уголке приглашений на свадьбу.

— А я пришлю вам свою фотографию, чтобы вы не забыли меня.

— Хорошо — если хотите.

Алабама закрыла дверь на щеколду и выключила свет. Стоя в непроглядной темноте, она ждала, когда глаза начнут различать контуры лестницы. «Может быть, следовало бы выйти за него замуж, ведь мне скоро восемнадцать, — попыталась она размышлять здраво, — и он бы неплохо заботился обо мне. Пора подумать о будущем». С этими мыслями Алабама поднялась по лестнице.

— Алабама, — услыхала она тихий, едва различимый голос матери, донесшийся к ней из потока темноты, — утром с тобой хочет поговорить твой отец. Не опаздывай на завтрак.

Сидевший за столом с серебряными приборами судья Остин Беггс выглядел человеком уверенным, трезво мыслящим и глубоко погруженным в свои мысли. Он был похожим на выдающегося спортсмена, замершего в неподвижности, — перед тем моментом, когда ему надо выложиться до конца.

Он сразу постарался взять верх над Алабамой.

— Имей в виду, я не позволю, чтобы из-за тебя мое имя трепали на всех углах.

— Остин! Да она же только что окончила школу, — Милли попробовала урезонить мужа.

— Тем более. Что тебе известно об этих офицерах?

— По-жа-луй-ста...

— Джо Ингхэм рассказал мне, что его дочь привезли домой неприлично пьяной, и она созналась, что это ты напоила ее.

— Она сама пила. Мы праздновали новый набор в офицерской школе, и я налила джин в медицинскую фляжку.

— И заставила девчонку выпить?

— Ну уж нет! Когда она увидела, как все смеются, то решила присоседиться к моей шутке, ведь самой ей ни за что ничего путного не придумать, — спесиво произнесла Алабама.

— Отныне тебе придется вести себя более осмотрительно.

— Да, сэр. Ох, папа! До чего же я устала сидеть на крылечке, ходить на свидания и смотреть, как все погано.

— Мне кажется, у тебя и так хватает дел, и необязательно развращать окружающих.

«Какие дела, кроме как пить и любить?» — мысленно откликнулась Алабама.

Она остро ощущала собственную никчемность, бессмысленность такой вот жизни, когда июньские насекомые обсыпáли липкие плоды на фиговом дереве и тучи неподвижных мух — всякую гниль. Скудная сухая трава под пеканами* кишела рыжевато-коричневыми гусеницами, стоило только к ней присмотреться. Спутанный в колтуны горошек высох на осенней жаре, и, как пустые раковины, свисали с перекладин на доме затвердевшие стручки. Солнечные лучи красили газон ровными желтыми мазками и ломались о спекшиеся хлопковые поля. Жирная земля, богато родившая в другое время, теперь лежала плоскими пластами по обе стороны дороги, изредка морщась в обескураживающей

* Разновидность орехового дерева.

усмешке. Невпопад пели птицы. Ни мул в поле, ни человек на песчаной дороге не могли вынести жару, клубящуюся между впалыми глинистыми берегами и негромко шелестящими кипарисами, которые отделяли военные лагеря от города — многие умирали от солнечного удара.

Вечернее солнце, запахнувшись в розовые небесные одеяния, следовало в город за автобусом с офицерами: юными лейтенантами, старыми лейтенантами, и те и другие получали увольнительные и отправлялись искать то объяснение мировой войны, которое мог им предложить маленький алабамский городок. Алабама знала их всех, но относилась к ним по-разному.

— Ваша жена в городе, капитан Фаррелей? — раздался голос в подпрыгивающем автобусе. — У вас как будто прекрасное настроение.

— Она здесь... Но я собираюсь повидать свою девушку. Вот и радуюсь, — коротко ответил капитан и начал тихонько что-то насвистывать.

— А...

Юный лейтенант не знал, что еще сказать, опасаясь, как бы это не прозвучало глупо — как поздравление с рождением мертвого ребенка. Не скажешь же: «Вот здорово!» Или: «Очень мило!» Но он мог бы сказать: «Знаете, капитан, это неприлично», — если бы хотел разыграть из себя блюстителя нравов.

— Что ж, удачи вам. У меня сегодня тоже свидание, — в конце концов проговорил лейтенант. — Удачи, — повторил он, желая показать, что свободен от моральных предрассудков.

— Вы все еще обхаживаете Беггс-стрит? — внезапно спросил капитан.

— Да, — ответил лейтенант и неловко засмеялся.

Автобус доставил военных в центр города, на притихшую площадь. На огромном пространстве, окруженном невысокими зданиями, он казался таким же крохотным, как карета на дворцовом дворе со старой гравюры. Приезд автобуса никак не сказался на сонном городке. Старая колымага избавилась от своего груза — пользующихся успехом у дам и едва сдерживающих себя мужчин, выбросив их в объятия перевернувшегося мира.

Капитан Фаррелей зашагал к стоянке такси.

— Беггс-стрит, дом пять, — с нарочитой самоуверенностью громко произнес он, специально для ушей лейтенанта. — И побыстрее.

Пока такси разворачивалось, Фаррелей с удовольствием прислушивался к смеху офицеров, доносившемуся из темноты.

— Привет, Алабама!

— А, это вы, Феликс!

— Меня зовут не Феликс.

— Но Феликс вам больше идет. А как вас зовут?

— Капитан Франклин Макферсон Фаррелей.

— Меня преследуют мысли о войне, поэтому я не могу запомнить.

— Я написал о вас стихи.

Алабама взяла у него листок бумаги и поднесла к свету, пробивавшемуся сквозь планки жалюзи, словно звуки музыки.

— Тут о Вест-Пойнте, — разочарованно проговорила она, — об академии.

— Это все равно, — отозвался Фаррелей. — То же самое я чувствую к вам.

— Тогда пусть эта ваша Военная академия сухопутных войск радуется тому, что вы любите ее серые глаза.

Вы оставили последние стихи в такси или держите его на случай, вдруг я буду отстреливаться?

— Я действительно сказал шоферу, чтобы он ждал, потому что приглашаю вас покататься. Нам не стоит сегодня идти в клуб, — без тени улыбки произнес капитан.

— Феликс! — с укоризной воскликнула Алабама. — Вам ведь известно, что мне наплевать на сплетни. Никому и в голову не придет обсуждать, что мы вместе, — для хорошей войны нужно много солдат.

Алабаме было жаль Феликса. Он не хотел компрометировать ее, как это трогательно, на Алабаму нахлынула волна нежности и дружеского участия.

— Вы не должны обращать внимание.

— На сей раз дело в моей жене... Она приехала, — сухо проговорил Фаррелей, — и может быть там.

Он не извинился.

Алабама помедлила в нерешительности.

— Что ж, кататься так кататься, — наконец сказала она. — Потанцуем в следующую субботу.

Капитан Фаррелей принадлежал к вполне определенному типу мужчин: застегнутый на все пуговицы солдафон, из тех, что погрязли в чванливости жующей бифштексы Англии и торчат в барах, но он был в самое сердце поражен чистой, равнодушной к обидам, безоглядной любовью. Вновь и вновь он запевал «О, дамы, дамы», когда они катили вдоль горизонтов юности и залитой лунным светом войны. Южная луна — это кипящая луна, страстная. Когда она со сладостным неодолимым постоянством затопляет своим светом поля, неумолкающие песчаные дороги и густые изгороди из жимолости, борьба за принадлежность к реальной жизни похожа на протест против первого дуновения эфира.

Он сомкнул руки на сухом тонком теле, от которого исходил аромат розы «чероки»* и гаваней в сумерках.

— Я собираюсь добиваться перевода, — торопливо произнес Феликс.

— Почему?

— Не хочу падать из самолета и устраивать кучу-малу на дороге, подобно вашим прежним возлюбленным.

— Кто выпал из самолета?

— Ваш друг с лицом таксы и усами, когда направлялся в Атланту. Механик погиб, а лейтенанта судит трибунал.

— Страх, — сказала Алабама, чувствуя, что у нее сводит скулы от ужаса, — это ведь нервы, наверно, и всякие другие чувства тоже. Все равно надо быть собой и ни о чем не думать. А как это вышло? — все-таки поинтересовалась она.

Феликс покачал головой.

— *Хотелось* бы думать, что это был несчастный случай.

— Что толку расстраиваться из-за этого песика, — вышла из положения Алабама. — Люди, которые растрачивают свою душу на все подряд, они неразборчивы в чувствах, как проститутки; они безответственны по отношению к окружающим — никакого Уолтер-ролизма** мне не надо, — твердо сказала она.

— Знаете ли, у вас не было права завлекать его.

— Ну сейчас-то уже все.

— Для бедняги механика в больничной палате действительно уже все, — заметил Феликс.

* Здесь: символ жизнестойкости и независимости.

** Имеется в виду Уолтер Роли (1552—1618) — один из основателей (1578) первого английского поселения у побережья Северной Каролины.

Ее высокие скулы разрезали лунный свет, как серп режет спелую пшеницу. Армейскому человеку было непросто осудить Алабаму.

— А что у вас со светленьким лейтенантом, который ехал вместе со мной до города? — спросил Фаррелей.

— Боюсь, тут мне будет трудно оправдаться, — ответила Алабама.

Капитан Фаррелей изобразил судороги, будто он сейчас утонет. Он схватил себя за нос и сполз на пол.

— Бессердечная, — проговорил он. — Ничего, я справлюсь.

— Честь, Долг, Родина и Вест-Пойнт, — мечтательно отозвалась Алабама. И засмеялась. Они оба засмеялись. Было очень грустно.

— Беггс-стрит, дом пять, — продиктовал капитан Фаррелей таксисту. — Быстрее. Там пожар.

С началом войны в городе появились толпы мужчин, которые, как тучи голодной саранчи, поедали без разбора всех незамужних женщин, в избытке населявших Юг с тех пор, как его поразил экономический упадок. Был там майор маленького роста, но стремительный, как японский воин, так и сверкавший золотыми зубами; был ирландский капитан с глазами, как Бларни-стоун*, и волосами, как горящий торф; были офицеры с белыми кругами вокруг глаз из-за темных очков и с припухшими от ветра и солнца носами; были мужчины, для которых форма стала лучшим, что они когда-либо прежде надевали, и полностью соответствовала их представлению об особом периоде в их жизни; были мужчины, пахнувшие тоником для волос из лагерной парикмахерской, и мужчины из Принсто-

* Камень треугольной формы у сторожевой стены в замке английского графства Корк. Легенда гласит: кто его поцелует, тот обретет дар красноречия.

на и Йеля, от которых пахло юфтью и которым хотелось жить, а не умирать; были и снобы, сыпавшие названиями дорогих магазинов, и мужчины, которые танцевали вальс, не снимая шпор, и обижались, когда у них отбивали партнерш. Девушки переходили от одного мужчины к другому в чувственном упоении тогдашним виргинским калейдоскопом.

Все лето Алабама коллекционировала солдатские значки. К осени у нее была доверху наполненная коробка из-под перчаток. Ни у одной другой девушки не было значков столько, хотя она и потеряла несколько штук. Сколько танцев и катаний — и сколько же золотых планок и серебряных планок, бомб и замков, и флагов, и даже драконов. Каждый день она надевала новый значок.

Алабама ссорилась с Судьей Беггсом из-за своей коллекции безделушек, а Милли смеялась и советовала дочери сохранить ее, потому что среди значков были и очень красивые.

Потом наступили холода, как всегда в этих местах. Скажем так, святость сотворенного Богом затуманила унылые деревья; луна неясно светилась отдельными пятнами, похожими на зарождающиеся жемчужины; ночь выбирала белую розу. Несмотря на тучи и тьму, Алабама вышла из дома и стала ждать своего кавалера, погружаясь мыслями в прошлое и фантазируя о будущем, вспоминая сны и стараясь предугадать реальность.

Лейтенант со светлыми волосами и без значка поднялся по ступеням крыльца Беггсов. Он не купил себе другой значок на замену, потому что ему нравилось думать, будто тот, который потерян в битве за Алабаму, незаменим. Ему казалось, что небесные силы поддерживают его где-то под лопатками, отчего ноги словно бы не касаются земли, невесомость экстаза, вот что он ощущал, словно ему была дана тайная радость полета, однако, уступая общепринятым представлениям, он все же ходил, а не летал. Золотисто-зеленые в лунном свете, его волосы над чуть вдавленным лбом напоминали о фресках в целлах* и модных портиках. Впадины над глазами, как заслоны таинственных фантазий, словно бы хотели приглушить синеву глаз, придать больше вдохновенности его лицу. Мужская красота уже пробивалась сквозь мальчишеское очарование двадцатидвухлетнего юнца, это сказывалось на его жестах и движениях, на походке, напоминающей своей сдержанной неспешностью походку дикаря, который тащит на голове тяжелый груз камней. Ему казалось, что теперь как только он скажет таксисту: «Беггс-стрит, дом пять», — рядом появится призрак капитана Фаррелея.

— Вы уже одеты! А почему тут, на крыльце?

Снаружи было холодно и туманно.

— Папа пребывает в унынии, и я отступила с поля боя.

— И в чем же вы провинились?

— Ах, у него всегда одно и то же, мол, армия имеет право на эполеты.

— Разве не прекрасно, что родительская власть гибнет так же, как и все остальное?

— Прекрасно — но я обожаю традиции.

Они стояли на скользком крыльце в море тумана на довольно большом расстоянии друг от друга, и все же Алабама могла поклясться, что прикасается к молодому человеку, таково было магнетическое притяжение двух пар глаз.

— И?..

* Внутреннее помещение античного храма (святилище).

— Песни о летней любви. Ненавижу холод.

— И?..

— Светловолосые мужчины едут в загородный клуб.

Клубный особняк с любопытством вытягивался во все стороны под дубами, похожий на сросшиеся луковицы, выпускающие по весне стрелки стеблей. Проезжая по подъездной аллее, автомобиль носом тянулся к круглой клумбе пушницы*. Земля повсюду была исхожена и утоптана, словно перед детским театром. Провисшая проволока вокруг теннисного корта, облупившаяся тускло-зеленая краска на летнем домике у первой метки, подтекающий кран, пропыленная веранда с приятной атмосферой, создаваемой вольно разросшимися вокруг кустами. Жаль, что сразу после войны в одном из ящиков взорвалась бутылка маисовой водки, и все сгорело дотла. Так много от любящей помечтать юности — не просто от переходного возраста, а от прожектерства и бегства неприспособленных людей в ту драматическую военную пору — было втиснуто под низкие стропила, что пламя, разрушившее святилище тоски по мирному прошлому, возможно, вспыхнуло из-за чрезмерного накала чувств. Всякий офицер, посетивший это место дважды или трижды, обязательно влюблялся, делал предложение руки и сердца и рвался создать поблизости маленькие, но в точности такие же загородные клубы.

Алабама и лейтенант задержались возле двери.

— Я хочу сделать запись о нашем первом свидании, — сказал лейтенант.

Вынув нож, он вырезал на дверной раме:

«Дэвид Найт**, — запечатлено навеки, — Дэвид, Дэвид, Рыцарь, Рыцарь, Рыцарь, и мисс Алабама Никто».

* Красно-желтые тропические цветы.

** Английское слово «найт» означает «рыцарь».

— Какая самовлюбленность.

— Мне нравится тут. Давай посидим где-нибудь.

— Зачем? Танцы всего лишь до двенадцати.

— Доверься мне на пару минут.

— Я тебе доверяю. Поэтому мне и хочется внутрь.

Ее немного рассердили имена на двери. Уже много раз Дэвид говорил ей, что собирается стать очень знаменитым.

Танцуя с Дэвидом, она дышала запахом новых вещей. Алабама была совсем близко к нему, едва не утыкалась носом куда-то между ухом и жестким воротничком, и это походило на приобщение к изысканности отличных тканей, тонкого батиста и полотна, к роскоши в тюках. Она завидовала его внешнему равнодушию. Глядя, как он уходит с танцевального круга в обществе то одной, то другой девушки, она злилась не на то, что его привлекают другие, а на то, что он приглашает других, а не ее, в те неведомые, не опаленные жаром тайники души, где обитает только он сам.

Он проводил ее домой, и они сидели у горящего камина, безразличные ко всему вокруг. Блики пламени сверкали на его зубах и на лице, придавая ему загадочное выражение. А она смотрела, как это лицо меняется — беспрерывно и неуловимо, словно целлулоидная мишень в тире. Алабаме припомнились советы отца: как быть осмотрительной, чтобы не терять голову, однако в них не было ничего, что предостерегало бы от мужского обаяния. Стоило ей влюбиться, и ее собственные афоризмы оказались не в состоянии ей помочь.

За последние несколько лет Алабама вытянулась, стала высокой и худенькой; ее волосы посветлели, словно бы оттого, что так сильно отдалились от земли. Длинные стройные ножки она вытянула перед собой и рассматривала их, как какие-то доисторические рисунки; руки почему-то ныли и казались очень тяжелыми, словно взгляд Дэвида обременил их непосильным грузом. Алабаме было известно, что щеки у нее пылают от жаркого огня, как на июньской рекламе пивной, где хорошенькая девушка пьет земляничный молочный коктейль. Интересно, догадывается ли Дэвид, насколько она тщеславна.

— Значит, тебе нравятся блондины?

— Да.

Когда Алабаме приходилось подчинять себя чужой воле и отвечать на вопросы, у нее появлялось ощущение, будто ей что-то попало в рот и что ей надо было непременно избавиться от этого предмета, прежде чем заговорить.

Лейтенант посмотрел на себя в зеркало — светлые волосы, как лунный свет в восемнадцатом веке, и глаза, как гроты, — синий грот, зеленый грот, сталактиты и малахиты вокруг черного зрачка... как будто бы он производил смотр перед выходом и остался доволен тем, что все на месте.

У него был резко очерченный мшистый затылок, изгиб щеки напоминал о солнечном луге. А руки на ее плечах были теплыми, как подушка.

— Скажи «дорогой», — попросил он.

— Нет.

— Ты любишь меня. Так почему же «нет»?

— Я никогда ничего не говорю. Не люблю разговаривать.

— Почему?

— Это все портит. Скажи сам, что любишь меня.

— О... я люблю тебя. А ты любишь меня?

Алабама очень любила его и чувствовала, что все теснее сближается с ним, отчего Дэвид даже исказился

— Гм-м-м — ладно. Если вы в состоянии позаботиться о ней.

— В состоянии, сэр. Моя семья более или менее обеспечена — и я собираюсь работать. Этого нам хватит.

На самом деле Дэвид понимал, что денег немного — возможно, тысяч сто пятьдесят у матери и бабушки, а ведь ему хотелось жить в Нью-Йорке, да еще стать художником. Не исключено, что получить помощь от семьи не удастся. Что ж, как-нибудь устроится. Между тем помолвка состоялась. Ему необходимо было добиться руки Алабамы. Что же до денег... ему ведь когда-то виделись в грезах солдаты конфедератов, которые оборачивали кровоточащие ноги деньгами повстанцев, чтобы не обморозиться. Дэвид как будто был с ними — в тот момент, когда конфедераты поняли, что теперь не стыдно воспользоваться бесполезными банкнотами, после того как война проиграна.

Пришла весна, и сквозь белое покрывало пробились бледно-желтые нарциссы. Вьюнки лепились к тонким веточкам, а на старом дворе расцвели цветы из детства: подснежники и первоцвет, верба и ноготки. Дэвид и Алабама сбивали в кучи листья с толстых дубовых корней и рвали белые фиалки. По воскресеньям они ходили в варьете и садились в задние ряды, чтобы держаться за руки, не привлекая к себе внимания. Они выучили и пели «Моя любовь» и «Крошка», сидели в ложе на ревю Кола Портера «Хитчи-Ку» и неотрывно глядели друг на друга, пока хор пел «Как же мне сказать?». Весенние дожди растрясали тучи, превращая их в облака, и знойное лето залило Юг потом. Алабама носила розовые и белые полотняные платья, и они с Дэвидом много времени просиживали вместе под привинченными к потолку вентиляторами, которые гнали в ее восприятии, как будто она прижалась носом к зеркалу и заглянула в собственные глаза. Линии его шеи и чеканный профиль действовали на девушку как порывы ветра, ветра, путающего все мысли. Вся ее душа вибрировала — будто истончалась и уменьшалась, словно поток жидкого стекла, который то расширяется, то вытягивается, пока не остается поблескивающий мираж. Не падая и не разбиваясь, стеклянный поток крутится и делается все более тонким. Алабама чувствовала себя такой маленькой и такой восторженной. Алабама влюбилась.

...Она влезла в уютную пещеру его уха. Внутри все было серое и призрачно-классическое — она оглядывала глубокие борозды явившегося ей мозжечка. Ни одной травинки, ни одного цветочка, взрывающих монотонность устоявшихся извилин — что-то толстое, серое и гладкое. «Надо посмотреть, что впереди», — сказала себе Алабама. Бугорчатый влажный курган возник над ее головой, и она решила обследовать его границы. Вскоре она заблудилась. Углубления и насыпи на пустоши напоминали мистический лабиринт; там не было ничего, что могло бы послужить ориентиром. Но Алабама не останавливалась и в конце концов достигла *medulla oblongata**. Просторные извилистые коридоры водили ее кругами. В паническом страхе она бросилась бежать. И Дэвид, придя в себя из-за странной щекотки вверху позвоночника, оторвал губы от ее губ.

— Я пойду к твоему отцу, — сказал он, — и спрошу, когда мы можем пожениться.

Судья Беггс переступал с носков на пятки, тщательно взвешивая все за и против.

---

* Продолговатый мозг (*лат.*) — часть ствола головного мозга, переходящая вниз, в спинной.

лето прочь. Ступив за широкие двери загородного клуба, они вжимались в космос, в джазовую тарабарщину, в черный жар, поднимающийся от растений в лощине, словно намереваясь оставить отпечатки своих тел для будущего населения планеты. Им нравилось плыть в лунном свете, который, будто медовым лаком, покрывал землю, и Дэвид проклинал воротнички на своей форме и всю ночь гнал машину на стрельбище, лишь бы подольше побыть после ужина с Алабамой. Они изменяли ритм вселенной, подстраивая его под себя, и завораживали друг друга громким биением своих сердец.

Непроницаемое марево стояло над опаленной травой на склонах, и песок в блиндажах поднимался в воздух, будто под ударом клюшки, сухой, как порох. Ветки золотарника рвали на клочки солнце; великолепное лето превращало землю в пыль и усыпало ею твердые глиняные тракты. День шел за днем, и наконец наступил первый день нового школьного года — лето закончилось, начиналась осень.

Дэвид отправился в порт погрузки и теперь писал Алабаме письма, полные рассказами о Нью-Йорке. Почему бы ей не приехать в Нью-Йорк и не выйти замуж там?

«Город сверкающих надежд, — восторженно писал Дэвид, — полова с волшебной мельницы, висящей в голубом небе! Люди мечутся по улицам, как мухи над патокой. Крыши домов горят, как золотые короны королей в зале собраний — а ты, любимая моя, принцесса, и мне бы хотелось запереть тебя в башне из слоновой кости, чтобы ты радовала одного меня».

Когда он в третий раз написал то же самое про принцессу, Алабама попросила его забыть о башне.

По вечерам Алабама думала о Дэвиде Найте и до конца войны ходила в варьете с летчиком, похожим на пса. А война закончилась неожиданно — объявлением на занавесе в варьете. Прежде была война, а теперь будут еще два отделения программы.

Дэвида опять прислали в Алабаму для демобилизации. Он рассказал Алабаме о девушке, которая была с ним в отеле «Астор», когда он напился почти до бесчувствия.

«Бог ты мой, — сказала себе Алабама, — ничего не поделаешь».

Она вспомнила о погибшем механике, о Феликсе, о верном псе-лейтенанте. Ей тоже было, в чем себя винить.

Алабама сказала Дэвиду, что не сердится из-за девушки: она, мол, верит, что верность хороша, только когда она естественна. Наверное, и ее, Алабамы, есть вина в том, что случилось.

Как только Дэвид решил все свои проблемы, он позвал Алабаму к себе. Судья купил дочери железнодорожный билет на север в качестве свадебного подарка, Алабама ссорилась с матерью из-за свадебного платья.

— Не хочу так. Хочу, чтобы оно падало с плеч.

— Алабама, как ты себе это представляешь? Как же оно будет держаться, если его ничто не держит?..

— Ах, мамочка, ты придумаешь.

Милли рассмеялась довольным и грустным смехом — и снисходительным.

— Мои дети думают, что я все могу, — благодушно проговорила она.

Уезжая, Алабама оставила матери записку в ящике комода:

Моя самая любимая мамочка!

Я не такая, какой ты хотела бы меня видеть, но я всем сердцем люблю тебя и каждый день буду тебя вспоминать. Это отвратительно, что мне приходится оставлять тебя одну, ведь мы все разъехались в разные стороны. Не забывай меня.

Алабама.

Судья проводил Алабаму на вокзал.

— До свидания, дочка.

Алабаме он казался очень красивым и недоступным. Она боялась заплакать, ведь ее отец был таким гордым человеком. Джоанна тогда тоже боялась плакать.

— До свидания, папа.

— До свидания, малышка.

Поезд умчал Алабаму из страны мечтаний ее юности.

Теперь Судья и Милли сидели на веранде одни. Милли нервно хваталась за веер из листьев карликовой пальмы, Судья изредка сплевывал между виноградными лозами.

— Как ты посмотришь на то, чтобы перебраться в дом поменьше?

— Милли, я прожил тут восемнадцать лет и не собираюсь ничего менять на исходе своих дней.

— Остин, у нас нет москитных сеток, и каждую зиму промерзают трубы.

— Меня это устраивает. Я остаюсь.

Старые ненужные качели негромко скрипели на ветру, который каждый вечер прилетал со стороны залива. Из-за угла доносились голоса детей, игравших при электрическом свете и сотворивших мстительный трюк со временем. Судья и Милли молча сидели в сво-

их некрашеных качалках. Сняв ноги с перил, Судья встал, чтобы закрыть ставни. Наконец-то он стал хозяином в своем доме.

— Ну что ж, — произнес он. — Не исключено, что через год ты будешь вдовой.

— Еще чего! — фыркнула Милли. — Ты уже тридцать лет повторяешь одно и то же.

Нежные пастельные краски сошли с расстроенного лица Милли. Морщины между носом и ртом провисли, как веревки приспущенного флага.

— Твоя мать была такой же, — с упреком проговорила она. — Все время собиралась умереть, а дожила до девяноста двух лет.

— И все-таки она умерла, разве не так? — хмыкнул Судья.

Он выключил свет в своем чудесном доме, и они стали подниматься наверх — старая одинокая пара. Луна неспешно шагала по железной крыше дома, иногда неловко спрыгивая на подоконник к Милли. Почитав с полчаса Гегеля, Судья заснул. Долгой ночью его равномерное похрапывание действовало на Милли успокаивающе, убеждало ее в том, что еще не конец жизни, хотя в комнате Алабамы темно, Джоанна покинула дом, картонка с фрамуги в комнате Дикси давно выброшена вместе с кучей другого хлама, а единственный сын лежит на кладбище, в могиле рядом с Этелиндой и Мейсоном Кутбертом Беггсами. Милли редко думала о себе. Она просто жила от одного дня к другому; а Остин и вовсе никогда не думал об их с женой существовании, потому что жил от века к веку.

Тем не менее лишиться Алабамы было для родителей ужасно, ведь она оставалась последней, и это означало, что без нее их жизнь станет другой...

* * *

Алабама лежала на кровати в номере двадцать одиннольдевять балтиморского отеля и думала о том, что теперь, когда родители так далеко, ее жизнь станет совсем другой. Например, Дэвид Дэвид Найт Найт Найт никак не мог заставить ее выключить свет, пока она сама не снисходила до этого. И никакие силы не смогут заставить ее что-нибудь сделать, в страхе думала она, если на то не будет ее собственной воли.

А Дэвид думал о том, что ему наплевать на свет, что Алабама его жена и что он купил ей детектив на самые-самые последние деньги, о чем она пока еще не знает. Детектив был очень неплохой — о богатстве, о Монте-Карло и о любви. Еще Дэвид думал о том, что Алабама очень красивая, когда вот так лежит и читает.

ЧАСТЬ ВТОРАЯ

I

Кровать была огромной, такой они не могли даже и представить. В ширину больше, чем в длину. К тому же в ней было все, что им обоим не нравилось в традиционных кроватях: блестящие черные шары и белые эмалевые стенки, как в детской колыбели, и особенно злило неаккуратно сползшее на пол с одной стороны покрывало. Дэвид перекатился на свою половину, а Алабама соскользнула на нагретое место рядом с воскресной газетой.

— Ты не мог бы еще немного потесниться?

— Господи Иису... О Господи, — простонал Дэвид.

— Что такое?

— В газете сказано, что мы знаменитые, — глуповато моргнув, проговорил он.

Алабама села в постели.

— Вот здорово... Дай посмотреть...

Дэвид торопливо зашелестел страницами «Бруклин риал эстейт» и «Уолл-стрит квотейшнс».

— Прекрасно! — воскликнул он, чуть не плача. — Прекрасно! Кстати, тут сказано, что мы в санатории из-за своей испорченности. Хотелось бы мне знать, что подумают родители, когда прочитают.

Алабама пробежала пальцами по перманентной завивке.

— Ну, они подумают, — предположила она, — что мы там уже несколько месяцев.

— Но мы же не были там.

— Мы и теперь не там. — Стремительно повернувшись, она обняла Дэвида. — Правда?

— Не знаю. А ты как думаешь?

Они засмеялись.

— Ну, не глупые ли мы? — произнесли они одновременно.

— Ужасно глупые. Разве не смешно?.. Ладно, как бы там ни было, я рада, что мы стали знаменитыми.

Сделав три быстрых шага по кровати, Алабама спрыгнула на пол. За окном серые дороги толкали коннектикутский горизонт спереди и сзади, чтобы сделать из него стратегически важный перекресток. Мир на праздных полях хранил каменный солдат народной милиции*. Из-под перистолистых каштанов выползала автомобильная дорога. Непобедимые сорняки слабели на жаре; выстроившиеся в шеренгу красные астры клонили головки. Гудрон разжижался на дорогах. А дом стоял себе и посмеивался в бороду из золотарника.

Лето в Новой Англии все равно что епископальная служба. Земля скромно радуется своим домотканым зеленым одежкам; лето швыряет нам свои фасоны и разрывается, протестуя против привычной нашей сдержанности, как спинка японского кимоно.

Танцуя по комнате, счастливая Алабама одевалась и, ощущая себя очень красивой, думала о том, как потратить деньги.

— Что еще пишут?

— Пишут, что мы замечательные.

— Вот видишь...

* Солдат народной милиции эпохи войны за независимость 1775—1783 гг.

— Нет, не вижу, но полагаю, что все как-нибудь утрясется.

— И я тоже... Дэвид, наверно, это твои фрески.

— Естественно, не мы сами, мегаломанка*.

Резвясь на утреннем солнце, искристом словно хрусталь Лалика**, они были похожи на двух взъерошенных морских котиков.

— Ох, — вздохнула Алабама, перебирая в шкафу вещи. — Дэвид, ты только посмотри на чемодан, что ты подарил мне на Пасху.

Вытащив плоский чемоданчик из серой свиной кожи, она показала на большое водянистое желтое пятно, обезобразившее атласную подкладку. Алабама в отчаянии не сводила глаз с мужа.

— В нашем положении дама не может явиться в город с таким чемоданом.

— Надо позвать доктора... А что с ним случилось?

— Я одолжила его Джоанне в тот день, когда она приехала, чтобы наорать на меня за детские пеленки.

Дэвид издал осторожный смешок.

— Она была очень злая?

— Она заявила, что мы не должны разбазаривать деньги.

— Почему ты не сказала ей, что мы уже все потратили?

— Я сказала. По-моему, она решила, что мы поступили неправильно, ну и пришлось соврать, будто мы вот-вот получим еще немного.

— А она что? — самонадеянно переспросил Дэвид.

— Она не поверила; сказала, что мы не от мира сего.

---

* Мегаломания — мания величия.

** Имеется в виду Рене Лалик (1860—1945) — французский дизайнер, один из лучших мастеров парфюмерного хрусталя.

— Родственники всегда думают, будто можно прожить, ни за что не платя.

— Больше мы ее не позовем... Дэвид, встречаемся в пять в холле «Плаза»... Как бы мне не опоздать на поезд.

— Ладно. До свидания, дорогая.

Дэвид никак не желал выпускать ее из своих объятий.

— Если в поезде кто-нибудь попытается украсть тебя, скажи ему, что ты принадлежишь мне.

— Если ты обещаешь, что не...

— До сви-да-ни-я!

— Мы ведь любим друг друга?

Винсент Юманс* писал музыку для сумеречного послевоенного времени. А сумерки были великолепные. Они висели над городом, как постиранное белье цвета индиго, сотворенные из асфальтовой пыли, закопченных теней под карнизами и ленивых дуновений ветра из закрывающихся окон. Они лежали на улицах, как сероватый болотный туман. В унынии весь мир шел пить чай. Девушки в коротеньких летучих пелеринках, в длинных развевающихся юбках и в соломенных шляпках, напоминающих тазики, сидели в такси перед «Плаза Грилл»; девушки в длинных атласных пальто, разноцветных туфельках и в соломенных шляпках, похожих на крышки от люков, плясали под льющуюся, как водопад, музыку на танцплощадках «Лоррейн» и «Сент-Реджис». В сумеречное время между чаем и ужином, когда закрываются роскошные окна, под угрюмыми железными попугаями «Билтмора» ореол вокруг золотых стриженых головок разбивался о черные кружева и бутоньерки; шум от кружения по-современному вы-

* Винсент Юманс (1898—1946) — автор популярных мюзиклов 1930 годов и многих песен времен Второй мировой войны.

соких и тонких силуэтов заглушал звяканье чайных чашек в «Ритце».

Кто-то кого-то ждал, крутили волоски на стволах пальм, превращая их в кончики темных усов, и разрывали на короткие полоски нижние листья. Это были в основном совсем молодые люди: к полуночи Лиллиан Лоррейн напилась вдрызг на верхней точке Нового Амстердама*, футбольные команды, нарушая режим, тоже напивались, до смерти пугая официантов. Вокруг было полно родителей, присматривавших за своими детьми. Дебютантки переговаривались: «Это Найты?» — или: «Я видела его в зале. Пожалуйста, дорогая, познакомь меня».

— Что толку? Они влюблены друг в друга, — растворялось в монотонных нью-йоркских пересудах.

— Конечно же, это Найты, — отвечали хором многие девушки. — Вы видели его картины?

— Предпочитаю смотреть на него самого, — говорили другие девушки.

Серьезные люди воспринимали обоих вполне серьезно; Дэвид говорил о визуальном ритме и воздействии небулярной первичной стадии развития Вселенной на первичные цвета. За окнами в лихорадочной безмятежности мерцал город, увенчанный золотой короной. Вершины Нью-Йорка сверкали, подобно золотому балдахину над троном. Дэвид и Алабама молча смотрели друг на друга — не зная, как подступиться к разговору о ребенке.

— Ну же, что сказал врач? — уже не в первый раз спросил Дэвид.

— Я же говорила... Он сказал: «Привет!»

* Голландское поселение в южной части острова Манхэттен, ставшее потом городом Нью-Йорком.

— Не изображай ослицу... Что еще он сказал? Нам же надо знать, что он сказал.

— У нас будет ребенок, — с видом собственницы объявила Алабама.

Дэвид полез в карманы.

— Извини... Наверно, оставил дома.

Он думал о том, что теперь их будет трое.

— Что оставил?

— Снотворное.

— Я сказала «ребенок».

— А!

— Надо у кого-нибудь спросить.

— У кого?

Их знакомые много чего знали: лучший джин в городе у «Лонгэйкр Фармэсиз»; не хочешь пьянеть, закусывай анчоусами; метиловый спирт можно отличить по запаху. Всем было известно, где искать белый стих у Кэбелла* и как достать билеты на игру Йельской команды, что мистер Фиш живет в аквариуме и что в полицейском участке Центрального парка, кроме сержанта, есть еще и другие копы, — однако никто не знал, что такое иметь ребенка.

— Пожалуй, тебе надо спросить у своей матери, — сказал Дэвид.

— Ах, Дэвид, только не это! Она подумает, что я понятия ни о чем не имею.

— Что ж, тогда я спрошу у своего агента, — предложил он. — Он человек бывалый.

Город покачивался в приглушенном реве, похожем на рокот аплодисментов в огромном театре, доносящийся к стоящему на сцене актеру. Из Нового Амстер-

---

* Имеется в виду Джеймс Кэбелл (1879—1958) — американский писатель. В своем творчестве использовал сюжеты и стиль средневековой поэзии.

дама «Две крошки в голубом» и «Салли» били по барабанным перепонкам и неуклюже ускоряли ритм, словно призывая всех стать неграми и заядлыми саксофонистами, вернуться в Мэриленд и Луизиану, музыка звучала так, будто вокруг были мамушки-негритянки и миллионеры. Продавщицы были похожи на Мэрилин Миллер*. Студенты обожали Мэрилин Миллер, как прежде обожали Рози Квинн. Знаменитостями становились актрисы кино. Пол Уайтмен** играл на скрипке о том, как важно веселиться. В том году в «Ритц» стояли очереди за бесплатными благотворительными обедами. Знакомые встречались в коридорах отеля, где пахло орхидеями, плюшем и детективными историями, и спрашивали друг у друга, где они успели побывать. На Чарли Чаплине обычно была желтая куртка для игры в поло. Люди устали изображать пролетариев — все упивались славой. Ну а прочих, которые не были отмечены славой, поубивало на войне; собственная домашняя жизнь мало кого интересовала.

— Вон они, Найты, танцуют вместе, — говорили о них. — Как это мило, правда? Вон они.

— Послушай, Алабама, ты не держишь ритм, — упрекал жену Дэвид.

— Ради Бога, Дэвид, не наступай мне на ноги!

— Никогда не умел танцевать вальс.

Теперь решительно все обретало унылый вид, с учетом нынешних обстоятельств.

— Мне придется много работать, — сказал Дэвид. — Разве не забавно — стать центром вселенной для кого-то еще?

---

* Мэрилин Миллер (1898—1936) — американская танцовщица и актриса, у которой Мэрилин Монро позаимствовала сценическое имя.

** Пол Уайтмен (1890—1967) — в 1919 г. организовал свой оркестр. В 1920—1930-е гг. его называли не иначе как Король Джаза.

— Очень забавно. Хорошо, что мои родители приедут прежде, чем меня начнет тошнить.

— Откуда тебе известно, что будет тошнить?

— Будет.

— То есть так тебе — кажется.

— Да.

— Поедем куда-нибудь еще.

Пол Уайтмен играл «Две крошки в голубом» в «Пале Рояль»; номер был большой и дорогой. Девушки с пикантными профилями как две капли воды походили на Глорию Суонсон*. В Нью-Йорке было больше копий, чем самого Нью-Йорка — самыми реальными вещами в этом городе были абстракции. Всем хотелось попасть в кабаре.

— У нас кое-кто будет, — говорили все всем, — и нам бы хотелось, чтобы вы тоже были.

— Мы позвоним, — отвечали они.

В Нью-Йорке только и делали что звонили по телефону. Звонили из одного отеля в другой, где тоже была вечеринка, и просили прощения, что не могут прийти — так как уже приглашены. На чай или на поздний ужин.

Дэвид и Алабама позвали друзей в «Плэнтейшн» — кидать апельсины в барабан и себя — в фонтан на Юнион-сквер. Туда они и отправились, напевая «Новый Завет»» и «Конституцию нашей страны» и одолевая транспортный прилив, подобно ликующим островитянам на досках для серфинга. Никто не знал слов «Звездно-полосатого флага»**.

В городе старухи с ласковыми и затененными лицами, напоминающими о тихих улочках Центральной Европы, торговали анютиными глазками; шляпы плы-

* Глория Суонсон (1897—1983) — популярная актриса кино.

** Гимн США.

ли на автобусе прочь с Пятой авеню; облака посылали предупреждение Центральному парку. На улицах Нью-Йорка пахло остро и сладко, как конденсат на машинах, в окутанном ночью металлическом саду. Меняющиеся запахи, люди и атмосфера волнения из главных артерий города проникали рывками в переулки, вторгаясь в их собственный ритм.

Обладая жадным всепоглощающим эго, Найты алчно впитывали жизнь в момент быстрого отлива, а всякую мертвечину выбрасывали в море. Нью-Йорк — отличное место, чтобы быть на подъеме.

Манхэттенский клерк не поверил, что они женаты, но комнату им сдал.

— Что ты? — спросил Дэвид, сидя на кровати под ситцевым балдахином. — Не можешь сама справиться?

— Могу. Когда поезд?

— Уже пора. У меня есть два доллара, чтобы встретить твоих родителей, — сказал он и потянулся за одеждой.

— Я бы хотела купить цветы.

— Алабама, — назидательным тоном проговорил Дэвид, — это нецелесообразно. Это просто дань предписаниям эстетики — своего рода формула украшательства.

— Но ведь на два доллара все равно ничего не сделаешь, — вполне логично возразила Алабама.

— Думаю, нет...

Слабые ароматы из цветочного магазина в отеле, словно серебряные молоточки, стучались в раковину бархатного вакуума.

— Конечно, если придется платить за такси...

— У папы будут с собой деньги.

В стеклянную крышу вокзала бились клубы белого дыма. Похожие в сером свете дня на незрелые апельсины, висели на железных балках фонари. Толпы и толпы людей встречались и расходились на лестнице. Со скрежетом — словно тысяча ключей повернулась в заржавевших замках — остановился поезд.

— Знать бы, что в Атлантик-сити будет так трудно добираться. Мы опоздали на полчаса, просто не верится... В наше отсутствие город не изменился, — говорили пассажиры, энергично разбирая вещи и понимая, что их шляпы не годятся для города.

— Мама! — крикнула Алабама.

— Ну, как вы тут?..

— Разве это не великий город, Судья?

— Я не был здесь с тысяча восемьсот восемьдесят второго года. С тех пор многое изменилось, — сказал Судья.

— Хорошо доехали?

— Алабама, где твоя сестра?

— Она не смогла приехать.

— Она не смогла приехать, — неубедительно подтвердил Дэвид.

— Знаешь, — сказала Алабама в ответ на удивленный взгляд матери, — в последний раз, когда Джоанна была у нас, она взяла лучший чемодан, чтобы увезти мокрые пеленки, и с тех пор... ну, с тех пор мы почти не виделись.

— Почему бы ей не одолжить у тебя чемодан? — строго спросил Судья.

— Это был мой лучший чемодан, — терпеливо объяснила Алабама.

— Ах, бедная малышка, — вздохнула мисс Милли. — Полагаю, мы сможем позвонить им по телефону.

— Ты будешь иначе относиться к таким мелочам, когда у тебя появятся собственные дети, — сказал Судья.

Алабама заподозрила, что ее выдала изменившаяся фигура.

— А я понимаю, что чувствовала Алабама. — Милли великодушно отпустила дочери грехи. — Она и в детстве не любила делиться с кем-то своими вещами.

Такси подкатило к исходящей паром вокзальной стоянке.

Алабама не знала, как попросить отца заплатить таксисту, — она вообще чувствовала себя неуверенно с тех пор, как, выйдя замуж, перестала получать полные негодования приказы отца. Она не знала, что говорить, когда девушки картинно прохаживались перед Дэвидом в надежде увидеть свой портрет на его рубашке, и что делать, когда Дэвид рвал и метал, проклиная прачечную из-за оторванной пуговицы, которая-де загубила его талант.

— Дети, если вы займетесь чемоданами, я заплачу за такси, — сказал Судья.

Зеленые холмы Коннектикута вносили успокоение в душу после качки в скрежещущем поезде. Цивилизованные, укрощенные запахи новоанглийского газона, ароматы невидимых машинных парков вязали воздух в тугие букеты. Деревья с виноватым видом клонились к крыльцу, насекомые наполняли звоном сожженные зноем луга. В окультуренной природе не было места ни для чего неожиданного. Если захочется кого-нибудь повесить, фантазировала Алабама, то придется делать это на собственном дворе. Бабочки то складывали, то закрывали крылья, это было похоже на фотовспышки. «Тебе не стать бабочкой», — будто говорили они. Это были глупые бабочки, они порхали над дорожкой, демонстрируя людям свое превосходство.

— Мы хотели скосить траву, — начала было Алабама, — но...

— Так намного лучше, — вмешался Дэвид. — Живописнее.

— Мне нравятся сорняки, — добродушно отозвался Судья.

— Они так хорошо пахнут, — добавила мисс Милли. — А вам не одиноко тут вечерами?

— Нет, друзья Дэвида иногда заезжают, да и в городе мы бываем.

Алабама не сказала, как часто они отправляются в город скоротать вечер, расплескивая апельсиновый сок в холостяцких убежищах и произнося монологи о лете за закрытыми дверями. Они стремились туда, опережая в своих ожиданиях ту праздничную жизнь, которая наступит в Нью-Йорке через несколько лет, так Армия спасения норовит поспеть к Рождеству, стремились, чтобы расслабиться, окунувшись в воды обоюдной неугомонности.

— Мистер, — поздоровался с приехавшими появившийся на ступеньках Танка. — Мисси.

Дворецкий Танка был японцем. Держать его они могли только в долг, занимая деньги у агента Дэвида. Японец стоил дорого; а все потому что создавал ботанические сады из огурцов и зелени с маслом, а со счетов на бакалею брал деньги на уроки игры на флейте. Они попытались обойтись без него, но Алабама порезала руку, открывая банку с бобами, а Дэвид, управляясь с газонокосилкой, растянул запястье на своей художнической руке.

Метя пол, восточный человек мерно, как маятник, покачивался, словно отмечая ось земли. Неожиданно он разразился тревожным смехом и повернулся к Алабаме.

— Мисси, не удельте ли мне един минутку — един минутку, пожалуйста.

«Хочет попросить денег», — с беспокойством подумала Алабама, следуя за дворецким на боковое крыльцо.

— Смотрите! — сказал Танка.

Негодующим жестом он показал на гамак, повешенный между колоннами, на котором храпели два молодых человека, положив рядом бутылку джина.

— Знаешь, — неуверенно произнесла Алабама, — ты лучше скажи мистеру — но только, Танка, когда рядом никого не будет.

— Правильна, — кивнул японец, прикладывая палец к губам. — Ш-ш-ш.

— Послушай, мама, почему бы тебе не пойти наверх и не отдохнуть перед обедом? — предложила Алабама. — Ты ведь наверняка устала от долгой дороги.

Когда Алабама вышла из комнаты родителей, Дэвид по ее растерянному лицу сразу понял, что произошло нечто неприятное.

— Ну что?

— Что? В гамаке спят пьяницы. Папа увидит, тогда не миновать бури!

— Выгони их.

— Да они шагу не сделают.

— О Господи! Пусть Танка проследит, чтобы они дали нам спокойно пообедать.

— Думаешь, Судья поймет?

— Боюсь, что...

Алабама огляделась с несчастным видом.

— Ну... Полагаю, рано или поздно наступает момент, когда приходится выбирать между ровесниками и родителями.

— Они совсем плохи?

— Почти безнадежны. Если послать за врачом, то без драмы не обойтись, — бросила пробный шар Алабама.

Дневное муаровое сияние солнца наводило глянец на безликие, по-колониальному затейливые комнаты, а также на желтые цветы, свисавшие с камина, как вышитая тамбуром салфетка. Это было будто священное сияние, высвечивавшее склоны и лощины грустного вальса.

— Непонятно, что можно сделать, — решили оба.

Алабама и Дэвид опасливо ждали в тишине, пока удар ложкой о жестяной поднос не возвестил об обеде.

— Очень рад, — заметил Остин, наклоняясь над розой, вырезанной из свеклы, — что вам удалось немного приручить Алабаму. Кажется, она стала неплохой хозяйкой.

Судью потрясла свекольная роза.

Дэвид подумал о своих оторванных пуговицах.

— Да, — сдержанно произнес он.

— Дэвиду здесь хорошо работается, — испуганно вмешалась Алабама.

Она уже собиралась нарисовать картину домашних радостей, как услыхала громкий стон, донесшийся со стороны гамака. С видимым усилием одолев порог столовой, в дверях показался молодой человек и уставился на собравшихся. Каким он был с перепоя, таким его увидели сидевшие за столом — и не заправленную в брюки рубашку тоже.

— Добрый вечер, — вежливо поздоровался он.

— Полагаю, вашему другу не мешало бы поесть, — проговорил несколько озадаченный Остин.

Друг разразился дурацким смехом.

Мисс Милли смущенно изучала цветочную архитектуру Танки. Конечно же, ей хотелось, чтобы у Алабамы были друзья. И она всегда внушала детям, как хорошо иметь друзей, однако при определенных обстоятельствах на нее порою накатывали сомнения.

Еще один неопрятный фантом появился в дверях. Тишину нарушали лишь старательно подавляемые истерические всхлипывания.

— Он так выглядит, потому что после операции, — торопливо произнес Дэвид.

Судья ощетинился.

— Ему удалили глотку, — в страхе сказал Дэвид, ища глаза на оплывшем лице. К счастью, его приятели вроде бы прислушались к тому, что он говорил.

— Совсем немой, — вдохновенно соврала Алабама.

— Очень рад этому, — с непроницаемым видом отозвался Судья.

В его тоне можно было различить враждебную ноту, однако он с очевидным удовольствием воспринял известие о невозможности вести беседу.

— Не могу произнести ни слова, — неожиданно вырвалось у фантома. — Я немой.

«Ну вот, — подумала Алабама, — это конец. Что теперь будет?»

Мисс Милли заговорила о том, что от морского соленого воздуха быстро чернеет столовое серебро. Судья не сводил с дочери сурового взгляда. Необходимость в словах отпала благодаря причудливой, но не требующей никаких объяснений карманьоле вокруг стола. В сущности, это была не пляска, а некие попытки преодолеть растительное состояние, перемежаемое торжествующими пеанами, которые состояли из похлопываний по спине и зычных призывов присоединиться к празднику жизни. Судью и мисс Милли тотчас радушно включили в число приглашаемых.

— Похоже на фриз, сценка на греческом фризе, — ни к кому не обращаясь, сказала мисс Милли.

— Не очень познавательно, — добавил Судья.

В изнеможении молодые люди раскачивались, едва удерживаясь на ногах.

— Нам бы двадцать долларов, — выдохнула эта аморфная масса, — мы бы в придорожную гостиницу. Но если у Дэвида нет, нам придется еще немного побыть тут.

— А, — произнес потрясенный Дэвид.

— Мама, — подала голос Алабама, — ты не могла бы одолжить нам двадцать долларов, а завтра мы возьмем деньги в банке...

— Конечно, дорогая. Кошелек наверху в ящике комода. Как жаль, что вашим друзьям пора уходить; похоже, им тут совсем неплохо, — рассеянно проговорила она.

Напряжение спало. Мирное стрекотание сверчков, словно хруст только что сорванного салата, изгнало из гостиной даже намек на диссонанс. Лягушки хрипло квакали на лугу, где обычно цвел золотарник. Все семейство настроилось на вечернюю колыбельную, долетавшую сквозь дубовую крону.

— Спасены, — вздохнула Алабама, когда они с Дэвидом уютно устроились на своей экзотической кровати.

— Да уж, — отозвался Дэвид, — кажется, обошлось.

По всей Бостон-Пост-роуд катили в автомобилях люди, уверенные, что обойдется, даже если они напьются, и им не грозит врезаться в пожарный кран, грузовик или старые каменные стены. Полицейские тоже предпочитали думать, что обойдется, и никого не арестовывали.

В три часа ночи Найтов разбудил громоподобный шепот — со стороны газона.

Прошел час, с тех пор как Дэвид оделся и спустился вниз. Шум нарастал волнами.

— Ну-ну, я выпью с вами, только постарайтесь поменьше шуметь, — донесся до Алабамы голос Дэвида, пока она аккуратно натягивала на себя одежду.

Что-то непременно случится; к тому же имело смысл выглядеть получше на случай прибытия полиции. Похоже, компания расположилась на кухне. Алабама со злостью просунула голову в дверь.

— Эй, Алабама! — окликнул ее Дэвид. — Я советую тебе не совать нос куда не надо. Ничего лучше не могу придумать... — хриплым шепотом доверительно произнес он, как актер — реплику для зрителей.

Алабама в ярости осмотрела всю в красных пятнах кухню.

— Заткнись! — крикнула она.

— Послушай, Алабама...

— Это ты все время твердишь, что мы должны вести себя достойно, а сам... полюбуйся на себя!

— С ним все нормально. Дэвид в полном порядке, — пробормотал лежавший ничком гость.

— А если сюда заглянет мой отец? Что *он* скажет о вашем порядке? — Алабама обвела рукой разгромленную кухню. — Это еще что за банки? — гневно продолжала она.

— Томатный сок. Он тебя отрезвит. Я как раз угощал им наших гостей, — пустился в объяснения Дэвид. — Сначала томатный сок, потом джин.

Алабама попыталась отобрать у Дэвида бутылку.

— Дай мне.

Дэвид оттолкнул ее, и она отлетела к двери. Чтобы избежать треска — если дверь сломается, — Алабама сумела на лету перегруппироваться, но сильно ударилась о косяк, да еще получила удар в лицо крутящейся дверью. Платье обагрилось потоками крови из носа, хлынувшей, словно нефть из новой скважины.

— Посмотрю, нет ли бифштекса в морозилке, — деловито произнес Дэвид. — А ты давай под холодную воду. Сколько сможешь не дышать.

К тому времени, когда кухня кое-как была приведена в порядок, коннектикутский рассвет, словно из пожарного шланга, оросил землю. Гости, спотыкаясь, побрели спать в гостиницу. А Алабама и Дэвид с печальным видом разглядывали синяки под глазами Алабамы.

— Они решат, что это я ударил тебя, — сказал Дэвид.

— Естественно — и мои слова ничего не изменят.

— Думаешь, если они увидят нас вместе, то поверят в это?

— Люди всегда верят в самое невероятное.

Судья и мисс Милли спустились вниз к завтраку. В окружении вонючих гор из мокрых окурков они ждали, пока Танка палил бекон в предчувствии беды. Сидеть было практически негде — повсюду липкие высохшие пятна от джина и апельсинового сока.

У Алабамы голова болела так, словно внутри черепа жарили воздушную кукурузу. Синяки она попыталась скрыть под толстым слоем пудры, отчего казалось, что кожа у нее жутко шелушится.

— Доброе утро, — жизнерадостно проговорила Алабама.

Судья от неожиданности мигнул.

— Алабама, — сказал он, — помнишь, мы хотели позвонить Джоанне — мы с мамой решили, что лучше это сделать сегодня. Ей нужно помочь с ребенком.

— Да, сэр.

Алабама предвидела реакцию родителей, однако внутри у нее все перевернулось. Ей было известно, что нельзя вечно навязывать другим людям свое мнение о себе — рано или поздно все равно сталкиваешься с тем, что думают о тебе другие.

«Что ж! — мысленно воскликнула она. — У родителей нет права призывать своих детей к ответу за то, что они старательно внушали им, пока те не могли еще возражать!»

— А поскольку, — продолжал Судья, — ты и твоя сестра, похоже, не в ладах, мы решили, что поедем к ней без тебя, завтра утром.

Алабама сидела молча, разглядывая оставшиеся с ночи горы мусора.

«Надеюсь, Джоанна сполна вознаградит их пристойным поведением и россказнями о том, как трудно теперь жить, — продолжала Алабама свой горький мысленный монолог. — И хорошенько отделает нас, чтобы покрасоваться перед ними. Наверняка изобразит нас этакими черными демонами».

— Пойми, — продолжал Судья, — я тебя не осуждаю. Ты взрослая женщина, так что это твое дело — решать, как тебе жить.

— Я все поняла, — отозвалась Алабама. — Ты просто недоволен, поэтому не хочешь остаться. Если я не стану на твою точку зрения, ты предоставишь меня самой себе. Что ж, полагаю, у меня нет права просить тебя остаться?

— Люди, попирающие права других, — ответил Судья, — не имеют права на свои права.

Поезд, увозивший в город Судью и мисс Милли, громыхал молочными канистрами и милым сердцу перевозным летним имуществом. Прощались они, оставшись каждый при своем мнении. Через несколько дней родителям пора было обратно на юг, так что на еще один визит времени едва ли хватит. Дэвиду надо будет как раз уезжать — к своим фрескам, а Алабаме, пожалуй, тогда лучше побыть дома. Их, мол, очень радуют успех и известность Дэвида.

— Да не переживай ты так, — сказал Дэвид. — Не в последний раз виделись.

— Как прежде больше не будет, — причитала Алабама. — Теперь нам всегда придется думать о том, кем они воображают нас.

— А разве прежде так не было?

— Было. Но, Дэвид, очень трудно, когда в тебе сразу два разных человека. Один сам себе голова, а второй не хочет расставаться со старыми, милыми вещами, хочет быть любимым, защищенным, оберегаемым от всего плохого.

— Думаю, ты не первая сделала это открытие, — отозвался Дэвид. — Полагаю, единственное, что мы можем разделять с другими, это мнение о погоде.

Винсент Юманс сочинил новую песню. Старые песни летели в больничные окна с шарманок, пока рождался ребенок, а новые песни обитали в роскошных холлах и обеденных залах, в пальмовых садах и на крышах.

Мисс Милли прислала Алабаме детские вещи и список процедур, необходимых при купании младенца, настоятельно прося прикрепить его к двери ванной комнаты. Получив телеграмму о рождении Бонни, бабушка телеграфировала Алабаме: «Моя голубоглазая девочка стала взрослой. Мы очень гордимся тобой». В телеграмму вкралась забавная ошибка — «голубеглазая» девочка. В материнских письмах всегда была просьба вести себя как следует, что подразумевало некоторую безответственность Алабамы и Дэвида. Читая их, Алабама словно слышала, как скрипят проржавевшие

пружины: именно так звучало кваканье лягушек в родных болотах, под кипарисами.

Нью-йоркские реки покачивали береговыми огнями, словно электрическими гирляндами; болота Лонг-Айленда распространяли сумерки на свою синюю Кампанью*. Сверкающие огнями здания расцвечивали небо в разные цвета, делая его похожим на лоскутное одеяло. Обрывки философии, познавательный хлам, клочья видений умирали в сентиментальных сумерках. Болота были черные, плоские, красные и по окоему кишащие преступлениями. Да, Винсент Юманс сочинял музыку. В лабиринте джазовой сентиментальности слушатели ритмично качали головами, кивали друг другу с разных концов города, мысленно мчась навстречу друг другу, став обтекаемыми, будто металлические фигурки на капоте быстроходных машин.

Алабама и Дэвид гордились собой и младенцем, небрежно подчеркивая обыденность траты пятидесяти тысяч долларов за два года — пока они наводили глянец на барочный фасад своей жизни. На самом деле нет больших материалистов, чем художник, который требует от жизни вдвойне за потери и проценты от отданного ростовщику по имени Эмоция.

В те годы люди вкладывали деньги в богов.

— Доброе утро, — в мраморных фойе приветствовали посетителей банковские служащие, — вы настаиваете на Афине Палладе?

Или:

— Вы хотите, чтобы я приписал Диану к счету вашей жены?

Куда дороже обходится, если едешь на крыше такси, а не в салоне; небеса декоратора Джозефа Урбана очень

---

* Равнина, окружающая Рим.

дорогие, если они настоящие. Солнечный свет идет сверху, пронзая городские улицы серебряными иголками, в которые вдеты нитка обаяния, нитка «роллсройса», нитка О. Генри. Скучающие луны жаждут больших волн. С вожделением шлепая по своим мечтам в черном озере удовольствий, они купили на пятьдесят тысяч долларов картонную куклу-няню для Бонни, подержанный автомобиль «Мармон», офорт Пикассо, белое атласное платье, чтобы нашлось место попугаю из бисерных бусин, желтое шифоновое платье, чтобы заловить целый луг кукушкиного цвета, и еще одно платье — зеленое, как свежая, только что написанная трава на картине, два совершенно одинаковых белых костюма с бриджами, костюм маклера, английский костюм под цвет опаленных полей августа, да еще два билета в Европу — первым классом.

В паковочный ящик отправилась коллекция плюшевых медведей, шинель Дэвида, подаренное на свадьбу столовое серебро и четыре разбухших альбома с записями обо всех тех вещах, из-за которых им завидовали и которые они не собирались везти с собой.

— До свидания, — говорили они на железной вокзальной лестнице. — Когда-нибудь вы еще попробуете наше домашнее пиво.

Или:

— Этим летом в Баден-Бадене играет тот же самый оркестр. Почему бы нам не встретиться там?

Или:

— Не забудете, что я сказала? Ключ будет в том же месте.

— Ох, — простонал Дэвид из глубины мягких сверкающих белизной подушек. — Я рад, что мы уезжаем.

Алабама, не отрываясь, смотрела на себя в ручное зеркало.

 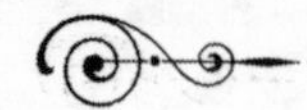

— Еще одна вечеринка, — отозвалась она, — и я увижу руины Виолле-ле-Дюка* вместо лица.

Дэвид внимательно поглядел на нее.

— Что стряслось с твоим лицом?

— Ничего, просто мне пришлось так густо его намазать, что я не могу ехать в гости на чай.

— Ага, — ничего не выражающим голосом отозвался Дэвид, — а нас туда позвали как раз из-за твоего лица, ибо людям хочется его видеть.

— Если бы мне было чем заняться, не пришлось бы так его мучить.

— Алабама, мы все равно едем. Как я буду выглядеть, когда меня спросят: «Мистер Найт, а где ваша прелестная жена?» — «Ах, моя жена недовольна сегодня своим лицом». Подумай обо мне.

— Отчего бы не сослаться на вчерашний джин, на погоду, да мало ли на что?

Алабама с грустью вглядывалась в свое отражение. Внешне Найты не очень изменились — она до сих пор весь день выглядела по-утреннему свежей, а его лицо было готово всякую минуту выразить неожиданную радость или волнение, словно он мчался на карусели в парке аттракционов.

— Я хочу поехать, — сказал Дэвид. — Видишь, какая погода? Писать все равно нельзя.

Солнечный свет третьей годовщины их брака закрутило и завертело дождем, превращая его в худосочные призматические потоки; дождь-контральто, дождь-сопрано, дождь для англичан и фермеров, дождь резиновый, металлический дождь, хрустальный дождь. Далекие филиппики весеннего грома терзали болью

* Имеется в виду Эжен Виолле-ле-Дюк (1814—1879) — французский архитектор, реставрировал готические соборы и замки.

поля, ударяясь в них тяжелыми спиралями, похожими на кольца густого дыма.

— Там будет много людей, — колеблясь, проговорила Алабама.

— Там всегда много людей, — подтвердил Дэвид. — Не хочешь попрощаться со своими поклонниками? — посмеиваясь, спросил он.

— Дэвид! Ты ведь знаешь, я так хорошо изучила мужской нрав, что у меня не романтическое, совершенно не романтическое отношение к мужчинам. Они проплывают по моей жизни в такси, в которых много холодного табачного дыма и метафизики.

— Не будем это обсуждать, — твердо произнес Дэвид.

— Обсуждать что? — как бы между прочим переспросила Алабама.

— Некоторые скорее насильственные компромиссы отдельных американских женщин с условностями.

— Вот ужас-то! Пожалуйста, не надо. Ты хочешь сказать, что ревнуешь меня? — в голосе Алабамы прозвучали скептические нотки.

— Ну, конечно! А ты нет?

— Еще как! Но я думала, нам нельзя ревновать.

— И все же.

Они с жалостью посмотрели друг на друга. Забавно — как это жалость проникла в их неугомонные головы?

Ко времени чаепития грязное вечернее небо выпустило на волю белую луну. Она лежала, расплющенная, среди нагромождения туч, как колесо от лафета пушки на изборожденном колеями поле битвы, тонкая, нежная и как будто заново рожденная после бури. Дом из бурого камня кишел людьми, из парадного тянуло запахом тостов с корицей.

— Хозяин, — доложил слуга, когда они позвонили в дверь, — просил сообщить, сэр, что его не будет, но весь дом к вашим услугам.

— Его не будет! — повторил Дэвид. — Люди бегут с места на место, чтобы не встретиться друг с другом, не забыв назначить вечеринку в первом же из недостижимых баров, который приходит им в голову.

— Почему он вот так вдруг уехал? — разочарованно спросила Алабама.

Слуга был внимателен. Алабама и Дэвид принадлежали к числу постоянных гостей.

— Хозяин, — он решил быть откровенным, — взял сто тридцать вручную подрубленных носовых платков, «Британику», две дюжины тюбиков с кремом «Франсез Фокс» и отправился в плавание. Сэр, вы не находите, что его багаж немножко необычен?

— Мог бы и попрощаться, — не в силах справиться с обидой, проговорила Алабама. — Ведь ему известно, что мы уезжаем и теперь долго не увидимся.

— Но, мадам, он попрощался, — возразил слуга, — велел всем сказать «до свидания» от его имени.

Все говорили, что и сами уехали бы, если бы имели такую возможность. Все говорили, что были бы абсолютно счастливы, если бы могли жить не так, как им приходится жить. Философы и отчисленные из колледжей студенты, режиссеры и предсказатели конца света говорили, что люди стали непоседливыми, так как закончилась война.

На этом чаепитии стало ясно, что летом на Ривьере никого не будет. Их уверяли, что малышка может подхватить холеру, если они вздумают держать ее на жаре. Друзья считали, что их до смерти заедят французские москиты, а им самим будет нечего есть, кроме козлятины. Они еще сообщили, что на Средиземноморском побережье летом невозможно найти нормальный туалет, и вспомнили, что там не достать льда для виски; короче говоря, надо было подумать о запасах консервов.

По сверкающей ультрамодной мебели, состоящей из сплошных острых углов, скользил блестящий, как ртуть, лунный луч. Алабама сидела в темном углу, обдумывая то, что составляло ее жизнь. Она забыла предложить «Касторию» соседям. Полбутылки джина надо было отдать Танке. Если няня прямо сейчас позволит Бонни поспать в отеле, она не заснет на корабле. Они пассажиры первого класса, отплытие в полночь. Палуба «С», каюты 35 и 37. Надо было бы позвонить маме и попрощаться, однако этим можно только ее напугать. С мамой очень непросто.

Алабама обвела взглядом полную народа гостиную, выдержанную в розово-бежевых тонах, и сказала себе, что все просто замечательно — эту манеру она унаследовала от матери. «Мы очень счастливы, — сказала она мысленно, как обычно делала ее мать, — но как-то не задумываемся об этом. Полагаю, мы вечно настроены на что-то более печальное, чем бывает на самом деле».

Весенняя луна заливала светом тротуары, как ледяные пики, ее неяркое сияние заставляло льдисто сверкать углы домов, и те так и искрились.

На пароходе, наверно, будет весело; танцы, оркестр сыграет ту мелодию «т-а-м, там-там», ну, ту самую, которую Винсент Юманс написал для хора, чтобы объяснить, почему всем так грустно.

В баре на корабле было душно — не продохнуть. Поджарые, как борзые, Алабама и Дэвид в вечерних туалетах сидели на табуретах возле стойки. Стюард читал корабельные новости.

— Тут у нас леди Сильвия Пристли-Парснипс. Не пригласить ли ее выпить?

Ничего не понимая, Алабама огляделась. В баре больше никого не было.

— Ладно, ладно... Но, говорят, они с мужем уже легли спать.

— Но не здесь, в баре. Приветствую вас, мадам.

Леди Сильвия метнулась через весь бар, словно над песчаной отмелью — некий сгусток протоплазмы.

— А я повсюду ищу вас, — заявила она. — Прошел слух, будто корабль утонет, поэтому сегодня мы устраиваем бал. Я хочу, чтобы вы сидели за моим столом.

— Вам не обязательно приглашать нас, леди Парснипс. Мы не принадлежим к людям, которые платят за третий класс, а сами разъезжают в номере для молодоженов. Так в чем дело?

— Никаких дел, — заверила леди Парснипс. — Просто должна же я с кем-то сидеть за столом, хотя мне сказали, что вы до сих пор любите друг друга. А вот и мой муж.

Ее муж считал себя интеллектуалом и был по-настоящему талантливым пианистом.

— Мне очень хотелось с вами познакомиться. От Сильвии — моей жены — я знаю, что вы совершенно старомодная пара.

— Мы как тифозная Мэри*, только заражаем устаревшими идеалами, но сами от них не страдаем, — отозвалась Алабама. — Должна вас честно предупредить, мы не платим за вино, выпитое другими.

---

* Прозвище ирландки Мэри Маллон (1870—1938), которая заразила брюшным тифом многих американцев (у которых работала поварихой), но сама не заболела, была лишь бациллоносителем.

— Ну и не нужно. Мои друзья уже давно не платят за нас — я не доверяю им это с военных времен.

— Похоже, будет шторм, — вмешался Дэвид.

Леди Сильвия выругалась.

— Всегда одно и то же, — сказала она. — Стоит мне надеть мое лучшее белье, и ничего не случается.

— Самый простой способ накликать сюрприз — это спать, намазавшись кремом.

Алабама скрестила ноги, положив их на низенький столик, где лежала стопка меню.

— Мое место под солнцем непредвиденности находится только после пяти омовений с мылом «Октагон», — с чувством произнес Дэвид.

— А вот и мои друзья, — перебила его Сильвия. — Этих англичан послали в Нью-Йорк, чтобы спасти их от декадентства, а американец ищет в Англии утонченности.

— Итак, устроим смотр нашим возможностям и постараемся пережить путешествие.

Что ж, они составили отличный квартет, вдохновенно излагавший романтические сюжеты, которые приходили им в голову.

— И миссис Гэйл тоже будет с нами, ведь так, дорогая?

Миссис Гэйл виновато мигнула круглыми глазами.

— Я бы с удовольствием, леди Сильвия, но у моего мужа отвращение к вечеринкам. Он попросту не выносит их.

— Ничего, дорогая, я тоже их не выношу, — отозвалась леди Сильвия.

— Как и все.

— Нет, я всех сильнее их ненавижу, — стояла на своем леди Сильвия. — Я устраивала вечеринки сначала в одной комнате, потом в другой, потом в третьей, в конце концов мне пришлось покинуть свой дом, потому что там все переломали — даже почитать негде.

— Наверное, можно все починить?

— Деньги мне нужны для вечеринок, я не стану тратить их на ремонт. Конечно же, это не я хочу читать, это мой муж. Избаловала я его.

— Мы боксировали с гостями, пострадали лампы Сильвии, — вмешался милорд, — ей это очень не понравилось, и она повезла меня в Америку, а теперь везет обратно.

— Когда привыкнешь, то начинаешь даже любить простой образ жизни, — твердо произнесла его жена.

Обед был типичным для морского путешествия: все блюда отдавали запахом просоленной швабры.

— Мы все должны принять достойный вид, — напомнила леди Сильвия, — чтобы угодить официантам.

— Правильно, — пропела миссис Гэйл. — Очень правильно. О нас так много ходило слухов, что я даже побоялась завести детей, как бы они не родились с выпученными глазами или синими ногтями.

— А всё друзья, — произнес муж леди Сильвии. — Они тащат вас на скучные обеды, волокут на Ривьеру, изводят в Биаррице и по всей Европе распускают ужасные сплетни о вашей верхней челюсти.

— Когда я женюсь, моя жена будет недосягаема для сплетников, ибо откажется от всех вполне естественных потребностей, — вмешался американец.

— Тогда убедитесь, что не любите ее, иначе все равно не избежать скандалов, — заметил Дэвид.

— Избегайте согласия, — с чувством произнесла Алабама.

— Да, — подтвердила леди Сильвия, — терпимость приводит к тому, что в отношениях супругов не остается никакой тайны.

— Под тайной, — вмешался ее муж, — Сильвия подразумевает нечто неприличное.

— Ах, дорогой, какая разница!

— Никакой, насколько я понимаю.

— В наше время все хотят быть подальше от закона.

— Вокруг такая толпа, — вздохнула леди Сильвия, — негде спрятаться, чтобы можно было ни от кого не защищаться.

— Полагаю, брак — единственное, что мы никогда не познаем до конца, — изрек Дэвид.

— Однако ходят слухи, будто вам удалось сделать свой брак счастливым.

— Мы собираемся презентовать его Лувру, — заявила Алабама. — И уже получили согласие французского правительства.

— Долгое время мне казалось, что только мы с леди Сильвией неразлучная пара, — конечно же, это куда труднее, когда вы далеки от искусства.

— Сегодня многие считают, что брак и жизнь идут врозь, — сказал американец.

— С жизнью всё врозь, — эхом отозвался англичанин.

— Если вы думаете, что уже создали себе репутацию в глазах публики, — вмешалась леди Парснипс, — то не помешает выпить еще шампанского.

— О да, неплохо как следует расслабиться перед штормом.

— Ни разу не видела настоящий шторм. Полагаю, это не сравнимо с тем, как его расписывают.

— Главное — не утонуть.

— Но, дорогая, мой муж говорит, что во время шторма самое безопасное место на корабле, если уж вы отправились в море.

— Лучше не отправляться.

— Точно.

Шторм начался совершенно неожиданно. Бильярдный стол сломал колонну в салоне, и шум пронесся из конца в конец корабля, как предзнаменование смерти. Слаженно и отчаянно действовала команда. Стюарды носились по коридорам, торопливо привязывая чемоданы к раковинам. К полуночи веревки перетерлись, и сами раковины оторвались от стен. Вода хлынула в вентиляторы, пролилась в переходы, и прошел слух, что вышло из строя радио.

Официанты и официантки построились у подножия лестницы. Алабаму удивили их напряженные лица и виноватые бегающие взгляды, ведь обычно эти люди так уверены в себе, но теперь столь презираемая ими мощь стихии камня на камне не оставила от их воспитанной дисциплиной смелости и сдержанности, выставила напоказ куда более естественный эгоизм. Алабама никогда и не думала, что дисциплиной можно обуздать темперамент, она всегда считала, что просто людям с определенным темпераментом нравится тащить на себе груз забот о других.

«Ну, это-то все могут, — думала она, пока бежала по мокрым коридорам в свою каюту, — куда труднее удержаться наверху, не погрязнуть. Вот почему мой отец всегда был одинок». Корабль тряхнуло, и Алабаму бросило от одной стены к другой. Ей показалось, что у нее сломался позвоночник.

— О черт, неужели нельзя хоть на минуту остановиться, прежде чем пойти на дно?

Бонни поглядела на мать с недоумением.

— Не бойся, — сказала она.

Алабама была напугана до полусмерти.

— Я не боюсь, родная, — ответила она. — Бонни, если ты сдвинешься с места, тебя может убить, поэтому лежи тут и держись покрепче, а я поищу папу.

Она не отрывала рук от поручней, поднимаясь и опускаясь вместе с кораблем. Лица членов команды были бесстрастны, когда она проковыляла мимо, словно они увидели внезапно обезумевшую особу.

— Почему не подают сигнал спускать спасательные шлюпки! — в истерике прокричала она прямо в невозмутимое лицо офицера-радиста.

— Возвращайтесь к себе в каюту, — ответил он. — Их нельзя спустить на такие волны.

Дэвида она отыскала в баре, где были только он и лорд Пристли-Парснипс. Столы стояли один на другом. Тяжелые кресла приверчены к полу и связаны веревками. Мужчины пили шампанское, обливая им все вокруг, будто в руках у них были не бокалы, а ведра с водой.

— С тех пор, как я вернулся из Алжира, это первый такой шторм. Там я, бывало, буквально ходил в каюте по стенам, — безмятежно повествовал милорд, — да и, кстати, корабли в военное время были не слишком хороши. А я-то думал, все, больше такого не испытаю.

Алабама неловко перемещалась по бару, держась за столбы.

— Дэвид, тебе надо пойти в каюту.

— Но, дорогая, — возразил он, все еще довольно трезвый, во всяком случае, более трезвый, чем англичанин, — что я-то могу поделать?

— Мне кажется, уж если тонуть, так всем вместе...

— Вздор!

Бросившись вон из бара, она услыхала за спиной голос британца:

— Удивительно, как опасность будоражит чувства. Во время войны...

Напуганная Алабама почувствовала себя какой-то жалкой трусихой. Между тем каюта как будто уменьшалась и уменьшалась под бесконечными ударами из-

вне. Однако через некоторое время Алабама свыклась и с духотой, и с дурнотой. Рядом с ней спокойно спала Бонни.

Снаружи была одна вода, ни кусочка неба. От беспрерывной качки у Алабамы зудело все тело. Всю ночь она думала о том, что к утру они умрут.

К утру Алабама так измучилась, что больше не могла оставаться в каюте. Дэвид помог ей, держась за поручни, добраться до бара. В уголке спал лорд Парснипс. Тихие голоса доносились из-за высоких спинок двух кожаных кресел. Алабама заказала печеную картошку и прислушалась, от души желая беседовавшим мужчинам онеметь.

— Я становлюсь нетерпимой, — подвела она итог.

Дэвид заявил в ответ, что все женщины нетерпимы, и Алабама смиренно согласилась с ним — верно, так оно и есть.

В одном из этих тихих голосов слышалась убежденность знающего человека. Такими голосами обыкновенные врачи излагают пациентам теории своих знаменитых коллег. Второй голос был жалобно-тягуч, как будто его обладатель находился под гипнозом.

— В первый раз я задумался о подобных вещах — о том, как живут люди в Африке и во всем мире. И я понял, что нам известно гораздо меньше, чем нам кажется.

— Вы о чем?

— Понимаете, сотни лет назад люди знали примерно столько же относительно спасения своей жизни, сколько мы сейчас. Природа умеет позаботиться о себе. Нельзя убить того, кому предназначено жить.

— Вы правы, нельзя уничтожить того, у кого есть воля к жизни. Его нельзя убить!

В этом голосе зазвучали опасные обвинительные ноты, и другой голос предусмотрительно сменил тему.

— А как вам нью-йоркские шоу? Много их видели?

— Три-четыре, сплошная банальщина, и некрасивые! Никогда не получаешь, чего хочешь. Никогда, — прозвучало как обвинительный приговор.

— Они дают публике то, что она желает получить.

— На днях я разговорился с одним журналистом, и он сказал то же самое, а я посоветовал ему почитать «Энквайарер», которую печатают в Цинциннати. В ней никогда не бывает скандальных новостей, и все же это одна из самых читаемых газет в стране.

— Это не та публика. Ей приходится брать, что дают.

— Ну, конечно. Я и сам бываю в подобных местах только из любопытства.

— Я тоже не завсегдатай — хожу не чаще трех-четырех раз в месяц.

Алабама, пошатываясь, встала на ноги.

— Не могу больше! — заявила она. В баре пахло оливковым маслом и окурками. — Скажи официанту, что я буду есть снаружи.

Цепляясь за поручни, Алабама выбралась на площадку солярия. На палубе стоял оглушительный свист. Алабама слышала шум переворачиваемых ветром кресел. Волны поднимались, как надгробные мраморные стелы, закрывая все вокруг, а потом опадали и исчезали с глаз. Корабль плыл как будто по небу.

— В Америке всё такое же, как их штормы, — протянул англичанин, — не скажешь ведь, что мы в Европе!

— Англичане никогда не пугаются, — заметила Алабама.

— Не беспокойся о Бонни, Алабама, — сказал Дэвид. — Она ребенок и пока не очень понимает, насколько все опасно.

— Тем ужасней будет, если с ней что-то случится.

— Но если бы мне пришлось выбирать, кого из вас спасать, я выбрал бы уже апробированный вариант.

— А я нет. Я бы первой спасла ее. Возможно, она станет потрясающим человеком.

— Возможно. Но хотя среди нас таких нет, мы все же не совсем пропащие.

— Дэвид, я серьезно. Мы ведь не утонем?

— Эконом говорит, это флоридский прилив и ветер в девяносто миль, а когда ветер достигает семидесяти — это уже шторм. Крен корабля тридцать семь градусов. Ничего не случится, пока он не достигнет сорока. Но они думают, что ветер может стихнуть. В любом случае нам остается только ждать.

— Да уж. И что ты думаешь по этому поводу?

— Ничего. Мне стыдно признаться, но я пресыщен *хорошей погодой*. Она мне надоела.

— Я тоже ничего не думаю. Игра стихий — это так красиво. Утонем — ну и пусть, я с детства отличалась буйным нравом.

— Да, иногда приходится многим рисковать, чтобы спасти в себе хоть что-то.

— И все-таки ни на этом корабле, ни в других достаточно людных местах что-то я не припомню личностей, чье исчезновение хоть что-то значило бы.

— Ты имеешь в виду гениев?

— Нет. Звенья в невидимой цепочке эволюции, которую сначала называли наукой, а потом цивилизацией — средства достижения результата.

— Средства? В смысле некие итоги, чтобы с их помощью понять прошлое?

— Скорее, чтобы представить будущее.

— Как твой отец?

— Наверное. Он сделал свое дело.

— Не он один.

— Только им это неведомо. А ведь важно это осознавать, по-моему.

— Значит, в школах должны учить, как разбираться в своих чувствах, чтобы до конца понимать человеческое существо?

— А я что говорю?

— Ерунда!

Через три дня салон вновь открыл свои двери. Бонни требовала, чтобы ей показали кино.

— А не рано ей? Там же сплошная эротика, — сказала Алабама.

— Совсем не рано, — ответила леди Сильвия. — Если бы у меня была дочь, я бы нарочно посылала ее на такие фильмы, чтобы она с малолетства училась чему-нибудь полезному для жизни. В конце концов, за все расплачиваются родители.

— Не знаю, что и думать.

— Я тоже, дорогая. Но сексуальная притягательность дорогого стоит.

— Бонни, чего бы тебе больше хотелось, сексуальной притягательности или прогулки по палубе на солнышке?

Бонни было два года, но родители поклонялись ей как жрице тайной мудрости, словно ей было двести лет. За долгие месяцы, когда ее отнимали постепенно от груди, малышка стала менее зависимой от родителей и теперь была равноправным членом семьи.

— Бонни *потом* погуляет, — тотчас ответила она.

В воздухе уже не чувствовалось ничего американского. Небо стало спокойным. Шторм принес с собой европейскую роскошную негу.

Топ-топ-топ-топ, топали они по резонирующей палубе. Алабама и Бонни остановились возле ограждения.

— Наверно, очень красиво смотреть ночью на проплывающий мимо корабль, — сказала Алабама.

— А Медведицу ты видишь? — спросила Бонни.

— Я вижу соединенные навсегда Время и Пространство. Я видела их в маленьком стеклянном куполе в планетарии, какими они были много лет назад.

— Они что ли изменились?

— Да нет, просто люди воспринимали их иначе. Звезды были другими, не совсем такими, какие они есть на самом деле.

Воздух был солоноватым, он был прекрасен, там, за бортом.

«Он прекрасен, потому что его много, — подумала Алабама. — Нет ничего прекраснее простора».

Падающая звезда, как стрела из эктоплазмы несется, согласно небулярной космогонической теории, вниз, будто игривая колибри. От Венеры к Марсу и к Нептуну она прокладывает путь забрезжившему пониманию всего сущего, освещая далекие горизонты над бледными полями сражений реальности.

— Красиво, — сказала Бонни.

— Как в том куполе. Так будет и при твоих внуках, и при их внуках.

— Дети детей в куполе, — глубокомысленно заметила Бонни.

— Да нет, дорогая, звезды в куполе! Возможно, и купол будет тем же — живет вечно, похоже, только то, что вне нас.

Топ-топ! Топ-топ! Топали они по палубе. Ночной воздух был очень вкусным.

— Детка, пора спать.

— Но ведь когда я проснусь, не будет звезд.

— Будет другое.

Дэвид и Алабама отправились на нос корабля. В лунном свете их лица как будто фосфоресцировали. Усевшись на свернутый канат, они оглянулись на ажурный силуэт труб.

— Ты неправильно нарисовал корабль; трубы похожи на дам, которые исполняют в высшей степени учтивый менуэт, — заметила Алабама.

— Наверно. В лунном свете все выглядит иначе. Мне не нравится.

— Почему?

— Темнота уже не темнота.

— Но это же так грешно, любить темноту!

Алабама поднялась и, вскинув голову, встала на цыпочки.

— Дэвид, если ты любишь меня, я смогу полететь!

— Тогда лети!

— Не получается, но ты все равно люби меня.

— Бедное бескрылое дитя!

— Тебе очень трудно меня любить?

— А ты думаешь легко, моя иллюзорная собственность?

— Мне очень хотелось получить что-то взамен — за мою душу.

— Поищи на луне — найдешь нужный адрес недалеко от Бруклина и Квинс.

— Дэвид! Я люблю тебя, даже когда ты неотразимо красив.

— Такое случается нечасто.

— Нет, часто и совершенно бескорыстно.

Алабама лежала в его объятиях, ощущая, насколько он старше нее. Она не шевелилась. Где-то в глубине корабля пел колыбельную песню мотор.

— Давно у нас не было такого переезда.

— Да уж. А давай устраивать нечто подобное каждую ночь.

— Я сочинила для тебя стихотворение.

— Прочти.

— Вот:

Почему такая я сякая?
Почему нет счастья мне?
Настоящая все ж я какая?
Почему не могу быть, как все?

Дэвид рассмеялся.

— Мне надо ответить?

— Нет.

— Мы достигли такого возраста, когда даже наши самые тайные чувства должны пройти испытание разумом.

— Очень утомительно.

— Бернард Шоу говорит, что все люди после сорока сволочи.

— А если мы к тому времени не обретем столь вожделенного статуса?

— Значит, остановимся в развитии.

— Не будем портить этот вечер.

— Пойдем отсюда?

— Ой нет, останемся — может быть, волшебство вернется.

— Вернется. Когда-нибудь.

По пути в салон они увидели леди Сильвию, которая жадно целовалась с некоей тенью за спасательной шлюпкой.

— Это ее муж? Наверно, правда насчет того, что они все еще влюблены друг в друга.

— Это матрос. Иногда мне хочется побывать в марсельском танцзале, — рассеянно проговорила Алабама.

— Зачем?

— Не знаю. Ну, хочется же иногда ромштекса.

— Я бы взбесился.

— Ты бы целовал леди Сильвию за спасательной шлюпкой.

— Никогда.

В салоне оркестр заиграл цветочный дуэт из «Мадам Баттерфляй».

Мой Дэвид любит розу,
Другому дай мимозу, —

промурлыкала Алабама.

— Вы певица? — спросил англичанин.

— Нет.

— Но вы поете.

— Потому что была рада узнать, что я, оказывается, самодостаточная личность.

— Ах, неужели? А вы себя любите!

— Очень. Мне очень нравится, как я хожу, как говорю, мне почти всё в себе нравится. Хотите, я покажу, какой я умею быть обворожительной?

— Конечно.

— Тогда пригласите меня выпить.

— Пойдемте к стойке.

Покачиваясь, Алабама двинулась в путь, имитируя походку, которой когда-то восхищалась.

— Учтите: я могу быть собой, только когда становлюсь кем-то другим, кого я наделяю замечательными качествами, существующими лишь в моем воображении.

— Я не возражаю, — сказал англичанин, который вдруг заподозрил, что его соблазняют, ведь для многих мужчин — моложе тридцати пяти — все непонятное имеет сексуальный оттенок.

— И еще предупреждаю вас, что в душе я придерживаюсь моногамии, хотя теоретически вроде бы и нет, — проговорила Алабама, заметив несколько изменившееся поведение англичанина.

— То есть?

— Дело в том, что теоретически единственное чувство, которое невозможно повторить, это ощущение новизны.

— Шутите?

— Конечно. Ни одна из моих теорий не работает.

— Вы как интересная книга.

— Я и есть книга. Чистой воды вымысел.

— Кто же придумал вас?

— Кассир Первого национального банка, чтобы возместить кое-какие ошибки, допущенные им в расчете. Понимаете, его выгнали бы, если бы он не достал деньги — *любым* способом, — на ходу фантазировала Алабама.

— Бедняжка.

— Не будь его, я бы навсегда осталась сама собой. Но тогда мне не удалось бы позабавить вас и доставить вам удовольствие.

— В любом случае вы доставили бы мне удовольствие.

— Почему вы так думаете?

— В душе вы человек очень искренний, — серьезно ответил он. — Мне показалось, что ваш муж обещал присоединиться к нам, — добавил он, опасаясь скомпрометировать себя.

— Мой муж наслаждается звездами за третьей спасательной шлюпкой по левому борту.

— Шутите! Откуда вам известно? Откуда вам может быть это известно?

— Оккультные способности.

— Вы ужасная обманщица.

— Ясное дело. Но я сыта по горло разговорами обо мне. Давайте теперь побеседуем о вас.

— Я должен был делать деньги в Америке.

— Ничего оригинального.

— У меня были рекомендательные письма.

— Вставьте их в свою книгу, когда решите ее написать.

— Я не писатель.

— Все, кто любит Америку, пишут книги. У вас сдадут нервы, когда закончится путешествие, и вы поймете, что лучше держать при себе кое-какие воспоминания, и поэтому вам захочется их опубликовать.

— Мне понравится писать о путешествиях. Я полюбил Нью-Йорк.

— Ну да, Нью-Йорк похож на иллюстрацию к Библии, правда?

— Вы читали Библию?

— Книгу Бытия. Обожаю то место, где Бог всем доволен. Мне нравится думать, что Бог счастлив.

— Вряд ли он счастлив.

— Вряд ли, но, думаю, *кто-то* должен воспринимать так происходящее. Никому другому такое не под силу, поэтому остается Бог. Мы наделили этим Бога, во всяком случае, Книга Бытия наделила.

Европейское побережье положило предел атлантическому бескрайнему простору. Нежность царила в дружелюбном, расположившемся среди полей Шербурге, где звонят колокола и стучат по камням сабо.

Нью-Йорк остался позади. Всё, что создало Алабаму и Дэвида, осталось позади. Пока для них не имело значения то, что им не придется так же ясно почувствовать биение пульса жизни, как прежде, поскольку

в чужих краях мы понимаем только то, к чему привыкли с детства.

— Я сейчас заплачу! — воскликнул Дэвид. — Почему на палубе нет оркестра? Черт побери, это же самый волнующий момент, на свете нет ничего лучше! Все, что создано человеком, находится тут, перед нами, — только выбирай!

— Выбор, — откликнулась Алабама, — та самая привилегия в нашей жизни, ради которой мы страдаем.

— Великолепно! Потрясающе! Мы можем заказать вино к ланчу!

— Ах, Континент, пошли мне мечту!

— Она у тебя уже здесь, — сказал Дэвид.

— Где? В конечном итоге мечтой оказывается то место, где мы были моложе.

— Как любое другое.

— Ворчун!

— Уличный оратор! Я бы мог поиграть в бомбы в Булонском лесу.

Когда в таможне они проходили мимо леди Сильвии, она окликнула их из-за кипы великолепного белья, синего термоса, сложного электрического приспособления и двадцати четырех пар американских туфель.

— Вы присоединитесь ко мне сегодня вечером? Я покажу вам прекрасный Париж, чтобы вы могли запечатлеть его на ваших картинах.

— Нет, — ответил Дэвид.

— Бонни, — предупредила дочь Алабама, — осторожнее, попадешь под багажную тележку, она переломает тебе ножки, и они уже никогда не будут ни «chic» ни «élégante» — во Франции, как мне говорили, много подобных прекрасных слов.

На поезде они проехали розовый карнавал Нормандии, миновали искусные узоры Парижа и высокие террасы Лиона, колокольни Дижона и белую сказку Авиньона, ради того, чтобы оказаться в лимонном краю, где шелестели черные листья и где тучи мотыльков мелькали в гелиотроповых сумерках. Чтобы оказаться в Провансе, где не было надобности в зрении, пока не возникало желания посмотреть на соловья.

II

Глубоко греческая сущность Средиземноморья до сих пор превосходит нашу кичливую лихорадочную цивилизацию в покое. Многовековые руины покоятся на серых горных склонах, она засевает прахом бывших сражений пространства под оливами и кактусами. Спят античные рвы, пойманные в плен жимолостью, хрупкие маки пятнают кровавыми пятнами дороги, виноградники в горах напоминают клочья разорванного ковра. Средневековые колокола усталым баритоном возвещают праздник безвременья. На камнях неслышно цветет лаванда. В вибрирующем воздухе, пропитанном полдневным зноем, трудно что-то рассмотреть.

— Великолепно! — воскликнул Дэвид. — Оно совершенно синее, пока не присмотришься повнимательнее. Но если присмотришься, оно становится серым и розовато-лиловым, а присмотришься еще внимательнее, оно суровое и почти черное. Ну а если быть совсем точным, оно аметистовое с опаловыми вкраплениями. Что *такое*, Алабама?

— Я не понимаю. Подожди, подожди. — Алабама прижалась носом к покрытой мхом стене замка. — «Шанель» номер пять, — твердо заявила она, — пахнет, как твой затылок.

— Только не «Шанель»! — возразил Дэвид. — Думаю, здесь что-то более стильное. Иди сюда. Я хочу тебя сфотографировать.

— И Бонни?

— Да. Полагаю, ей пора подключаться.

— Посмотри на папу, счастливое дитя.

Девочка не сводила с матери больших недоверчивых глаз.

— Алабама, ты не могла бы немножко повернуть ее, а то у нее щеки шире лба. Если не подать ее немножко вперед, она будет похожа на вход в Акрополь.

— Ну же, Бонни, — попросила Алабама.

Обе повалились в заросли гелиотропов.

— Боже мой! Я поцарапала ей личико. У тебя нет с собой чего-нибудь дезинфицирующего?

Алабама внимательно осмотрела грязные пальчики дочери.

— Как будто ничего опасного, но мне кажется, все-таки лучше вернуться домой и обработать царапины.

— Меня домой, — тягуче произнесла Бонни, выбивая слова, как кухарка, выбивающая толкушкой картофельное пюре. — Домой, домой, домой, — радостно тянула она, подпрыгивая на отцовских плечах.

— Вот, дорогая. «Гранд-отель Петрония» и «Золотые острова».

— Может, нам переехать в «Палас» или «Юниверс»? У них в саду больше пальм.

— И предать свою, можно сказать, историческую фамилию? Алабама, отсутствие исторического чутья — твой самый большой недостаток.

— Не понимаю, зачем мне историческое чутье, я и без него могу оценить белые пыльные дороги. Когда ты так несешь Бонни, мне на ум приходит труппа трубадуров.

— Точно. Пожалуйста, не дергай папу за ухо. Ты когда-нибудь попадала в такую жару?

— А мухи! И как люди терпят их?

— Может быть, пойдем подальше от моря?

— По этим камням не побегаешь. В сандалиях было бы удобнее.

Они шли по дороге времен Французской Республики мимо бамбуковых занавесей Йера, мимо связок войлочных шлепанцев и будок с женским бельем, мимо сточных канав, заросших буйной южной травой, мимо фиглярствующих экзотических марионеток, вдохновляющих бронзоволиких провансальцев мечтать о свободе в Иностранном легионе, мимо съеденных цингой попрошаек и пышных бугенвиллий, мимо пыльных пальм, шеренги запряженных в коляски лошадей, мимо выставленных тюбиков с зубной пастой в деревенской парикмахерской, от которой за версту пахнет «Шипром», и мимо казармы, которая придавала городу цельность, как семейная фотография в большой и неприбранной гостиной.

— Сюда.

Дэвид посадил Бонни на кучу прошлогодних газет в сыровато-прохладном холле отеля.

— Где няня?

Алабама сунула голову в отвратительную плюшево-кружевную гостиную.

— Мадам Тюссо нет. Полагаю, она собирает материал для своей Британской сравнительной таблицы, чтобы, вернувшись в Париж, сказать: «Все правильно, разве что цвет облаков в Йере, когда я была там с семьей Дэвида Найта, показался мне чуть более похожим на цвет серых линкоров».

— Она воспитывает в Бонни понимание традиции. Мне она нравится.

— И мне тоже.

— Где няня? — У Бонни глаза от тревоги стали круглыми.

— Дорогая, она вернется! Она пошла, чтобы найти для тебя что-то интересное.

Бонни явно не поверила.

— Пуговицы, — сказала она, показывая на свое платье. — Хочу апесиновый сок.

— Ну, конечно... Вот когда вырастешь, то узнаешь, что есть на свете вещи и поинтереснее сока.

Дэвид позвонил.

— Принесите, пожалуйста, стакан апельсинового сока.

— Ах, месье, мы здесь совсем наособицу. Летом у нас нет апельсинов. Всё жара. Мы даже подумывали закрыть отель из-за невозможности достать апельсины в такую погоду. Подождите минутку. Я посмотрю.

Хозяин отеля был похож на рембрандтовского лекаря. Он позвонил в колокольчик. Явился valet de chambre*, который тоже был похож на рембрандтовского лекаря.

— У нас есть апельсины? — спросил хозяин отеля.

— Ни одного, — мрачно отозвался тот.

— Вот видите, месье, — объявил с облегчением хозяин. — Нет ни одного апельсина.

Он с довольным видом потер руки, как будто наличие апельсинов доставило бы ему массу забот.

— Апесиновый сок, апесиновый сок, — повторяла Бонни.

— Куда, черт побери, она подевалась? — вскричал Дэвид.

— Мадемуазель? — спросил хозяин отеля. — Да она же в саду под столетней оливой. Великолепное дерево. Вы должны на него посмотреть.

* Камердинер (*фр.*).

И он последовал за своими гостями в сад.

— Какой прелестный мальчик, — продолжал он. — И скоро заговорит по-французски. Я прежде очень хорошо говорил по-английски.

Женская суть Бонни не могла не бросаться в глаза.

— Не сомневаюсь, — отозвался Дэвид.

Няня устроила себе будуар из железных садовых кресел. На них валялись шитье, книжка, несколько пар очков, игрушки Бонни. На столе горела лампа. Сад был обитаемым. Так почему бы ему не послужить еще и английской детской?

— Я посмотрела меню, мадам, а там опять козлятина, поэтому я решила зайти к мяснику. Бонни будет есть жаркое. Простите меня, мадам, но это ужасное место. Не думаю, что стоит тут задерживаться.

— Тут действительно слишком жарко, — виновато проговорила Алабама. — Мистер Найт собирается приглядеть виллу подальше на побережье, если мы сегодня не найдем что-то подходящее.

— Уверена, нас могли бы обслуживать и получше. Некоторое время мне пришлось провести в Каннах с Хортерер-Коллинами, так там нам было очень удобно. Летом они, конечно же, переезжают в Довиль.

Алабама поняла, что им тоже следует перебраться в Довиль... ради няни.

— Почему бы не поехать в Канны? — предложил потрясенный Дэвид.

Из-за ослепительного блеска тропического полдня в пустой столовой как будто слышался звон. Старая английская пара наклонилась над резиновым сыром и размякшими фруктами. Женщина подалась вперед и провела пальцем по пылающим щекам Бонни.

— Так похожа на мою внучку, — сказала старуха покровительственно.

Няня рассердилась:

— Мадам, будьте любезны, не гладьте девочку.

— Я не гладила, я всего лишь прикоснулась к ней.

— От жары у нее расстроился желудок, — не допускающим возражений тоном произнесла няня.

— Не хочу обедать. Не буду обедать, — заявила Бонни, прерывая затянувшееся молчание английской дамы.

— Я тоже не хочу это есть. Пахнет крахмалом. Дэвид, надо пойти в агентство.

Под обжигающим солнцем Алабама и Дэвид отправились на главную площадь. Казалось, все вокруг погрузилось в волшебный сон. Возницы спали, спрятавшись под мало-мальски пригодной для защиты тенью, магазины были закрыты, нещадный липкий зной царил, не находя сопротивления. Отыскав громоздкий экипаж, они, вскочив на подножку, разбудили кучера.

— В два часа, — с раздражением проговорил кучер. — До двух часов я занят!

— Ладно, потом поедете по этому адресу, — не сдавался Дэвид. — Мы подождем.

Кучер вяло пожал плечами.

— За ожидание десять франков в час, — недовольно добавил кучер.

— Ладно. Мы — американские миллионеры.

— Надо что-то положить на сиденье, — вмешалась Алабама. — По-моему тут полно блох.

Они положили на сиденье армейское одеяло и только потом устроились на нем потными телами.

— Tiens!* А вот и месье!

Кучер лениво показал через дорогу на красивого южанина с повязкой на одном глазу, снимавшего табличку «закрыто» с двери.

---

* Смотри-ка! (*фр.*)

— Мы хотим посмотреть виллу «Голубой лотос», ее как будто сдают, — вежливо произнес Дэвид.

— Не получится. Никак не получится. У меня ланч.

— Месье, конечно же, позволит мне оплатить его нерабочее время...

— Другое дело, — с чувством воскликнул агент. — Месье понимает, что после войны все изменилось, и человеку надо что-то кушать.

— Ну, конечно.

Расшатанная повозка покатила мимо синих, как цветок артишока, полей, словно вобравших в себя всю энергию солнца, мимо длинных грядок с овощами, напоминавшими блестящие субмарины. На равнине то тут, то там попадались зонтичные сосны, жаркая ослепительная дорога вилась вплоть до самого моря. Волны были похожи на стружку, устлавшую пол в мастерской солнца.

— Вот она! — гордо прокудахтал агент.

Вилла «Голубой лотос» стояла на красной глине, где не росло ни одного дерева. Открыв дверь, Алабама и Дэвид ступили в прохладный холл.

— Здесь хозяйская спальня.

На огромной кровати лежали пижама из ткани, окрашенной вручную, из батика, и складчатая ночная рубашка от картезианских монахинь.

— Меня поражает несуетливость здешней жизни, — сказала Алабама. — День и ночь — сутки прочь.

— Жаль, у нас не получается так жить.

— Надо посмотреть, что тут с водой.

— Мадам, водопровод в полном порядке. Смотрите.

Тяжелая резная дверь вела в копенгагенскую ванную комнату с синими хризантемами, ползущими вверх, в бреду, будто опьяненными опиумом. На стенах

были разноцветные плитки с нормандскими рыбаками, ловящими рыбу. Алабама проверила медный кран, предназначенный для работы в этом фантастическом уголке.

— Не работает.

Агент поднял брови, словно Будда.

— Неужели? Наверно, потому что у нас давно не было дождя! Иногда такое случается, если не идет дождь.

— А что вы делаете, если дождя нет все лето? — спросил заинтригованный Дэвид.

— Рано или поздно, месье, дождь все равно идет, — весело ответил агент.

— И все же?

— Месье шутит.

— Нам нужно что-нибудь более цивилизованное.

— Надо ехать в Канны, — сказала Алабама.

— Поеду первым же поездом, когда вернемся обратно.

Дэвид позвонил из Сен-Рафаэля.

— Тут есть дом за шестьдесят долларов в месяц — с садом, с водой, с кухней и великолепным видом из купола. Крыша из металла, видно, авиационного. Буду завтра утром. И можем сразу переезжать.

День одел их в солнечные доспехи. Лимузин, который они наняли, был полон воспоминаний о прошлом. Смотреть из окошка мешали бумажные кубистические настурции, поблекшие в треугольнике окошка.

— Едем, едем, почему машинка не едет? — кричала Бонни.

— Потому что золотые палочки надо положить сюда, а твой мольберт, Дэвид, вон туда.

— Там-там-там, — бубнила Бонни, радуясь поездке. — Хорошо-хорошо-хорошо.

Лето проложило путь в их сердца, ласково напевая им, пока они ехали по неровной дороге. Оглядываясь на прошлое, Алабама не могла отыскать там серьезных потрясений, хотя темп тогдашней жизни создавал иллюзию, будто это было сплошное сумасшествие. В счастливом недоумении Алабама пыталась понять, зачем им понадобилось уезжать из дома.

Июль. Три часа дня. Няня тихонько вспоминала Англию, оказавшись на высоких горах, в арендованных автомобилях и в прочих непривычных обстоятельствах, на белых дорогах и среди сосен — жизнь тихонько пела ей колыбельную. И все-таки жить прекрасно.

Вилла «Les Rossignols»* находилась не на самом берегу. Аромат цветов табака пропитывал выцветший голубой атлас в апартаментах Людовика XV; деревянная кукушка возмущалась мрачным видом дубовой столовой; сосновые иголки ковром устилали синие и белые плитки на балконе; петунии ласково льнули к балюстраде. Засыпанная гравием подъездная аллея огибала ствол гигантской пальмы, в трещинах которого росла герань, и заканчивалась возле увитой красными розами беседки. Кремовые стены дома с покрашенными окнами как будто потягивались и зевали под золотым потоком предвечернего солнца.

— Это беседка, — по-хозяйски объяснял Дэвид. — Построена из бамбука. А вся вилла выглядит так, словно к ней приложил руку Гоген.

— Прекрасно. Как ты думаешь, тут в самом деле есть rossignols?

— В самом деле — каждый вечер с тостом на ужин.

— Comme ça, Monsieur, comme ça**, — в восторге пропела Бонни.

---

* Соловьи (*фр.*).

** Так, месье, так (*фр.*).

— Ты только послушай, она уже заговорила по-французски!

— Франция великолепна, просто великолепна. Правда, няня?

— Я прожила тут двадцать лет, мистер Найт, но так и не научилась понимать здешних людей. Да и времени у меня не было, чтобы учить французский, ведь я жила в аристократических семьях.

— Ну да, — многозначительно отозвался Дэвид.

Что бы няня ни произносила, это звучало как искусно отработанная выдумка.

— Там на кухне тоже аристократки, видимо, подарок от агента, — сказала Алабама.

— Это три могущественные сестры. Возможно даже, три парки, кто знает?

Сквозь густую листву доносилось бормотание Бонни, вдруг перешедшее в восторженный вопль.

— Купаться! — кричала она. — Сейчас купаться!

— Она бросила куклу в пруд с золотыми рыбками, — разволновалась няня. — Плохая Бонни! Так обойтись с маленькой Златовлаской.

— Ее зовут «Comme ça», — заявила Бонни. — Смотри, она купается.

Куклу было едва видно под толщей стоячей зеленой воды.

— Ах, мы будем очень счастливы вдали от всех несуразностей, которые почти одолели нас, однако не одолели, так как мы оказались умнее!

Обняв жену за талию, Дэвид внес ее через огромное окно в их новый дом и поставил на плиточный пол. Алабама успела разглядеть расписной потолок. Среди гирлянд из вьюнков и роз резвились пастельные купидончики, раздутые так, словно у них была базедова болезнь или что-нибудь похуже.

— Думаешь, нам в самом деле будет тут хорошо? — недоверчиво спросила Алабама.

— Мы попали в рай, во всяком случае, ближе мы еще никогда не были, и это живописное доказательство моей правоты, — ответил Дэвид, проследив за взглядом жены.

— Знаешь, когда я думаю о соловьях, то всегда вспоминаю «Декамерон». Дикси прятала книжку в верхнем ящике. Забавно, какие возникают ассоциации.

— Да уж! Людям не дано переключаться с одного на другое, насколько я понимаю, не прихватив с собой что-нибудь из прежней жизни.

— Только не нашу неугомонность — на сей раз.

— Нам надо обзавестись автомобилем, чтобы ездить к морю.

— Обязательно. Но завтра мы поедем на такси.

Утро было солнечное и жаркое. Местный садовник делал вид, будто бережет их сон, лениво таща грабли по гравиевой дороге. Горничная накрыла завтрак на балконе.

— Закажи нам такси, о дочь этой цветочной республики!

Дэвид радовался как ребенок. Алабама, объятая утренней ленцой, думала, что совсем необязательно разводить такую бурную деятельность перед завтраком.

— И еще, Алабама, до сих пор нам не приходилось иметь дело с таким мощным и уверенным в себе гением, какой проявится в будущих полотнах Дэвида Найта! Каждый день, поплавав в море, художник принимается за работу и творит до четырех часов, после чего в следующем купании освежает свое самодовольство.

— А я буду упиваться здешним возбуждающим воздухом и толстеть на бананах и «Шабли», пока Дэвид Найт набирается ума.

— Правильно. Место женщины там, где вино, — радостно подтвердил Дэвид. — Что надо уничтожить на земле, так это искусство.

— Но, дорогой, ты ведь не будешь работать сутками?

— Надеюсь.

— Да, этот мир принадлежит мужчинам, — вздохнула Алабама, устраиваясь поудобнее на солнышке. — Ах какой тут воздух — сплошная нега и сладострастие...

И началась ничем не омрачаемая жизнь на ароматном воздухе, которую держали на плавном ходу три женщины на кухне, пока лето медленно двигалось к великолепной кульминации. Под окнами салона пышно расцветали посаженные цветы, по ночам в сеть из сосновых верхушек ловились звезды. В саду деревья шептали: «Хлещи их, бедняжек». Им отвечали теплые черные тени: «Охо-хо». Из окон «Les Rossignols» был виден римский цирк во Фрежюсе, который, как полный бурдюк с вином, плыл совсем низко над землей в лучах луны.

Дэвид работал над своими фресками, и Алабама почти все время оставалась одна.

— Что будем делать, Дэвид? — спросила она.

Дэвид ответил, что пора бы ей становиться взрослой и самой думать о себе.

Разбитый автомобиль возил их каждый день на море. Горничная называла автомобиль «la voiture»* и довольно церемонно объявляла о его появлении по утрам, когда они ели бриоши с медом. И каждый раз после этого начинался спор из-за того, сколько времени надо отдыхать после приема пищи, чтобы можно было отправляться на море.

Солнце лениво играло с ними, прячась за городом с византийским силуэтом. Бани и танцевальный павильон блестели на белом ветру. Песочный пляж тянулся на

* Экипаж (*фр.*).

много миль вдоль синего моря. Няня привычно устанавливала британский протекторат над приличным куском суши.

— Горы тут такие красные из-за бокситов, — сказала она. — Кстати, мадам, Бонни нужен еще один купальный костюмчик.

— Мы можем заехать за ним в «Galeries des Objectives Perdues»*, — предложила Алабама.

— Или в «Occasion des Perspectives Oubliés»**, — вмешался Дэвид.

— Конечно. Сошьем из дельфиньей шкуры или свяжем из мужской бороды.

Алабама обратила внимание на худого загорелого мужчину в парусиновых штанах, со сверкающими, как у Христа из слоновой кости, ребрами и с ланьими глазами, который совершенно неприличным образом кивал им.

— Доброе утро, — важно произнес мужчина. — Я часто вижу вас.

У него был глубокий голос с металлическим оттенком, звучавший уверенно, как положено голосу истинного джентльмена.

— У меня тут небольшой ресторан. Есть еда, а по вечерам мы устраиваем танцы. Рад приветствовать вас в Сен-Рафаэле. Летом тут немного людей, как видите, но мы стараемся жить весело. Почтем за честь, если после купания вы примете приглашение на американский коктейль.

Дэвид удивился. Он не ожидал ничего подобного. Похоже было, что они прошли в члены клуба.

— С удовольствием, — торопливо отозвался он. — Надо идти внутрь?

---

* «Галерею потерянной реальности» (*фр.*).

** «Лавочку забытых перспектив» (*фр.*).

— Да, внутрь. Для моих друзей я — месье Жан! Но вы должны познакомиться и с другими тоже, это очаровательные люди.

Он задумчиво улыбнулся и растворился в сверкающем утреннем воздухе.

— Что-то я никого не вижу, — оглядевшись, сказала Алабама.

— Может быть, они у него в бутылках. Он похож на джинна, значит, ему это по силам. Скоро узнаем.

Вдалеке послышался гневный голос няни, недовольной джином и джинном. Она звала Бонни.

— Я сказала нет! Я сказала нет! Я сказала нет! Девочка убежала к самой кромке воды.

— Я догоню ее.

Найты бросились в синеву следом за дочерью.

— Ты должен стать моряком, — проговорила Алабама.

— Но я уже Агамемнон*, — возразил Дэвид.

— А я маленькая, совсем крошечная рыбка, — заявила Бонни. — Красивая рыбка!

— Прекрасно. Ладно, играйте в рыбок, если хотите. О Господи! Как прекрасно знать, что теперь мы вольные люди и жизнь будет таковой, какой она должна быть!

— Великолепно, блестяще, чудесно, замечательно! Но я хочу быть Агамемноном.

— Пожалуйста, будь рыбкой, как я, — попросила Бонни. — Рыбки лучше.

— Отлично, — вмешалась Алабама. — Я буду рыбкой Агамемноном. И я умею плавать без рук, видишь?

— А как же ты будешь сразу всеми двумя?

— Но, дочь моя, я ведь ужасно умная и потому знаю, что могу быть для себя целым миром, если мне расхочется жить в папиной тени.

* Герой поэмы Гомера «Илиада».

— Алабама, соленая вода разъела тебе мозги.

— Ха! Тогда я буду рыбкой Агамемноном с разъеденными мозгами, а это еще труднее. Придется плавать и без ног тоже, — с тайным злорадством произнесла Алабама.

— Будет намного проще, думаю, после коктейля. Пойдем.

После солнечного пляжа комната казалась особенно прохладной и сумеречной. От штор шел приятный мужской запах высохшей соленой воды. Из-за нарастающих волн зноя снаружи, казалось, бар тоже находится в движении, как будто в его неподвижном нутре обретали убежище самые быстрые ветры.

— Нет у нас, ну нет у нас расчесок, — пропела Алабама, разглядывая себя в заплесневевшем зеркале на задней стене бара. Она чувствовала себя свежей, гладкой, соленой! И решила, что куда веселее в той части бара, что за ее спиной. В сумеречной глади древнего зеркала она увидела очертания широкой спины французского летчика в белой форме. Потом стала наблюдать за галантными — по-французски — жестами, обращенными сначала к ней, потом к Дэвиду и замутненным нечистым зеркалам. Голова с золотой рождественской монеты настойчиво кивала, большие бронзовые руки хватали тропический густой воздух в напрасной надежде отыскать в нем нужные английские слова, чтобы передать чувства обладателя этой головы. В попытке найти общий язык француз немного сутулил выпуклые плечи, не делавшиеся от этого менее красивыми, сильными, твердыми. Он вынул из кармана маленькую красную расческу и любезно кивнул Алабаме. Встретившись взглядом с офицером, Алабама почувствовала себя взломщицей, которой хозяин дома по доброй воле назвал сложный код своего сейфа. Она почувствовала себя так, словно ее поймали на месте преступления.

— Permettez?*

Она глядела на него во все глаза.

— Permettez, — повторил он, — по-английски значит «permettez», вы понимаете?

Офицер вновь многословно и непонятно заговорил на французском языке.

— Не понимаю, — сказала Алабама.

— Oui, понимаю, — повторил он над ее головой. — Permettez?

Он наклонился и поцеловал Алабаме руку. Трагически серьезная, даже виноватая улыбка зажглась на его лице — от него веяло очарованием незрелой юности, как будто ему неожиданно пришлось вынести на всеобщее обозрение сцену, которую он долго репетировал в одиночестве. И в его и ее жестах была некая нарочитость, словно они разыгрывали спектакль для находившихся в отдалении смутных отражений их самих.

— Я не «микроб», — зачем-то произнес он.

— Oui, понятно... Я говорю, это видно.

— Regarderz!**

Мужчина демонстративно провел расческой по волосам, как бы объясняя ее назначение.

— Спасибо, — сказала Алабама и вопросительно посмотрела на Дэвида.

— Мадам, — прогудел месье Жан, — позвольте представить лейтенанта Жака Шевр-Фейля. Он французский летчик и совершенно безобидный. А это его друзья, лейтенант Полетт, его жена, лейтенант Белландо, лейтенант Монтагю, он корсиканец, как вы сами пой-

* Разрешите? (*фр.*)

** Поглядите! (*фр.*)

мете, — и еще вон там Рене и Бобби из Сен-Рафаэля, очень симпатичные юноши.

Закопченные красные лампы, алжирские циновки, защищающие от солнечного света, запах морской воды и ароматических трав придавали «Пляжу» Жана вид опиумного логова или пиратской пещеры. На стенах висели турецкие сабли, в темных углах сверкали медные подносы, положенные на африканские барабаны; инкрустированные перламутром столики притягивали к себе искусственные сумерки, как пелену пыли.

С небрежностью вожака, чьи прихоти сложно предугадать, Жак перемещал с места на место свое поджарое тело. Позади этой ослепительно великолепной персоны вытянулась свита: тучный, сальный Белландо, деливший с Жаком апартаменты и взрослевший в уличных драках в Монтенегро; мрачный романтик, наслаждавшийся своим отчаянием корсиканец, который так низко летал вдоль берега в надежде покончить счеты с жизнью, что купальщики могли бы прикоснуться к крыльям его самолета; высокая безупречная Полетт, за которой постоянно следовал взгляд жены с портрета Мари Лорансен*. Грозно выпирая из белых пляжных костюмов, Рене и Бобби беседовали намеками в стиле Артюра Рембо. Бобби морщил лоб и шагал бесшумно, как это делают дворецкие. Он был старше остальных, участвовал в войне, и глаза у него были серыми и пустыми, как — всем известным летом — перепаханное небо над Верденом. Рене живописал промытый дождем

* Мари Лорансен (1885—1956) — французская художница. Наиболее известны ее произведения, в которых сочетаются мотивы рококо XVIII в. и стиль персидских и монгольских миниатюр. Создала многочисленные портреты женщин и детей. Ее женские образы называли «созданиями страны фей», видимо, потому что художница предпочитала розовые и голубые тона.

солнечный свет, заимствуя цвета у изменчивого моря. Художник Рене родился в семье прованского адвоката, и его карие глаза горели холодным огнем, как у персонажей Тинторетто. Над дешевым патефоном украдкой пускала слезу жена эльзасского шоколадного фабриканта, не забывая громко поощрять свою дочь Рафаэль, которая пребывала в отчаянии, постоянно помня о своем южном происхождении и о том, что она дитя любви. Две полуамериканки двадцати с небольшим лет, которые разрывались между латинским любопытством и англо-саксонской осторожностью, их светлые крутые кудряшки мелькали в темноте, словно деталь ренессансного фриза с изображением херувимов.

Художническое воображение Дэвида встрепенулось, подстегнутое варварской картиной утра в Средиземноморье.

— А теперь хочу предложить всем вина, но только португальского, ведь у меня нет денег.

Помимо претенциозных попыток изъясняться по-английски, Жак не пренебрегал драматическими приемами и экспансивными жестами, чтобы сполна донести свою мысль до окружающих.

— Думаешь, он и вправду бог? — прошептала Алабама, обернувшись к Дэвиду. — А он похож на тебя, разве что он создание солнечное, а ты — лунное.

Лейтенант стоял рядом с Алабамой и по очереди трогал все, к чему она прикасалась, пытаясь создать незримую чувственную связь между ними, он напоминал электрика, устанавливающего сложный электроприбор. Оживленно жестикулируя, он беседовал с Дэвидом, демонстративно не глядя на Алабаму, чтобы скрыть свой неожиданно возникший к ней интерес.

— Я прилечу к вам на аэроплане, — великодушно предложил он, — а здесь я каждый день плаваю.

— Тогда давайте выпьем сегодня, попозже, — произнес несколько озадаченный Дэвид, — потому что сейчас нам надо вернуться к ланчу, и больше нет времени.

Разболтанное такси лихо прокатило их по очаровательным тенистым аллеям Прованса, вознося над пересохшими виноградниками. Похоже, солнце забрало себе все краски, чтобы, заварив и настояв, замешать цвета грядущей зари на небе, а пока земля, белая и безжизненная, ждала щедрого разноцветья, которое овеет прохладой поздний вечер, проникая сквозь виноградные лозы и между камнями.

— Мадам, посмотрите на ручки девочки. Нам надо немедленно в тень.

— Ах, няня, пусть позагорает! Мне нравятся здешние красивые смуглые люди. Они такие искренние.

— Мадам, с детьми надо знать меру. Говорят, это вредно для кожи. Мы должны думать о будущем, мадам.

— А я, — сказал Дэвид, — собираюсь прожариться, чтобы быть похожим на мулата. Алабама, как ты думаешь, не будет слишком женственным, если я побрею ноги? Так они скорее загорят.

— Можно мне лодку? — спросила Бонни, не сводя глаз с моря.

— Хоть «Аквитанию», когда закончу следующую картину.

— Слишком démodé*, — вмешалась Алабама. — Мне лично хочется красивое итальянское судно, покачивающееся на водах Неаполитанского залива.

— Возвращение к истокам, — сказал Дэвид. — Ты опять становишься южанкой — но предупреждаю, если увижу, что ты строишь глазки этому юному Дионису, сверну ему шею.

* Устаревший, вышедший из моды (*фр.*).

— Не бойся. Я и поговорить-то с ним вразумительно не могу.

Одинокая муха билась в луче света над шатким столом, который был также и бильярдным. В обитой сукном столешнице лузы, когда требовалось, со стуком закрывались. Белое сухое вино, теплое и позеленевшее из-за синих бокалов, казалось неаппетитным. На ланч подали приготовленных с оливками голубей. От них исходил запах скотного двора в жару.

— Может быть, приятней будет поесть в саду, — проговорил Дэвид.

— Нас замучают насекомые, — возразила няня.

— Глупо, что приходится терпеть неудобства в такой прекрасной стране, — поддержала ее Алабама. — Когда мы только приехали, все было так хорошо.

— Все со временем становится хуже и дороже. Ты когда-нибудь думала о том, что такое килограмм?

— Полагаю, два фунта.

— Мы не в состоянии, — взорвался Дэвид, — съесть четырнадцать килограммов масла в неделю.

— Может быть, *полфунта,* — виновато произнесла Алабама. — Надеюсь, ты не собираешься все испортить из-за килограмма...

— Мадам, надо быть очень осторожной, когда имеешь дело с французами.

— Не понимаю, — заметил Дэвид, — ты все жалуешься, что тебе нечего делать, почему же ты не занимаешься как следует домом?

— Чего ты от меня хочешь? Каждый раз, когда я пытаюсь поговорить с кухаркой, она скрывается в подвале и прибавляет сто франков к счету.

— Ладно... если завтра опять будут голуби, я не приду к ланчу, — пригрозил Дэвид. — Что-то надо делать.

— Мадам, — спросила няня, — вы уже видели новые велосипеды, которые купили работники после нашего приезда?

— Мисс Медоу, — неожиданно перебил ее Дэвид, — не будете ли вы так любезны помочь миссис Найт со счетами?

Алабаме было совсем ни к чему, чтобы Дэвид втягивал в разговор няню. Она хотела поразмышлять о том, какими загорелыми вскоре станут ее ноги и какой вкус был бы у вина, если бы его охладили.

— Всё социалисты, мистер Найт. Они губят эту страну. У нас будет еще одна война, если они не поостерегутся. Мистер Хортерер-Коллинз говорил...

Звонкий голос няни не замолкал и не замолкал, и пропустить мимо ушей хотя бы одно ее слово было невозможно.

— Сентиментальная чушь, — раздраженно фыркнул Дэвид. — У социалистов сила, потому что в стране уже все вверх дном. Это следствие, а не причина.

— Прошу прощения, сэр, но это социалисты начали войну, и теперь...

Решительные высказывания няни говорили о ее твердых политических убеждениях.

В прохладной спальне, предназначенной для отдыха, Алабама дала волю чувствам.

— Нет, это невозможно, — сказала она. — Как ты думаешь, она собирается проповедовать за каждой едой?

— Пусть вечером она и Бонни едят наверху. Наверно, у нее никого нет. Все утра она просиживала в одиночестве на берегу.

— Но, Дэвид, это ужасно!

— Конечно, но не стоит так огорчаться. Представь, что ты читаешь роман. Она наверняка найдет кого-нибудь, чтобы облегчить душу. И ей станет лучше. Нельзя позволять чужим людям портить нам лето.

Алабама лениво бродила из комнаты в комнату; в ее одиночество обычно врывался лишь дальний шум, неизбежно сопровождавшие домашние хлопоты. И вдруг она услышала то, что ее испугало. Наверное, вилла распадалась на части.

Она бросилась на балкон. В окне показалась голова Дэвида.

Над домом шумел, вибрируя и словно взбивая небо, аэроплан, который летел так низко, что они видели золотые волосы Жака через коричневую сетку над его головой. Он грозно снижался, напоминая хищную птицу, и снова воспарял ввысь, в голубое небо, делая крутой разворот. Когда он вновь пошел на вираж, сверкая на солнце крыльями, то в головокружительной петле едва не задел крышу. Потом аэроплан опять набрал высоту, и Алабама с Дэвидом увидели, как Жак помахал им рукой и что-то бросил в траву.

— Не хватало еще, чтобы этот дурак разбился! У меня чуть сердце не разорвалось, — пожаловался Дэвид.

— Он, наверное, ужасно храбрый, — мечтательно произнесла Алабама.

— Хочешь сказать, тщеславный, — возразил Дэвид.

— Voila! Мадам, Voila! Voila! Voila!

Взволнованная служанка принесла Алабаме коричневый пакет, похожий на дипломатическую вализу. Ее живой французский ум сразу подсказал ей, что аэроплан не летел бы на столь опасной высоте ради послания для мужчины.

Алабама открыла пакет. На листке, вырванном из блокнота, было написано синим карандашом по диагонали: «Toutes mes amitiés du haut de mon avion. Jackes Chevre-Feuille»*.

— И что это значит? — спросила Алабама.

— Приветствие, — ответил Дэвид. — Почему бы тебе не заглянуть во французский словарь?

В тот же день Алабама по дороге на пляж остановилась около библиотеки. С полок, уставленных книжками в желтых обложках, она взяла словарь и «Le Bal du Comte d'Orgel»**, чтобы позаниматься французским языком.

С четырех часов, словно по предварительной договоренности, ветер прокладывал синюю дорожку в пропитанной морем тени во владениях Жана. Трио, работавшее под американский джаз-бэнд, жаловалось на прилив, избывая печаль популярными мелодиями американцев. Великолепное исполнение «Да, у нас нет бананов...»*** вдохновило несколько пар. Беллендо, нарочито кокетничая, танцевала с мрачным корсиканцем; Полетт и мадам со страстью изображали сложные переходы, уверенные, что именно так надо танцевать настоящий американский фокстрот.

— У них ноги, как у канатоходцев, — заметил Дэвид.

— Забавно. Надо поучиться.

— Тогда придется обойтись без кофе и сигарет.

— Наверно. Месье Жак, вы научите меня?

— Я плохой танцор. К тому же мой опыт ограничивается танцами с мужчинами в Марселе. А настоящие мужчины обычно в танцах не сильны.

* С возвышенными чувствами с высоты. Жак Шевр-Фейль (*фр.*).

** «Бал графа д'Оржель» — любовно-психологический роман из великосветской жизни французского писателя Раймона Радиге (1903—1923).

*** Очень известная песня джазового композитора Фрэнка Силвера.

 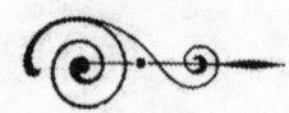

Алабама не поняла его французский. Впрочем, это было не важно. Переливчатые золотистые глаза притягивали и отталкивали ее, притягивали и отталкивали под рефрен отсутствия бананов в республике.

— Вам нравится Франция?

— Я люблю Францию.

— Вы не можете любить Францию, — напыщенно заявил он. — Если бы вы любили Францию, то любили бы француза.

О любви Жак говорил на английском языке не в пример лучше, чем о чем-либо еще. Слово «любовь» он произносил как «люб-бовь», особенно выделяя его, словно боялся забыть.

— Я купил словарь, — сказал он. — И собираюсь выучить английский язык.

Алабама засмеялась.

— А я собираюсь выучить французский, чтобы более четко и понятно выражать свою любовь к Франции.

— Вам надо увидеть Арль. Моя мама оттуда, — признался он. — Арлезианки очень красивые.

Печальные романтические нотки в его голосе вернули их в мир, в котором правит своя, не ведомая посторонним логика. Их взгляды устремились поверх голубых волн к голубому горизонту.

— Вы правы... — проговорила Алабама, правда, забыв, к чему это она.

— А ваша мама какая? — спросил он.

— У меня мама старенькая. Она очень мягкая. Никогда ни в чем мне не отказывала, вот и испортила меня. Я и теперь плачу, если мне чего-то не дают.

— Расскажите мне о том времени, когда вы были маленькой, — с нежностью попросил он.

Музыка стихла. Он прижал ее к себе так сильно, что ей показалось, будто под напором его костей гнутся ее кости. Жак сильно загорел, от него пахло песком и солнцем; и Алабама чувствовала под наглаженным льняным костюмом его тело. Она не думала о Дэвиде. Хорошо бы он не видел ее теперь, но в общем-то ей было все равно. Она понимала одно: что ей было бы приятно целоваться с Жаком Шевр-Фейлем на верху Триумфальной арки. Целоваться с незнакомцем в белом льняном костюме все равно что совершать забытый религиозный обряд.

Вечерами, после обеда, Дэвид и Алабама ездили в Сен-Рафаэль. Они купили маленький «рено». Въезд в город был иллюминирован, это напоминало временную декорацию, которой закрывают сцену, когда там меняют реквизит. Лунные лучи, падавшие со стороны моря, пробивали хрупкие светящиеся пещеры в тени массивных платанов. В круглом павильоне на самом берегу деревенский оркестр играл «Фауста» и веселые вальсы. Бродячая уличная ярмарка раскидывала свои шатры, и молодые американцы вместе с молодыми офицерами взмывали в южные небеса на раскачивающихся chevaux de bois*.

— Мадам, в такой толчее малышку подстерегает коклюш, — наставительно произносила няня.

Чтобы уберечься от микробов, няня и Бонни ждали в автомобиле или медленно прогуливались по выметенной площадке перед стоянкой. Потом Бонни сделалась совершенно несговорчивой и так громко рыдала, вожделея ночной ярмарочной жизни, что в конце концов пришлось по вечерам оставлять их с няней дома.

Каждый вечер Алабама и Дэвид встречались в «Кафе де ла Флотт» с Жаком и его друзьями. Молодые люди шумно вели себя и пили много пива, портвейна и, если платил Дэвид, даже шампанского, дурашливо

* На деревянных лошадках (*фр.*).

называя официантов «адмиралами». На своем желтом «ситроене» Рене подкатывал по ступенькам отеля «Континенталь». Летчики все без исключения считали себя роялистами. В свободное от полетов время одни рисовали, другие пытались писать, и все были в восторге от гарнизонной жизни. За ночные полеты они получали дополнительную плату. Красно-зеленые огни самолетов Жака и Полетта довольно часто расцвечивали в праздничные цвета небо над морем. Жак терпеть не мог, когда Дэвид платил за его выпивку, а Полетт был не против: у него и его мадам был ребенок, которого они оставили в Алжире с родителями Полетта.

На Ривьере всё соблазн. Ослепительный блеск трепещущей синевы и белейших дворцов на ярком солнце делался еще более ослепительным. Это было до того, как Могущественные властелины «Голубого экспресса», Важные шишки с задворок Биаррица и Главные мэтры среди художников по интерьеру стали использовать здешние синие горизонты как обрамление для своих художественных поисков.

Собравшаяся здесь небольшая компания растрачивала свое время на то, чтобы быть счастливыми, и свое счастье на то, чтобы быть рядом с горячими пальмами и виноградниками, жадно цепляющимися за глинистую почву.

Длинными вечерами Алабама читала Генри Джеймса. Еще она читала Роберта Хью Бенсона, Эдит Вартон и Диккенса, а Дэвид работал. Вечера на Ривьере длинные, тихие, они полны предчувствия ночи, еще прежде чем опустятся сумерки. Летом на судах ярко освещена корма, и с моря доносится ритмичное пыхтение моторов.

«Чем бы мне заняться?» — тревожно размышляла Алабама. Она попыталась перешить платье, но из этого ничего не вышло.

Тогда она пристала к няне.

— Мне кажется, в еде Бонни слишком много крахмала, — не терпящим возражений тоном заявила она.

— Не думаю, мадам, — коротко отозвалась няня. — Ни один ребенок, который был на моем попечении за двадцать лет работы, не получал слишком много крахмала.

Няня пожаловалась Дэвиду.

— Алабама, ты можешь хотя бы не вмешиваться? — спросил Дэвид. — Для теперешней моей работы необходим абсолютный покой.

Когда Алабама была ребенком и дни так же лениво тянулись в праздном ничегонеделании, она не думала о том, что жизнь представляет собой некое монотонное кино, в котором ничего не случается, ей казалось, что такой распорядок завел Судья, желая лишить дочь положенной ей по праву радости. Теперь она начала винить Дэвида, тоже обрекшего ее на скуку.

— Почему бы тебе не устроить вечеринку? — предложил Дэвид.

— А кого мы пригласим?

— Не знаю... хозяйку и эльзаску.

— Они противные...

— Совсем нет, если посмотреть на них глазами Матисса.

Нет, эти женщины были слишком буржуазны, их приглашать явно не стоило. Компания встретилась в Рыцарском парке, пили «Чинзано». Стараясь воспроизвести мелодию из оперетты «Только не в губы»*, мадам Полетт ритмично била по клавишам крошечного

* Оперетта Андре Барда и Мориса Иванина наделала много шума в Париже в конце 1920-х гг., а в 1931 г. была впервые перенесена на киноэкран.

рояля из тикового дерева. Французы многословно и непонятно рассказывали Дэвиду и Алабаме о картинах Фернана Леже и романах Рене Кревеля*. Беседуя, они наклонялись всем туловищем вперед, будто ощущали себя не вполне на своем месте, и от этого были зажатыми и скованными, — все, кроме Жака. Тот нарочито драматизировал свою неразделенную любовь к жене Дэвида.

— Вам не страшно выполнять фигуры высшего пилотажа? — спросила Алабама.

— В небе мне страшно. Вот почему мне это нравится, — вызывающе ответил он.

Кухонные сестры, бывало, исчезали в будни, но в особых случаях они разом возникали, словно июльский фейерверк. В паутине из сельдерея грозно краснели лобстеры, а салат был свежим, словно едва проросшая весенняя травка на поле из майонеза. Стол был весь в венках из декоративной спаржи, и в подвале имелся даже лед, стоявший на цементном полу.

Мадам Полетт и Алабама, других женщин не было. Полетт держался наособицу и не сводил глаз с жены. Казалось, он считал обед с американцами не менее рискованным, чем «бал четырех искусств»**.

— Ah, oui, — улыбалась мадам, — mais oui, certainement oui, et puis o-u-i***.

---

* Фернан Леже (1881—1955) — французский художник, поборник т. н. эстетики машинных форм. Рене Кревель (1900—1935) — французский писатель, входил в группу дадаистов, потом стал сюрреалистом.

** Каждую весну художники и их модели устраивали в Париже «бал четырех искусств», на который допускались только посвященные. Кстати, на одном из таких балов побывал М. Волошин. Парижский бал, писал он, это «воспоминание о Древней Греции, смелый жест Ренессанса, последний протест язычества, брошенный в лицо лицемерному и развратному мещанству...».

*** Разумеется да, конечно, да, и снова да (*фр.*).

Это звучало как подхваченный хором рефрен в песенке Мистингетт*.

— А в Монтенегро — вам ведь, конечно же, известно, где Монтенегро? — вмешался корсиканец. — Там *все* мужчины носят корсеты.

Кто-то ткнул Белландо в бок, проверяя наличие корсета.

Жак не сводил мрачного взгляда с Алабамы.

— Во французском флоте, — произнес он с пафосом, — капитан с радостью, с гордостью пойдет на дно вместе с кораблем. Я — офицер французского военно-морского флота.

Все заговорили по-французски, и ничего не понимавшая Алабама совсем не к месту предложила:

— Пожалуйста, попробуйте «одеяние дожа», — сказала она, погружая ложку в смородиновое желе, — или возьмите хотя бы немного «Рембрандта».

Они сидели на продуваемом с моря балконе, разговор шел об Америке, Индокитае и Франции, одновременно все прислушивались к визгам и стонам ночных птиц, доносившимся из темноты. Невеселая луна потускнела от летнего соленого воздуха и черных теней, льнущих друг к другу. На балкон влезла кошка. Вечер был очень душный.

— Там пещеры неандертальцев, — сказал Дэвид, показывая на лиловые углубления в горах.

— Нет, — возразил Жак. — Неандертальцев нашли в Гренобле.

Рене и Бобби отправились за нашатырем, чтобы отогнать комаров; Белландо пошел спать; Полетт с

* Мистингетт (1875—1956) — урожденная Жанна Буржуа, была известна как одна из самых ярких артисток варьете довоенной Франции. Ее наряды, головные уборы и манеры копировали все мюзик-холлы мира. Ее песни стали классикой французской эстрады.

супругой отбыл домой, верный своим французским привычкам. Лед в подвале понемногу таял. Стали жарить яичницу на черных чугунных сковородках. Когда занялся бронзовый рассвет, Алабама, Дэвид и Жак отправились в Адау; по елям прыгали кремовые солнечные зайчики, в воздухе реяли свежие ароматы закрывающихся ночных цветов.

Жак сидел за рулем их «рено». Автомобиль он вел точно так же, как самолет, на большой скорости, со скрежетом и протестующим визгом, разгоняющим звуки наступающего утра, словно стаю перелетных птиц.

— Будь этот автомобиль мой, я бы прокатился на нем по морю, — произнес Жак.

Они мчались, оставляя позади сумеречный Прованс, к побережью, неслись по скучно тянувшейся дороге, прошивавшей холмы, словно смятые несвежие простыни.

На ремонт автомобиля уйдет по меньшей мере франков пятьсот, думал Дэвид, оставляя Жака и Алабаму в павильоне, так как они собирались поплавать.

Сам Дэвид отправился домой, чтобы поработать, пока не ушел свет, — он упорно считал, что не может писать ничего, кроме полдневных пейзажей Средиземноморья. А поработав, двинулся по берегу туда, где была Алабама, ему хотелось немного поплавать перед ланчем. Алабама и Жак сидели на песке, словно парочка, да, — парочка... не важно кого, мысленно проговорил он с обидой. Влажные и гладкие, они были похожи на вылизавших себя кошек. От быстрой ходьбы Дэвид был весь в поту. Солнце жгло мокрую шею, словно воротник из крапивы.

— Поплаваем еще? — спросил Дэвид, просто чтобы что-то сказать.

— Ах, Дэвид... сегодня утром ужасно холодно. Наверно, будет ветер, — ответила Алабама таким тоном, словно говорила с явившимся некстати ребенком.

Дэвид плавал один, не выпуская из виду эту парочку, блестевшую на солнце.

— Таких наглецов я еще не встречал, — со злостью пробормотал он.

Из-за ветра вода стала холодной. Косые лучи солнца разделили ее на множество серебряных рябинок и погнали их на пустынный берег. Уходя переодеться, Дэвид видел, как Жак наклонился над Алабамой и прошептал ей что-то сквозь налетевший мистраль. Но он не слышал, о чем они говорили.

— Придешь? — шепотом спросил Жак.

— Да... не знаю. Да.

Когда Дэвид вышел из кабинки, взвившийся песок залепил ему глаза. По загорелым щекам Алабамы катились слезы, чуть выступавшие скулы отливали желтым. Она попыталась свалить вину на ветер.

— Ты больна, Алабама, ты сошла с ума. Если ты еще раз увидишься с этим типом, я оставлю тебя тут, а сам вернусь в Америку.

— Ты не сможешь этого сделать.

— Еще как смогу! — угрожающе воскликнул Дэвид.

Несчастная, она лежала на песке под колким ветром.

— Я ухожу, а тебя он пусть везет домой на своем аэроплане.

Дэвид зашагал прочь. Потом Алабама услыхала удаляющийся шум мотора. Море сияло, словно металлический отражатель, под холодными белыми облаками.

Пришел Жак; принес портвейн.

— Вызвать для тебя такси? — спросил он. — Если хочешь, я больше тут не появлюсь.

— Если я не приду к тебе послезавтра, когда он поедет в Ниццу, больше не появляйся.

— Ладно... — Он помедлил, чтобы помочь ей. — Что ты скажешь мужу?

— Всё.

— Это неразумно, — испугался Жак. — Давай положимся на удачу...

Днем было ветрено и уныло. По дому летали клубки пыли. А на улице из-за ветра не слышно было голосов.

— Няня, не стоит после ланча идти на море. Слишком холодно.

— Но, мадам, Бонни становится беспокойной, когда поднимается ветер. Я думаю, мадам, нам лучше пойти, если вы не возражаете. Мы не будем купаться — просто погуляем. Мистер Найт отвезет нас.

На пляже не было ни одного человека. Прозрачный, как хрусталь, воздух сушил губы. Алабама легла было позагорать, однако ветер прогнал солнце с небес, прежде чем оно успело ее согреть. Все было против нее.

Из бара вышли Рене и Бобби.

— Привет, — коротко поздоровался Дэвид.

Они уселись рядом с таким видом, словно знали некий секрет, касавшийся семьи Найтов.

— Флаг видели? — спросил Рене.

Алабама повернулась в сторону авиационного поля.

Над металлическими кубистическими крышами реял приспущенный флаг, блестевший в разреженном воздухе.

— Кто-то погиб, — сказал Рене. — Солдат назвал Жака — зачем-то он полетел, несмотря на мистраль.

Алабаме показалось, что стало совсем тихо, словно земля остановилась, словно страшное столкновение астральных тел стало неминуемым.

Она кое-как сумела подняться.

— Мне нехорошо, — тихо проговорила Алабама. Ее знобило, у нее заболел живот. Дэвид пошел следом к автомобилю.

Он резко повернул ключ зажигания. Действовать быстрее было невозможно.

— Мы можем пройти? — спросил он у часового.

— Non, Monsieur.

— Произошел несчастный случай. Не могли бы вы сказать, кто пострадал?

— Не положено.

За спиной солдата сверкала белизной песчаная дорога, с одной стороны огороженная домами, с другой — кланяющимися по воле мистраля олеандрами.

— Нам бы хотелось знать, это не лейтенант Шевр-Фейль?

Часовой остановил взгляд на несчастном лице Алабамы.

В конце концов он не выдержал.

— Ладно, месье, я узнаю.

Они долго ждали под немилосердными порывами ветра.

Часовой вернулся. Храбрый и самоуверенный Жак, покачиваясь, шел за ним, символ солнца и французской авиации, голубого неба и белого песка, Прованса и смуглых мужчин, живущих по жестоким законам необходимости, символ реальной, а не вымышленной жизни.

— Бонжур, — сказал он и крепко пожал руку Алабамы, это выглядело так, словно он перевязал рану.

Алабама расплакалась.

— Мы хотели знать, — с напряжением в голосе произнес Дэвид и повернул ключ зажигания. — А жена плачет из-за меня.

И вдруг Дэвид сорвался.

— Черт подери! — крикнул он. — Может быть, подеремся?

Не сводя взгляда с Алабамы, Жак твердо и в то же время ласково проговорил:

— Я не могу драться, потому что он слабее меня.

Его руки, лежавшие на капоте «рено», были похожи на железные перчатки.

Алабама попыталась поднять взгляд на Жака. Из-за слез она не могла как следует разглядеть его. Золотистое лицо и белая рубашка на фоне золотистого свечения, исходящего от его тела, сливались в одно золотое пятно.

— Ты тоже не можешь, — в ярости крикнула она, — ты тоже не можешь побить его!

Плача, она привалилась к плечу Дэвида.

«Рено» громко выстрелил выхлопными газами, и Дэвид с грохотом промчался мимо изготовившегося к защите Жака. Алабама потянулась к запасному тормозу.

— Идиотка! — Дэвид злобно оттолкнул ее. — Не смей прикасаться к тормозам!

— Извини, что не позволила ему исколошматить тебя до полусмерти! — крикнула она в бешенстве.

— Я бы убил его, если бы захотел, — презрительно отозвался Дэвид.

— Мадам, случилось что-нибудь серьезное?

— Всего-навсего кого-то убили. Не понимаю, как они могут так жить!

Дэвид сразу же направился в ту комнату, которую приспособил под студию. Мягкий романский говор двух ребят, собиравших фиги в дальнем конце сада, сначала едва слышным бормотанием поднимался в воздухе, а потом становился то громче, то слабее по мере того, как усиливался или стихал ветер.

Прошло довольно много времени, прежде чем Алабама услыхала, как он кричит из окна:

— Эй там, на дереве, убирайтесь к черту! Да будет проклято все племя макаронников!

За обедом они не перемолвились ни словом.

— Такие ветры на самом деле полезны, — сказала няня. — Они отгоняют комаров, и воздух после них становится намного чище, вы согласны, мадам? Но знали бы вы, как они досаждали мистеру Хортереру-Коллинзу! Как только начинался мистраль, он превращался в разъяренного льва. А вы, мадам, как вы переносите мистраль? Нормально?

Дэвид решил уладить ссору миром и настоял на поездке в город сразу после обеда.

В кафе они нашли лишь Рене и Бобби, потягивавших чай из вербены. Из-за мистраля стулья были положены на столы. Дэвид заказал шампанское.

— Не стоит пить шампанское, когда такой ветер, — посоветовал Рене, но Дэвид выпил.

— Вы видели Шевр-Фейля?

— Да. Он сказал, что отправляется в Индокитай.

Испуганная Алабама сразу поняла, что Дэвид надумал подраться с Жаком, если найдет его.

— Когда?

— Через неделю, дней через десять. Как получится.

Роскошный променад под такими зелеными и полными жизни и летней неги деревьями, казалось, непоправимо преобразился. Жак прошелся по их жизни, как пылесос. Ничего не осталось, кроме дешевого кафе, листьев в канавах, рыскающего поблизости пса и негра по кличке Ни-гроша с рубцом от сабли на щеке, который хотел продать им газету. Вот и все, что осталось от июля и августа.

Дэвид не сказал, зачем ему понадобился Жак.

— Наверно, он на базе, — предположил Рене.

Дэвид перешел на другую сторону улицы.

— Рене, послушайте, — торопливо проговорила Алабама, — вы же обязательно увидите Жака, передайте ему, что я не смогу прийти. Больше ничего. Сделайте это ради меня.

Сонное, со следами пережитых страстей лицо Рене озарилось сочувствием, он поднес руку Алабамы к губам и поцеловал ее.

— Я вам очень сочувствую. Жак хороший парень.

— Вы тоже хороший парень, Рене.

На другое утро Жака на скамейке не оказалось.

— Ну как, мадам, — приветствовал их месье Жан, — понравилось вам наше лето?

— Было чудесно, — ответила няня, — однако думаю, что мадам и месье скоро тут надоест.

— Что ж, и сезон скоро закончится, — с философским спокойствием произнес месье Жан.

На ланч были голуби и подсохший сыр. Горничная суетливо кружила рядом, не выпуская из рук бухгалтерскую книгу. Няня слишком много говорила.

— Этим летом здесь, должна признаться, было восхитительно, — повторяла она.

— Отвратительно. Если вы сможете сегодня упаковать наши вещи, то завтра мы едем в Париж, — с раздражением произнес Дэвид.

— Во Франции, мистер Найт, есть закон, по которому вы должны за десять дней уведомить слуг об увольнении. Этот закон следует соблюдать, — возразила няня.

— Я дам им денег. За два франка вы, вшивые жиды, продадите президента!

Няня рассмеялась в ответ на неожиданную грубость Дэвида.

— Они в самом деле любят деньги.

— Вечером я все упакую. А сейчас пройдусь, — сказала Алабама.

— Ты же не пойдешь в город одна?

Два противодействия скрестились в тревожном ожидании, словно ища поддержки в стремительном танцевальном повороте.

— Нет, Дэвид, обещаю, что не пойду. Я возьму с собой няню.

Она шла по сосновым лесам и по шоссе обратно на виллу. Другие виллы были на лето забиты досками. Подъездные дорожки были устланы листьями платанов. Расположившиеся перед языческим кладбищем хрупкие нефритовые божки казались очень домашними и совсем не подходили для бокситовой террасы и потому выглядели тут неуместными. Дороги были ровные и явно обновленные, чтобы британцам было легче ходить по ним зимой. Песчаную тропинку между виноградниками, по которой они шагали, укатали повозки. Солнце словно исходило багровой кровью — темной артериальной кровью, перекрашивавшей зеленые виноградные листья в красный цвет. Под нависшими над ней черными тучами, земля, какая-то библейская, простиралась вдаль, словно озаренная светом откровения.

— Французы не целуют своих жен в губы, — доверительно произнесла няня. — Они их уважают.

Они зашли так далеко, что Алабама посадила дочь на закорки, чтобы ее ножки немного отдохнули.

— Быстрей, лошадка! Мамочка, почему ты не бежишь? — хныкала Бонни.

— Ш-ш-ш, дорогая. Я старая загнанная лошадь, и у меня ящур.

На опаленном зноем поле они увидели крестьянина, который похотливо помахал и поклонился, напугав не на шутку няню. Она запричитала:

— Подумать только, мадам, ведь мы с ребенком! Я непременно поговорю с мистером Найтом. После войны нигде и никому нельзя доверять. Сплошные опасности.

На закате из сенегальского лагеря послышались звуки тамтама — они совершали ритуал в честь мертвых, которые лежали в земле под охраной деревянного чудовища.

Одинокий пастух, загорелый и красивый, гнал огромное стадо овец по стерне, ведущей к вилле. Овцы окружили их, топоча копытцами и поднимая клубы пыли.

— J'ai peur*, — сказал Алабама.

— Oui, — ласково отозвался пастух, — vous avez peur!** Gi-o.

И погнал овец дальше по дороге.

Из Сен-Рафаэля невозможно было уехать до конца недели. Алабама оставалась на вилле и ходила гулять с Бонни и няней.

Позвонила мадам Полетт. Не заедет ли к ней Алабама? Дэвид разрешил ей поехать попрощаться.

Мадам Полетт дала Алабаме фотографию Жака и длинное письмо от него.

— Я вам очень сочувствую, — сказала мадам Полетт. — У нас в мыслях не было, что все так серьезно, — мы думали, это у вас несерьезно.

Алабама не смогла прочитать письмо. Оно было написано по-французски. Она разорвала его на мелкие кусочки и бросила в черную воду порта, где стояли рыболовецкие суда из Шанхая и Мадрида, Колумбии

---

* Я боюсь (*фр.*).

** Да... Вы испугались! (*фр.*)

и Португалии. Хотя сердце Алабамы разрывалось от боли, но с фотографией она поступила так же. Ничего красивее этой фотографии у нее в жизни не было. Но какой смысл хранить ее? Жак Шевр-Фейль отправился в Китай. Лето этим не вернуть, ни одна французская фраза не восстановит прежнюю гармонию, да и надежд дешевая французская фотография не вернет. Чего бы она ни хотела от Жака, теперь он увез свои чувства с собой, чтобы растратить их на китаянок... От жизни надо брать все, чего хочешь, конечно, если сможешь, все без остатка.

Песок на берегу был таким белым, словно вернулся июнь, а море, как всегда, голубым, если смотреть на него из окна поезда, увозившего Найтов прочь от страны лимонов и солнца. Они направлялись в Париж. Они не особенно верили в путешествие или в перемену места как панацею от душевных ран; они просто радовались дороге. И Бонни радовалась. Дети обычно радуются всему новому, не осознавая, что и в старом есть все что нужно, если это старое изначально было полным. Лето, любовь, красота одинаковы и в Каннах и в Коннектикуте. Дэвид был старше Алабамы; он перестал по-настоящему радоваться после своего первого успеха.

III

Никто даже не знал, а чья, собственно, нынче вечеринка. И так продолжалось неделями. Когда чувствовали, что еще одну развеселую ночь уже не пережить, они ехали домой отсыпаться, а возвратившись, заставали других гостей, старавшихся поддерживать огонь веселья. Наверное, это началось в тысяча девятьсот двадцать седьмом году, когда корабли высадили во

Франции первых неугомонных пассажиров. Алабама и Дэвид присоединились к веселящимся в мае после ужасной зимы в парижской квартире, в которой пахло церковными фолиантами, потому что ее было невозможно проветрить. Эта квартира, в которой они заперли себя, чтобы спастись от зимних дождей, была отличным рассадником микробов горечи, которых они привезли с собой с Ривьеры. Из окон были видны плотно подступившие серые крыши, за которыми были другие серые крыши, похожие издали на изгородь из фольги. Серое небо просвечивало между трубами, и это в какой-то мере напоминало вечную небесную готику, все это пространство, рассеченными шпилями и прочими остриями, которые висели над беспокойными людьми, как трубы огромного термостата инкубатора. Балконы, словно с офортов, на Елисейских полях и мокрые от дождя тротуары около Триумфальной арки — вот и все, что они видели из своего красного с золотом салона. У Дэвида была студия на Левом берегу, за Понт д'Альма, где дома в стиле рококо и длинные, усаженные деревьями аллеи заканчиваются бесцветными плоскими проемами.

Там Дэвид затерялся в осенней ретроспективе, забыв о времени, о жаре и холоде, праздниках, ради того, чтобы произвести на свет нежнейшие реминисценции, которые приманили огромные авангардные толпы в «Салон Независимых». Фрески были завершены: в них появилось что-то новое, более индивидуальное, в выставочных работах Дэвида. Теперь его имя можно было услышать в банковских коридорах и в баре «Ритц», и это доказывало, что о нем говорили в других местах тоже. Суровая выразительность его работ проявлялась даже в украшениях интерьера. В «Des Arts Décoratifs»* ему за-

* Музей декоративного искусства в Париже.

казали столовую в стиле одного из его интерьеров с серым анемоном; «Ballet Russe»* принял его оформление — фантасмагорию света на пляже в Сен-Рафаэле, чтобы показать зарождение жизни в балете «Эволюция».

Растущая популярность Дэвида Найта вызвала желание полетать (говоря символически) на их горизонте Дикки Экстон, которая накорябала над стенами их благополучия послание из «Вавилона», правда, они не удосужились его прочитать, так как в это время были поглощены ароматами почти невидимой сирени на бульваре Сен-Жермен и тайнами Place de Concorde** в атмосфере недешевого мистицизма сумеречного часа.

Звонил и звонил телефон, гоня их сны в бледную Валгаллу, Эрменонвиль*** или небесные сумеречные коридоры отелей с раздутыми счетами. Пока они не желали просыпаться в своей романтической постели, грезя об исполнении всех желаний на свете, звонок будоражил их совесть, как боевые кличи вдалеке, и Дэвид в конце концов взял трубку.

— Алло. Да, это Найты.

Голос Дикки скользнул по телефонному проводу, интонации были доверительными, а потом откровенно угодливыми.

— Я надеюсь, вы примете мое приглашение на обед.

Слова летели из ее рта, как акробаты из-под купола цирка. Остановить Дикки могли лишь люди очень независимые — и социально, и морально, и в личной жизни, так что размах ее активности был просто неве-

* Русский балет (*фр.*).

** Площадь Согласия (*фр.*).

*** Валгалла — в немецко-скандинавской мифологии рай для павших в бою храбрых воинов. Эрменонвиль — прекрасный замок XVIII века, в котором провел последние месяцы своей жизни Жан-Жак Руссо.

роятным. В распоряжении Дикки был каталог всех человеческих эмоций, агентство, где проводились кастинги лакомых сведений и жареных фактов. Существование такой вот Дикки не вызывало удивления, это ведь была эпоха Муссолини и проповедей с горы любого случайного скалолаза. За триста долларов она выцарапывала столетние исторические залежи из когтей итальянских аристократов и отправляла их, как икру, дебютанткам из Канзаса; еще за несколько сотен она открывала для послевоенных американских богачей двери Блумсбери и Парнаса, ворота Шантильи и страницы справочника «Дебретт». Ее нематериальная коммерция служила слиянию европейских рубежей, получалось что-то вроде салата из сельдерея — из испанцев, кубинцев, южноамериканцев, даже иногда черных, которые плавали в социальном майонезе, как кусочки трюфеля. Найты поднялись до того высоко на иерархической лестнице «известных людей», что материализовались для Дикки.

— Не стоит слишком заноситься, — сказала Алабама, заметив отсутствие энтузиазма у Дэвида. — Все будут чистенькими, или были когда-то.

— Примем, — произнес Дэвид в трубку.

Алабама сделала попытку повернуться. Аристократическое послеполуденное солнце растекалось по кровати, на которой Алабама и Дэвид нежились среди смятых простыней.

— Это очень лестно, — проговорила Алабама, направляясь в ванную комнату, — когда тебя добиваются, но предусмотрительнее, мне кажется, добиваться самим.

Лежа в кровати, Дэвид прислушивался к бурному потоку воды и звону стаканов на подставке.

— Опять придется пить! — крикнул он. — Я выяснил, что могу обойтись без своих принципов, но пожертвовать слабостями не могу — например, жадностью до выпивки.

— Что ты сказал о болезни принца Уэльского?

— Не понимаю, почему ты не слушаешь, когда я с тобой разговариваю, — возмутился Дэвид.

— Ненавижу, когда начинают разговаривать, едва я берусь за зубную щетку, — парировала Алабама.

— Я сказал, что простыни жгут мне ноги.

— Тут нет углекислого калия в алкоголе, — скептически произнесла Алабама. — Наверно, у тебя невроз. Появился какой-нибудь новый симптом? — с тревогой вопросила она.

— Я так долго не спал, что у меня, не исключено, были галлюцинации, вот только пойди разбери, где они, а где реальность.

— Бедняжка Дэвид — что будем делать?

— Не знаю. Правда, Алабама... — Он задумчиво закурил сигарету. — Мои работы теряют свежесть. Мне нужны новые эмоциональные стимулы.

Алабама холодно посмотрела на него.

— Понятно. — Она понимала, что благодаря провансскому лету навсегда утратила право обижаться. — Ты мог бы последовать примеру Берри Уолла и писать для парижской «Геральд».

— И задохнуться от кьяроскуро, над какой-нибудь гравюрой.

— Если ты серьезно, Дэвид, то мне казалось, мы не лезем в дела друг друга.

— Иногда, — сам не зная зачем отозвался Дэвид, — на твоем лице такое выражение, будто ты потерялась в тумане на шотландском болоте.

— И, конечно же, в наших взаимных расчетах нет места для ревности, — стояла она на своем.

— Послушай, Алабама, — не дослушав жену, сказал Дэвид, — я ужасно себя чувствую. Как ты думаешь, мы добьемся успеха?

— Я хочу похвастаться новым платьем, — решительным тоном произнесла Алабама.

— А я надену старый костюм. Знаешь, а может, не стоит идти к ней. Надо подумать о наших долгах перед человечеством.

Для Алабамы долги означали всякие ловушки цивилизации, которая заманивала в свои сети и наносила вред счастью Алабамы и стреноживала время.

— Ты морализаторствуешь?

— Нет. Я хочу посмотреть, какие она устраивает приемы. На своем последнем суаре Дикки ничего не получила для благотворительности, а ведь сотни людей не были пропущены дальше ворот. Герцогиня Дакне стоила Дикки трехмесячного размещения в Америке отлично подобранных намеков.

— Все они одинаковые, эти приемы. Сидишь и ждешь того, что неминуемо, хотя как раз это никогда не случится.

Послевоенное сумасбродство, которое послало Алабаму с Дэвидом и еще тысяч шестьдесят американцев скитаться по Европе и играть в погоню за зайцем, но без собак, достигло своего апогея. Дамоклов меч, выкованный высокой надеждой получить что-то, не дав ничего взамен, и деморализующим ожиданием ничего не получить, дав что-то взамен, к третьему мая уже висел в воздухе.

Были ночные американцы, были дневные американцы, и у нас всех были американцы в банке, чтобы иметь деньги на покупки. Мраморные коридоры кишели ими.

Не хватало цветов для продажи. Настурции делались из кожи и резины, гардении из воска, а кукушкин цвет из проволоки и ниток. Только их и успевали делать, чтобы посадить на тощую почву узеньких бретелек, да еще букеты на длинных стеблях, чтобы вытеснить суглинистые тени из-под кушаков. Модистки шили шляпки из игрушечных парусов в Тюильри; смелые портнихи продавали лето пучками. Дамы бродили по магазинам, не жалея подметок, чтобы заполучить хромированные фантазии Елены Рубинштейн и Дороти Грей*. Они читали официантам описания блюд в меню и упоенно стрекотали друг дружке: «Вам бы этого хотелось?» или «Вам правда этого хотелось бы?» — пока потерявшие терпение мужчины не устремлялись на куда более тихие парижские улицы, где словно мурлыкал невидимый оркестр, почти неслышно. В другие времена американцы покупали для себя модный дом с воротничками и манжетами из Нейли и Пасси, а кормились на улице де Бак, будто голландские мальчишки, экономившие медяки. Безответственные американцы тешили себя дорогими причудами вроде катания слуг в субботу на разбитом «чертовом колесе» или так азартно наслаждались прочими прелестями мирной жизни, что вокруг них всегда стоял грохот, который издает кассовый аппарат. Всякие вещуны, толкователи черной магии грабили постоянную клиентуру на улице Пти-Шамп; на такси тратили состояния, устремляясь в неведомые дали.

— Прошу прощения, я на минутку. Только поздороваться.

---

* Владелицы известных косметических фирм.

Они обменялись этими фразами и отказались от табльдота, заказав веронские пирожные на лужайку, похожую на кружевную занавеску в Версале, цыпленка и лесные орехи из Фонтенбло, чьи леса одеты в напудренные парики. Диски зонтиков распускались в предместьях террасы, под журчащий лепет вальса Шопена. Отойдя немного, Найты уселись под мрачными мокрыми вязами, под похожими на карту Европы вязами, под потертыми на концах, как зеленовато-желтая шерсть, вязами, под тяжелыми, тесно сгрудившимися, словно лозы терпкого винограда, вязами. С континентальным аппетитом они заказали дождь и стали слушать жалобы кентавра на дороговизну копыт. Меню было украшено мещанскими цветочками, длинными гроздьями конского каштана и четкими розовыми бутонами, наверное, идущими под портвейн. Американцы всегда обозначали, кто они, но лишь вначале, словно это непременная экспозиция, ключ от музыки, звучащей в минорных тонах воображения. Им казалось, что все французские мальчишки обязательно должны быть сиротами из-за своих черных костюмчиков, а те, кому было неведомо слово «благоразумие», думали, будто французы считают их сумасшедшими. Все американцы пили. Американцы с красными ленточками в петлицах читали газеты и пили на боковых дорожках, американцы, получавшие советы о скачках, пили на лестничном марше, американцы с миллионом долларов и постоянными услугами массажистов пили в своих номерах в отелях «Мерис» и «Крийон». Другие американцы пили на Монмартре «pour le soif» и «contre la chaleur», и «pour la digestion», и «pour se guérir»*. Им нравилось, что французы считают их сумасшедшими.

* «От жажды», «от жары», «для пищеварения», «для здоровья» (*фр.*).

В течение года на алтарях Нотр-Дам-де-Виктуар увядали во имя удачи цветы на пятьдесят тысяч франков.

— Как знать, может быть, что-то произойдет, — сказал Дэвид.

Алабама ничего *такого* не хотела, однако пришел ее черед покорно молчать — у них было негласное соглашение насчет чувств друг друга, почти математически просчитанное, как комбинация цифр на сейфе, которое предполагало обоюдную свободу.

— Я хочу сказать, — продолжал Дэвид, — даже неплохо, если кто-нибудь напомнит нам, что мы чувствовали и о чем немного забыли, может быть, это освежит наши чувства.

— Я понимаю. Жизнь стала походить на какой-то вымученный фокстрот.

— Точно. Увы, поскольку я очень занят, то не могу повсюду успевать и там, и там, и там.

«Мама сказала “да”, и папа сказал “да”» звучало со всех французских патефонов. «Ариэль» перелетел с титула книги на три проволочки на крыше дома. Что это значит? Сначала был такой бог, который из мифа перекочевал к Шекспиру — и никому до этого не было дела. Но имя запомнилось: «Ариэль!» Дэвид с Алабамой даже не обратили на эти метаморфозы внимания.

На такси, доставлявшем солдат к Марне*, они поспешно объездили все примечательные парижские закоулки и остановились у дверей отеля «Георг V». Там в баре атмосфера была несколько угрожающей. Безумные имитации Пикабии**, черные линии и круги рассчитан-

* В 1914 году в парижских такси модели «рено» были переброшены армейские части к реке Марне.

** Имеется в виду Франсис Пикабиа (1879—1953) — французский художник, один из первых (1909) пришел к абстрактному искусству. Один из лидеров дадаизма, автор картин и графики

ной на успех попытки изобразить сумасшествие на сей раз эксплуатировали начинку корабля, отчего возникало ощущение, что ты втиснут в корсет слишком малого пространства. Бармен покровительственно оглядывал собравшихся. Мисс Экстон была его давней клиенткой и всегда приглашала кого-нибудь нового на свои вечеринки; ему ли не знать мисс Дикки Экстон? В его баре она пила с того самого вечера, когда застрелила своего любовника, в отеле «Гар де л'Эст». На этот раз новенькими были Алабама и Дэвид.

— Мадемуазель Экстон окончательно оправилась от своих неприятностей?

Мисс Экстон с завораживающей язвительностью ответила, что все осталось позади, и приказала побыстрее подать ей коктейль с джином, черт побери. Волосы на голове мисс Экстон стояли торчком, словно она, болтая по телефону, машинально накручивала их на карандаш. Своими длинными ногами она твердо ступала по земле. И в нужный момент умела нажать на акселератор вселенной. Говорили, что она спала с негром. Но бармен не верил слухам. Он не представлял, как бы ей удалось урвать время между белыми джентльменами — иногда и боксерами тоже.

Мисс Дуглас другое дело. Она — англичанка. Никто не знал, с кем она спит. О ней даже не писали в газетах. Конечно, у нее водились деньги, а с ними хранить тайну куда сподручнее.

— Как обычно, мадемуазель? — с заискивающей улыбкой спросил бармен.

Мисс Дуглас устремила на него свои ясные очи. Она была самой сутью черного шика, сплошь терпкий, тем-

---

с образами странных машин, наделенных человеческими чертами. В 1920-е гг. перешел к более традиционной, скорее салонной манере живописи.

ный аромат. Сама же бледная и прозрачная, она удерживалась на земле, единственно благодаря путам весьма условного самоконтроля.

— Нет, друг мой, на сей раз виски с содовой. Хересовый флип больше не для моего живота.

— Есть одно средство, — сказала мисс Экстон. — Кладешь шесть энциклопедий на живот и вслух повторяешь таблицу умножения. Через несколько недель живот у тебя становится до того плоский, что прилипает к спине, и ты начинаешь жизнь в обратном направлении.

— Ну, конечно, — отозвалась мисс Дуглас, ударяя себя по узлу кушака, под которым ее тень поднималась, словно свежие булочки на сковородке, — лишь одно действует наверняка...

И она прошептала что-то на ухо мисс Экстон, и обе женщины громко засмеялись.

— Прошу прощения, — весело произнесла Дикки, — в Англии это подают в стаканах для виски.

— Никогда не пробовал никаких снадобий, — без всякого энтузиазма и даже несколько смущенно признался мистер Гастингс. — С тех пор как у меня язва, я ничего не ем, кроме шпината, поэтому никогда не выгляжу хорошо.

— Мрачная еретическая диета, — замогильным голосом прокомментировала Дикки.

— Я добавляю в шпинат яиц, ем его с крутонами, иногда с...

— Ну же, дорогой, — перебила его Дикки, — вам нельзя волноваться. Мне надо заботиться о мистере Гастингсе, — ласково пояснила она. — Он только что вышел из психиатрической лечебницы и, когда нервничает, не может сам одеться и побриться, предварительно не послушав патефон. Когда это происходит, соседи запирают его, поэтому мне надо заботиться, чтобы он не нервничал.

— Наверно, в этом много неудобств, — пробормотал Дэвид.

— Увы, да — особенно когда едешь в Швейцарию и тащишь с собой все пластинки, да еще заказываешь шпинат на тридцати семи языках.

— Уверена, мистер Найт, вы поведаете нам рецепт, как оставаться молодым, — заявила мисс Дуглас. — Ему на вид лет пять.

— Он может, — поддержала ее Дикки, — точно, может.

— Вы о чем? — скептически переспросил Гастингс.

— В этом году власть в руках женщин, — ответила Дикки.

— Мистер Найт, вас интересуют русские?

— О, очень, — сказала Алабама. — Мы любим их.

У нее было ощущение, что она молчит уже несколько часов, и все от нее тоже чего-то ждут.

— Нет, — возразил Дэвид. — Мы не очень-то знакомы с музыкой.

— Джимми, — перехватила Дикки инициативу, — должен был стать знаменитым композитором, однако ему приходилось пить через каждые шестнадцать тактов контрапункта, чтобы оградить себя от провала, и его мочевой пузырь не выдержал.

— Я не смог, подобно другим, принести себя в жертву успеху, — недовольно проговорил Гастингс, предполагавший, что Дэвид так или иначе продал себя.

— Естественно. Все вас и так знают — как человека без мочевого пузыря.

Алабама почувствовала себя чужой в этой компании — за неимением особых талантов и достоинств.

Сравнивая себя с элегантной мисс Экстон, она возненавидела тайную основательность, дикарскую самодостаточность своего тела — ее руки были длинны, как Сибирская железная дорога на карте. Рядом с невесомым нарядом мисс Дуглас ее платье от Пату казалось слишком широким и плотным. Из-за этой мисс Дуглас Алабаме казалось, что ее шея блестит, будто смазанная кольдкремом. Сунув пальцы в соленые орешки, Алабама угрюмо сказала бармену:

— Наверно, люди вашей профессии упиваются до смерти.

— Нет, мадам. Правда, раньше мне нравился коктейль из апельсинового ликера, коньяка и лимонного сока, но это было до того, как я стал знаменитым.

Гости высыпали в парижскую ночь, как игральные кости из цилиндра. В розовом свете уличных фонарей небо, пробивавшееся резными фестонами сквозь деревья, казалось бронзовым: эта магия цвета и света, из-за нее тоже сердца американцев начинают биться быстрее при упоминании Франции; для них парижские фонари все равно что цирковые огни для малышей.

Такси ехало вдоль бульвара рядом с Сеной. Кренясь то в одну, то в другую сторону, они миновали ажурный и массивный Нотр-Дам, перекрывающие реку мосты, пахучие, высушенные солнцем парки, норманнские башни Министерства иностранных дел, скользя то вперед, то назад, как ролик с кинохроникой.

Иль-Сен-Луи скрыта за множеством старых дворов. Подъездные дорожки вымощены черно-белыми ромбами коварных бубновых королей, и окна рассечены решетками. Выходцы из Ост-Индии и Джорджии служат в здешних апартаментах, выходящих на реку.

К Дикки они приехали едва ли не за полночь.

— Поскольку ваш муж художник, — сказала она, открывая дверь, — то мне захотелось, чтобы он встретился с Габриэль Гиббс. Сейчас. Вы ведь слышали о ней?

— Габриэль Гиббс, — повторила Алабама. — Конечно, слышала.

— У нее не все дома, — как ни в чем не бывало продолжала Дикки, — но она очень красивая. Особенно если с ней не разговаривать.

— У нее потрясающее тело, — вставил свое слово Гастингс, — как белый мрамор.

Внутри никого не оказалось; на столе остывал омлет; нарядная накидка кораллового цвета украшала кресло.

— Qu'est-ce que tu fais ici?* — слабым голосом проговорила мисс Гиббс из ванной, когда Алабама и Дикки появились на пороге святилища.

— Я не говорю по-французски, — ответила Алабама.

Длинные светлые пряди закрывали лицо девушки, серебристый комок, весь в блестящих пупырышках, плавал на дне толчка. У нее было такое безмятежное лицо, словно у только что законченного мастером манекена.

— Quelle dommage**, — лаконично отозвалась Габриэль Гиббс. Двадцать бриллиантовых браслетов звякнули, ударившись о толчок.

— Неужели? — с философским спокойствием произнесла Дикки. — Габриэль не говорит по-английски, когда она пьяна. Алкоголь делает ее снобкой.

Оценивающий взгляд Алабамы скользнул по девице; казалось, все ее тело состоит из тщательно выбранных в магазине безупречных частей.

---

* Что ты здесь делаешь? (*фр.*)

** Какая жалость (*фр.*).

— Боже, — обращаясь к самой себе, угрюмо проговорила пьяная девушка, — était né en quatre cent Anno Domini. C'était vraiment trés dommage*.

С небрежной ловкостью рабочего сцены она мигом «собрала» себя в руки и поглядела на Алабаму непроницаемым взглядом, непостижимым, словно изображение на заднем плане аллегорической картины.

— Мне надо протрезветь.

Лицо ее вдруг оживилось и выразило удивление.

— Обязательно, — отозвалась Дикки. — В комнате мужчина, с которым вы не знакомы, но который пожелал встретиться с вами.

«Почему бы не в туалете? — подумала Алабама. — После войны туалет стал для женщины чем-то вроде клуба у мужчин». Надо будет сказать это за столом, решила она.

— Если вы уйдете, я приму ванну, — с королевской важностью произнесла мисс Гиббс.

Дикки прямо-таки вытолкнула Алабаму в комнату, будто горничная, которой велено вынести мусор.

— Мы считаем, — словно что-то подытожив, заявил Гастингс, — что нет смысла пересматривать человеческие отношения.

И с осуждающим видом повернулся к Алабаме.

— Ну и кто эти гипотетические «мы»?

У Алабамы не было ответа. Она как раз прикидывала, не пора ли сострить насчет туалета, но тут в дверях появилась мисс Гиббс.

— Ангелы! — воскликнула она, обводя взглядом комнату.

Вся изящная и округлая, как фарфоровая статуэтка, она опустилась на стул и извинилась; поиграла в никчемность, тонко пародируя собственную показушность,

* Четырехсотый год. Какая жалость (*фр.*).

словно каждое ее движение было частью некоего комического танца, который она сочиняла на ходу и собиралась потом довести до совершенства. Безусловно, она была танцовщицей — одежда никогда особо не обременяет их точеных тел. Мисс можно было вмиг раздеть — достаточно было бы потянуть за одну тесемочку.

— Мисс Гиббс! — торопливо позвал ее Дэвид. — Вы помните человека, который написал вам кучу записок в двадцатом году?

Взгляд под затрепетавшими ресницами бесцельно бродил по комнате.

— Значит, — сказала она, — это вы хотели со мной встретиться? Но, как я слышала, вы влюблены в свою жену.

Дэвид рассмеялся.

— Клевета. Я не в вашем вкусе?

Мисс Гиббс спряталась за благовониями от Арден* и серебристыми руладами пьяного хихиканья — это орудие всех женщин на свете.

— Сегодня это звучит немного по-людоедски.

Она изменила тон на нарочито серьезный. Габриэль Гиббс была живой и подвижной, как неугомонный розовый шифон на ветру.

— Я танцую в одиннадцать, и мы должны пообедать, если, конечно, у вас было такое намерение. Париж! — вздохнула она. — Начиная с прошлой недели, я в половине пятого непременно оказываюсь в такси.

Сотня серебряных ножей и вилок просигналили с длинного стола о наличии примерно стольких же миллионов долларов в этом тесном кубистическом пространстве. Гротескно выглядели все эти по-модному взъерошенные волосы и женские неестественно алые

* Имеется в виду Элизабет Арден (1878—1966) — основательница косметической империи в США.

рты, открывающиеся и хватающие свет от свечей; казалось, тут сидели не люди, а куклы чревовещателей, казалось, что это пир какого-нибудь слабоумного средневекового монарха, а не обычный обед. Американские голоса словно хлестали себя, доводя до неистовства, вворачивая фразы на чужом языке.

Дэвид навис над Габриэль.

— Знаете...

Алабама слышала, как девушка сказала: «Пожалуй, в супе не хватает одеколона». Она собиралась подслушать все, что мисс Гиббс скажет за обедом, и это очень ее сковывало.

— Что ж, — набралась она храбрости, — туалет для современной женщины...

— Это оскорбительно — заговор, чтобы обмануть нас, — послышался голос мисс Гиббс. — Лучше бы побольше принимали возбуждающих средств.

— Габриэль! — воскликнула Дикки. — Знала бы ты, как они подорожали после войны.

За столом установилось шаткое равновесие, и теперь всем мнилось, будто они смотрят на мир из окна мчащегося поезда. Огромные подносы с красиво разложенной едой разносили вокруг стола под скептическими, смущенными взглядами.

— Эта пища, — проворчал Гастингс, — похожа на какое-то ископаемое, обнаруженное Дикки в экспедициях.

Алабама решила обыграть его справедливое недовольство, хотя он всегда был чем-нибудь недоволен. Она уже почти придумала, что сказать, как вдруг в гуле всплыл голос Дэвида, как веточка на приливной волне.

— Мне кто-то говорил, — обратился он к Габриэль, — что у вас восхитительно прекрасные голубые жилки по всему телу.

— Полагаю, мистер Гастингс, — не пожелала и дальше молчать Алабама — было бы хорошо, если бы кто-нибудь надел на меня духовный пояс целомудрия.

Выросший в Англии, Гастингс был очень щепетилен при выборе еды.

— Голубое мороженое! — презрительно фыркнул он. — Наверно, замороженная кровь Новой Англии, добытая современной цивилизацией, пренебрегающей старыми принципами и перенятыми традициями.

Алабама вновь подумала, что Гастингс безнадежно трезвый человек.

— Хорошо бы, — с неудовольствием сказала Дикки, — те, кто обедает со мной, были сосредоточены не только на поглощении пищи.

— У меня нет тяги к истории! Я скептик! — раскричался Гастингс. — И не понимаю, о чем вы тут говорите!

— Когда папа был в Африке, — перебила его мисс Дуглас, — они залезли внутрь слона и стали прямо руками отрывать и есть внутренности — во всяком случае, так поступали пигмеи. Папа привез фотографии.

— И еще он сказал, — послышался взволнованный голос Дэвида, — что груди у вас, как беломраморное, беру на себя смелость сравнить, бланманже.

— А что если попробовать, — лениво зевнула мисс Экстон, — и поискать стимуляцию в церкви, а аскетизм в сексе?

Вечеринка разом рассыпалась на куски, как только обед подошел к концу, — сосредоточенные на себе гости медленно передвигались по гостиной, будто врачи в масках по операционной. Дразнящая женственность наливалась янтарным светом.

Свет фонарей, проникавший в окна, дробился на сапфировой бутыли, превращаясь в сияющие мелкие звездочки. Ровный гул с улицы заполнял тихую комнату. Дэвид переходил от одной группы к другой, к третьей, словно оплетал комнату незримой кружевной сетью, окутывая ею плечи Габриэль.

Алабама не могла отвести от них взгляд. Габриэль была центром чего-то надвигающегося, от нее зависело, как будет развиваться интрига спектакля, который был сейчас самым главным для здешних зрителей. Вдруг Габриэль подняла глаза и, глядя на Дэвида, зажмурилась, будто самодовольная белая персидская кошка.

— Полагаю, под платьем вы носите что-то оригинальное, возможно, мальчишеское, — вновь послышался приглушенный голос Дэвида. — Это «БВД»* или что-то еще?

Алабама вспыхнула от возмущения. Он украл у нее идею. Это она все прошлое лето носила шелковое белье от «БВД».

— У вас слишком красивый муж, — сказала мисс Экстон, — да еще такой известный. Это нечестно.

У Алабамы заболел живот — но это было бы еще ничего, если бы не необходимость отвечать; шампанское — мерзкий напиток.

Дэвид то обволакивал собой мисс Гиббс, то отпускал ее, напоминая плотоядное морское растение. Дикки и мисс Дуглас стояли, прислонившись к камину, невольно заставляя подумать об арктическом одиночестве тотемных столбов полюсов Земли. Гастингс слишком громко играл на рояле. Шум этот мешал общаться.

В дверь звонили и звонили.

— Наверно, приехало такси, чтобы отвезти нас на балет, — со вздохом облегчения произнесла Дикки.

— Дирижирует Стравинский, — известил всех Гастингс. — Плагиатор, — мрачно добавил он.

* Название фирмы мужского белья.

— Дикки, вы не могли бы оставить мне ключ? — тоном, не допускающим возражений, произнесла мисс Гиббс. — Мистер Найт проводит меня в «Акациас», конечно, если вы не возражаете, — добавила она, повернувшись к Алабаме.

— Возражаю? С чего бы это? — с деланной бодростью ответила Алабама. Она бы действительно не возражала, будь Габриэль менее привлекательной.

— Не знаю. Мне нравится ваш муж. Возможно, я попытаюсь завладеть им, если вы не возражаете. Нет, я в любом случае попытаюсь — он просто ангел.

Она хихикнула. Хихикнула сочувственно, что сводило на нет все вежливые «если».

Гастингс подал Алабаме пальто. Ее злила Габриэль, потому что из-за нее она чувствовала себя нелепой. Гости попрятались в свои одежки.

Вдоль реки призрачно светили покачивающиеся фонари, и тени были похожи на ленты, обвивающие Майский шест, на перекрестках тихонько посмеивалась над чем-то только ей известном весна.

— До чего «преле-е-ссстный» вечер, — вдруг развеселился Гастингс.

— Погода детская.

Кто-то упомянул луну.

— Луна? — пренебрежительно переспросила Алабама. — Две за пять центов в ресторане «Пять и десять». Можно целый блин, а можно половинку — полумесяц то есть.

— Это потрясающе, мадам. В высшей степени оригинальный взгляд на вещи!

Ощущая беспредельное раздражение, Алабама призадумалась. И обнаружила, что ее главным настроением была сплошная хандра, из-за которой хотелось напеть что-нибудь из «La Chatte»*. В конечном итоге единственное, что она ощущала, это насколько все люди мелки и слабы. А еще ее бесило, как Дэвид повторял, мол, большинство женщин суть цветы — цветы и десерты, любовь и стимул, страсть и слава.

После Сен-Рафаэля у нее больше не было надежной точки опоры, чтобы повернуть свою сомнительную вселенную. Оставалось крутить абстракции, подобно инженеру, который должен определить, что правильно и что неправильно в конструкции.

Они опоздали в «Шатле». Дикки торопливо провела всех по мраморной лестнице, словно жрица, возглавляющая процессию к Молоху.

Сатурнианские кольца составляли театральный декор. Отделенные от тела, безупречные ноги, думающие ребра, вибрирующие поджарые тела, ввергнутые в неизбежный ритмический шок, истерика скрипок — все это было мучительной абстракцией секса. Возбуждение Алабамы нарастало вместе с жалостью к страдающему человеческому телу, жертве собственной — физической — воли, способной на проповедь евангелия. У нее затряслись и стали мокрыми руки. Сердце билось, словно трепещущие крылья взбудораженной птицы.

Театр погрузился в медленный ноктюрн плюшевой культуры. Последние звуки оркестра, казалось, подняли Алабаму с земли, это было похоже на странное опьянение — на смех Дэвида, когда он радовался.

У подножия лестницы девушки глядели на важных мужчин с седыми висками, стоявших за мраморной балюстрадой, а влиятельные мужчины оглядывались по сторонам, чем-то звякая в карманах — ключами и личной жизнью.

* Вероятно, имеется в виду балет «Кошка» на музыку А. Соге (балетмейстер Дж. Баланчин, 1927).

— Тут княгиня, — сказала Дикки. — Может быть, отыщем ее? Она очень популярна.

Женщина с бритой головой и длинными, как у горгульи, ушами шла по коридору во главе процессии бритых мексиканок.

— Мадам выходила на сцену, пока муж не довел ее ноги до того, что она больше не могла танцевать, — продолжала Дикки, представляя немолодую даму.

— Мои колени давно окостенели, — грустно проговорила женщина.

— Как же так? — Алабама еле дышала. — Как же вы танцевали? И стали знаменитой?

Женщина смотрела на нее бархатистыми, черными, как вакса, глазами, молившими мир не забывать ее, потому что она не может жить в забвении.

— Я родилась в балете.

Алабама приняла это замечание как все объясняющее.

Тут все заспорили о том, куда пойти после спектакля. Чтобы доставить удовольствие княгине, компания выбрала «Русский клуб». Страдальческий голос падшей аристократии сливался с выразительными переборами цыганских гитар; приглушенное позвякивание шампанского о ведерки напоминало в этой темнице удовольствий свист невидимого хлыста. Бледные, будто изъятые из морозильни шеи, светились в мистическом полумраке, похожие на клыки гадюки; взъерошенные волосы вздымались над мелководьем ночи.

— Мадам, пожалуйста, — Алабама не отставала от княгини, — напишите мне рекомендательное письмо к какому-нибудь учителю танцев. Я все на свете сделаю, лишь бы научиться.

Бритая голова не сводила с Алабамы загадочного взгляда.

— Зачем вам? Это тяжело. Одно мучение. Ваш муж наверняка мог бы...

— Да. Как можно хотеть *этого?* — вмешался Гастингс. — Я дам вам адрес учителя танца «черная задница»* — он, конечно же, тоже черный, но какая разница?

— Большая, — возразила мисс Дуглас. — Когда меня в последний раз пригласили негры, мне пришлось одолжить деньги у метрдотеля, чтобы расплатиться. С тех пор я не признаю никого, темнее китайцев.

— Мадам, вы думаете, что мне это уже не по возрасту? — стояла на своем Алабама.

— Да, — коротко отозвалась княгиня.

— Они все живут на кокаине, — сказала мисс Дуглас.

— И молятся русским дьяволам, — добавил Гастингс.

— Однако некоторые все же ведут нормальную жизнь, — вставила свое слово Дикки.

— Секс неважный заменитель, — вздохнула мисс Дуглас.

— Чего?

— Секса, идиот.

— Думаю, — неожиданно для всех заявила Дикки, — балет как раз то, что нужно Алабаме. Я все время слышу, что она немного странная — нет, не сумасшедшая — немного не такая, как все. Это может объяснить лишь язык искусства. Я, правда, думаю, что вам это необходимо, — твердо произнесла она. — Это так же экзотично, как быть женой художника.

— Что значит «экзотично»?

---

* Вероятно, танец возник благодаря появлению песни «Танец черной задницы», написанной в 1919 году композитором Перри Брэдфордом.

— Повсюду бывать, не отставать от жизни, — конечно, я вас почти не знаю, но я, правда, думаю, что танцы будут вашим плюсом, если вы собираетесь и дальше не отставать. Скажем, вам наскучит общество, и вы сможете несколько раз крутануться. — И Дикки, ткнув острие вилки в стол, так энергично ее крутанула, что продырявила скатерть. — Вот так! — с энтузиазмом воскликнула она. — Теперь я вас хорошо представляю!

Алабама же представила, как она с картинным изяществом раскачивается на краю скрипичного смычка, потом крутится на серебряных струнах, разочаровавшись в прошлом, но лелея смутные надежды на будущее. Потом в ее воображении возникло аморфное облако в зеркале гардеробной комнаты, обрамленном визитными карточками, вырезками из газет, телеграммами и фотографиями. Потом она мысленно направилась в каменный коридор со множеством электрических выключателей и табличек с запретом курить, мимо бачка с охлажденной питьевой водой и стопкой одноразовых чашек «Лайли», далее мимо мужчины в парусиновом кресле, она двигалась к серой двери с вырезанной по трафарету звездой.

Дикки, безусловно, была прирожденным импресарио.

— Уверена, у вас получится — с вашей-то фигурой!

Алабама исподтишка оглядела себя. Крепкая и устойчивая, как маяк.

— Наверно, получится, — с трудом прошептала она, слова преодолевали охвативший ее душевный восторг, словно пловцы — толщу воды.

— Наверно? — эхом отозвалась Дикки. — Да сам Картье был бы рад заполучить такую модель, подарил бы вам хитон из золотой сетки!

— Ну а кто подарит мне письмо к нужному человеку?

— Я, моя дорогая, у меня доступ ко всем недоступным знаменитостям в Париже. Но предупреждаю, золотые улицы рая очень болезненны для ножек. Советую вам обзавестись резиновыми подметками, прежде чем вы отправитесь в путь.

— Да, — не раздумывая, согласилась Алабама. — Наверно, коричневыми, для обочин, — о том, что на белых звездная пыль виднее, я слышала.

— Вы совершаете глупость, — вмешался Гастингс. — Ее муж говорит, что ей медведь на ухо наступил!

Наверняка случилось что-то такое, отчего он вдруг забрюзжал, — но не исключено, что как раз оттого, что ничего не случилось. Они все брюзжали, почти как она сама. Возможно, из-за нервов и безделья, разве что время от времени приходилось писать домой письма с просьбой прислать деньги. В Париже не было даже приличной турецкой бани.

— Чем вы сами занимались? — спросила Алабама.

— Стрелял из пистолета по своим медалям, заслуженным на войне, — съязвил он.

Гастингс был гладким и коричневым, как сладкая тянучка. Духовный развратник, он получал удовольствие, обескураживая людей, словом, был пиратом, грабящим души. Несколько поколений красивых матерей дали ему в наследство неистощимую капризность. С Дэвидом было гораздо спокойнее.

— Понятно, — сказала Алабама. — Арена сегодня закрыта, так как матадор остался дома и пишет мемуары. Три тысячи человек могут отправляться в кино.

Гастингсу не понравился ее сарказм.

— Я же не виноват, что Габриэль позаимствовала Дэвида. — Он увидел, что она искренне страдает, и решил прийти ей на помощь. — Полагаю, вы не хотите, чтобы я стал вашим любовником?

— О нет, не утруждайтесь — мне нравится мученичество.

Маленькая комната тонула в дыму. Громкая барабанная дробь возвестила сонный рассвет; вышибалы из соседних кабаре потянулись за утренним ужином.

Алабама тихонько мурлыкала себе под нос.

— Слышен шум-шум-шум, — напевала она, словно решила изобразить гудок парохода, плывущего сквозь туман.

— Это моя вечеринка, — твердо заявила она, когда подали чек. — Я много таких устраивала.

— Почему же вы не пригласили мужа? — недобрым тоном задал вопрос Гастингс.

— Черт с ним, — в запальчивости отозвалась Алабама. — Я приглашала его — но это было давно, и он забыл.

— Вам необходим опекун, — уже абсолютно серьезно заявил Гастингс. — Вы не созданы для одиночества, вам требуется мужская забота. Нет-нет, я не шучу, — добавил он, когда Алабама рассмеялась.

Хотя Гастингсу с самого детства внушали, что дамы, отдавая себя якобы в жертву избраннику, всегда ждут от него сказочных чудес, Алабама давно поняла, что он не принц.

— Я как раз собралась заботиться о себе сама, — фыркнула она. — С Дикки и княгиней я условилась о свидании в будущем, а тем временем ужасно трудно держать направление в жизни, если направления нет.

— У вас же есть ребенок, — напомнил ей Гастингс.

— Да. Ребенок есть — жизнь продолжается.

— Эта вечеринка, — заметила Дикки, — ужасно затянулась. Метрдотели сохраняют утренние чеки с подписями для военного музея.

— Что нам нужно, так это немножко свежей крови для нашей вечеринки.

— Что нам всем нужно, — нетерпеливо произнесла Алабама, — это вопрос сложный...

С неторопливой грацией серебристого дирижабля рассвет завис над Вандомской площадью. Алабаму и Гастингса почти случайно занесло утром в серую квартиру Найтов, так непредсказуемо падают кружочки конфетти, стряхнутые с вечернего платья.

— А я думала, что Дэвид дома, — сказала Алабама, заглянув в спальню.

— А я нет, — усмехнулся Гастингс. — Поскольку я твой Бог, Бог иудейский, Бог баптистский, Бог католический...

Неожиданно Алабама поняла, что ей уже давно хочется заплакать. Оказавшись в скучной, душной гостиной, она не выдержала. Сотрясаясь всем телом от рыданий, она уткнулась лицом в ладони, а вскоре в сухую, жаркую комнату ввалился Дэвид. Она лежала грудью на подоконнике, как мокрое скрученное полотенце, как прозрачная оболочка, оставшаяся от великолепного мотылька.

— Думаю, ты ужасно злишься, — сказал он.

Алабама не ответила.

— Я всю ночь, — беспечным голосом произнес Дэвид, — был на вечеринке.

Жаль, она не могла помочь Дэвиду говорить более убедительно. Жаль, она не могла уберечь их обоих от унижения. Жизнь показалась ей бессмысленно-расточительной.

— Ах, Дэвид, — произнесла она рыдая, — я слишком гордая, чтобы тревожиться, — гордыня не позволяет мне замечать и половины того, что я должна замечать.

— Тревожиться о чем? Ты хорошо повеселилась? — пытался успокоить ее Дэвид.

— Наверно, Алабаме досадно, что я не был нежен с нею, — сказал Гастингс, спеша выпутаться из щекотливого положения. — В общем, я побегу, если не возражаете. Уже довольно поздно.

В окна ярко светило солнце.

Алабама все никак не могла успокоиться. Дэвид прижал ее к себе. От него веяло чистотой и теплом, так пахнет в горной деревушке, где поднимается над трубой дымок от тихого очага.

— Глупо что-то объяснять, — сказал он.

— Очень глупо.

Она попыталась рассмотреть его лицо в ранних сумерках.

— Дорогой! Я бы хотела жить у тебя в кармане.

— Дорогая, — сонно отозвался Дэвид, — там есть дырка, которую ты забыла зашить, и ты выскользнешь в нее, а потом тебя принесет домой деревенский брадобрей. Такое случалось уже, когда я носил девушек в карманах.

Алабама решила подложить Дэвиду под голову подушку, чтобы он не заснул. Он был сейчас похож на маленького мальчика, которого няня только что вымыла и причесала. На мужчин, в отличие от женщин, думала она, никогда не влияет то, что они делают, они предпочитают изобретать собственные философские интерпретации своих проступков.

— Мне все равно, — снова, стараясь убедить себя, повторила Алабама: она сделала такой аккуратный надрез на материи жизни, какой лишь самый искусный хирург решается сделать на загноившемся аппендиксе. Отбросив в сторону прошлые обиды, словно человек, надумавший составить завещание, она сосредоточилась на настоящем, которое переполнило ее душу, но плотина прорвалась, и сразу стало так пусто...

Для мелких грешков утро уже было слишком позднее. Солнце вместе с ночными трупами купалось в тифозной воде Сены; телеги давно проехали обратно с рынка в Фонтенбло и Сен-Клу; в больницах уже сделали первые операции; жители Иль-де-ла-Сите уже выпили свой кофе с молоком, а ночные таксисты — «un verre»*. Парижские поварихи вынесли мусор и внесли уголь, а столь не редкие тогда туберкулезники ждали в сырых недрах земли электрические поезда подземки. Дети играли на лужайках около Эйфелевой башни, и белые текучие вуали английских нянек вместе с синими вуалями французских nounous** свидетельствовали о том, что все спокойно на Елисейских полях. Светские дамы пудрили носики, глядясь в стаканы, наполненные «Порто», сидя под деревьями у «Павильона Дофина», как раз открывавшего свои двери перед поскрипывавшими сапогами для верховой езды. Горничной Найтов было приказано разбудить хозяев, чтобы они успели на ланч в Булонском лесу.

Когда Алабама попыталась подняться, то сразу же занервничала, ибо почувствовала себя отвратительной уродиной.

— Больше я не выдержу! — крикнула она заспанному Дэвиду. — Не хочу спать с мужчинами, не хочу подделываться под всех этих женщин, у меня больше нет сил!

---

* Один стаканчик (*фр.*).

** Няни (*фр.*).

— Не надо, Алабама, у меня болит голова, — взмолился Дэвид.

— Надо! Не поеду на ланч! Я буду спать, а потом поеду в студию.

В глазах ее сверкнула опасная решимость. Упрямо сжатые губы побелели, а на шее проступили голубые жилы. Кожа Алабамы пахла грязной пудрой, не смытой со вчерашнего вечера.

— Ты же не будешь спать сидя?

— Я буду спать, как мне нравится, и все остальное тоже! Если мне захочется, то буду спать и бодрствовать одновременно!

Любовь Дэвида к простоте была слишком сложным чувством, непонятным для обычного человека. Но оно спасало его от многих ссор.

— Ладно, — сказал он. — Я помогу тебе.

Среди жутких историй, переживших войну, есть одна, которую все любят рассказывать. Она о солдатах Иностранного легиона, которые устроили бал в Вердене и танцевали там с трупами. Алабама продолжала пить отравленное варево развлечений, впадая в забытье за пиршественным столом и стремясь по-прежнему к волшебной, яркой жизни; но в какой-то момент она почувствовала, что пульс этой жизни напоминает фантомный пульс в ампутированной ноге. И в этом было что-то зловещее, как в Верденском бале.

Женщины иногда смиряются с тем, что они обречены быть вечной жертвой преследования, эта непреложная истина даже самых утонченных из них превращает порой в грубых крестьянок. В отличие от Алабамы практическая мудрость Дэвида была столь глубока и абсолютна, что сверкала ярко и гармонично сквозь неразбериху, свойственную той эпохе.

— Бедная девочка, — сказал Дэвид, — я понимаю. Наверно, это ужасно, если постоянно чего-то ждешь, а чего — неизвестно.

— Ах, заткнись! — выпалила неблагодарная Алабама. Она долго лежала молча. — Дэвид, — вдруг позвала она.

— Что?

— Я собираюсь стать знаменитой танцовщицей, не менее знаменитой, чем голубые жилки на белом мраморе мисс Гиббс.

— Да, дорогая, — с легкой опаской отозвался Дэвид.

ЧАСТЬ ТРЕТЬЯ

I

Высокие параболы Шумана падали в узкий, огороженный кирпичными стенами двор и разлетались, ударившись о красные стены, с громыхающим, нарастающим шумом. Алабама шла по грязному коридору за сценой мюзик-холла «Олимпия». В сером сумраке имя Ракель Меллер* выцветало на двери с большой золотой звездой; доступ к лестнице затрудняло имущество труппы акробатов. Алабама одолела семь пролетов стертых, старых, выщербленных ступеней, опасных уже не для одного поколения танцоров, и открыла дверь в студию. Стены цвета голубой гортензии и вымытый пол при дневном свете, лившемся через стеклянную крышу, напоминали висящую в воздухе корзину воздушного шара. В просторной студии сразу чувствовалось, что тут тяжело работают и строят заоблачные планы, волнуются, подчиняются дисциплине и относятся ко всему очень серьезно. В центре мускулистая девушка наматывала пространство на твердое выставленное бедро. Она крутилась и крутилась, а потом, замедлив головокружительную спираль до легкого покачивания, остановилась, застынув на миг в непристойной позе. После она неловкой походкой направилась к Алабаме.

---

* Знаменитая в свое время певица, покорившая Париж. Ей Вертинский посвятил песню «Из глухих притонов Барселоны...».

— У меня урок в три, — по-французски сказала девушке Алабама. — По рекомендации одной приятельницы.

— Она скоро будет, — отозвалась танцовщица не без насмешки в голосе. — Наверно, вам надо подготовиться.

Алабама не могла понять, то ли этой девушке вообще свойственно насмехаться над всем миром, то ли она насмехается над Алабамой, а, может быть, и над самой собой.

— Вы давно танцуете? — спросила она.

— Нет. Это мой первый урок.

— Что ж, мы все когда-то начинали, — примирительно проговорила танцовщица.

Она еще три или четыре раза покружилась, кладя конец беседе.

— Сюда, — сказала она, демонстрируя отсутствие интереса к новенькой, и проводила Алабаму в раздевалку.

На стенах висели длинные пластиковые ноги, твердые ступни и черное трико, до того мокрое от пота, что вызывало в воображении мощные ритмы Прокофьева и Соге, Поленка и де Фальи. Пышная, как гвоздика, ярко-красная балетная юбочка высовывалась из-под полотенец. В углу, за выцветшей серой занавеской, мадам держала белую блузку и плиссированную юбку. В раздевалке все говорило о тяжелой работе. Полька с волосами, как кухонная мочалка из медной проволоки, и багровым, будто у гнома, лицом наклонилась над соломенным сундуком, разбирая рваные ноты и кучу старых туник. С лампы свисали стертые пуанты. Переворачивая страницы потрепанного альбома Бетховена, полька обнаружила выцветшую фотографию.

— Думаю, это ее мать, — сказала она танцовщице.

Танцовщица по-собственнически завладела фотографией: на ней была балерина.

— А я думаю, ma chére Стелла, что это сама мадам в молодости. Я возьму ее! — с властным, почти безудержным смехом заявила она, ибо была центром этой студии.

— Нет уж, Арьена Жаннере! Она останется у меня.

— Можно мне посмотреть? — попросила Алабама.

— Это точно мадам.

Пожав плечами, Арьена отдала фотографию Алабаме. У нее были резкие движения. А в перерыве между спорадическими вибрациями, которые предопределяли очередной катаклизм перемещения ее тела в пространстве, она оставалась совершенно неподвижной.

Глаза у женщины на фотографии были круглыми, печальными, русскими, а явное осознание ею чар своей прозрачной, драматичной красоты придавало лицу выражение властной решимости, словно эти нежные черты соединяла воедино духовная сила. Лоб пересекала широкая металлическая полоса в стиле римского возничего. Кисти рук она, позируя фотографу, положила себе на плечи.

— Разве она не прекрасна? — спросила Стелла.

— В ней есть что-то от американки, — ответила Алабама.

Женщина смутно напомнила ей Джоанну; в сестре была такая же прозрачность, которая проступала на лице, когда ее фотографировали, — словно слепящее сияние русской зимы. Наверное, столь же слепящее сияние летнего солнца придавало Джоанне этот мерцающий свет.

Девушка быстро обернулась, заслышав усталые нерешительные шаги.

— Где ты отыскала эту старую фотографию?

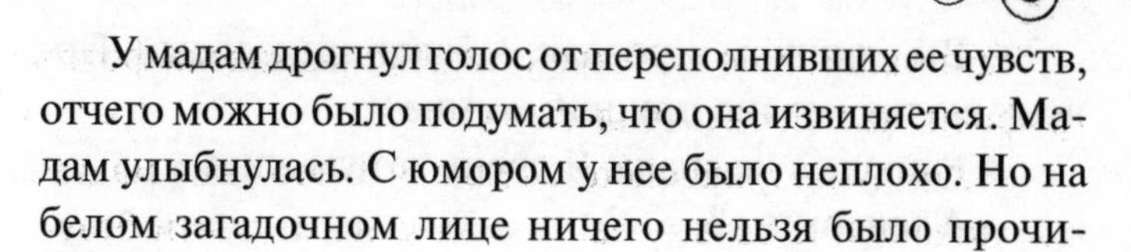

У мадам дрогнул голос от переполнивших ее чувств, отчего можно было подумать, что она извиняется. Мадам улыбнулась. С юмором у нее было неплохо. Но на белом загадочном лице ничего нельзя было прочитать.

— В Бетховене.

— Когда-то, — не тратя лишних слов, проговорила мадам, — я выключала у себя дома свет и играла Бетховена. Моя гостиная в Петрограде была желтой, и в ней всегда было много цветов. Тогда я говорила себе: «Я слишком счастлива. Это не может длиться вечно».

Словно отгоняя воспоминания, она помахала рукой и испытующе посмотрела на Алабаму.

— Моя подруга говорит, что вы хотите танцевать. Почему? У вас есть друзья и есть деньги. — Взгляд черных глаз с детской непосредственностью скользнул по фигуре Алабамы, пластичной, с острыми углами, как серебряные треугольники в оркестре, — по широким лопаткам и почти незаметной вогнутости длинных ног, словно соединенных вместе упругой силой крепкой шеи. Тело Алабамы было словно птичье перо.

— Я видела русский балет, — попыталась объясниться Алабама. — И мне показалось... ох, я не знаю! Словно в нем было то, что я постоянно искала во всем остальном.

— Что вы видели?

— «La Chatte», мадам. Когда-нибудь я должна это сделать, — неожиданно для себя произнесла Алабама.

Слабый огонек заинтересованности затеплился в черных глазах. Потом все личное исчезло с лица. Глядеть в ее глаза было все равно что идти по длинному каменному туннелю, в конце которого ждал мутный свет, хлюпать, ничего не видя, по мокрому, в извилистых рытвинах, дну.

— Вы слишком взрослая. А балет прелестный. Почему вы так поздно пришли ко мне?

— Раньше я не знала. Я очень хотела жить.

— А теперь что?

— Теперь мне скучно, — засмеялась Алабама.

Женщина тихо прошлась среди танцевальных аксессуаров.

— Посмотрим, — сказала она. — Переоденьтесь.

Алабама поспешила выполнить ее приказ, а Стелла показала, как завязать пуанты, чтобы узел не натер ногу.

— Кстати, насчет «La Chatte»... — проговорила русская балерина.

— Да?

— Вы не сможете этого сделать. Не стоит питать слишком смелые надежды.

Над головой мадам висела табличка, гласившая: «Не трогать зеркало», — на французском, английском, итальянском и русском языках. Мадам стояла спиной к большому зеркалу и обозревала дальние углы гримерной. Музыкального сопровождения не было.

— Когда научитесь владеть своими мышцами, тогда будет рояль, — объяснила мадам. — Сейчас единственный путь, уж коли вы так поздно начинаете, постоянно думать о том, куда ставить ноги. Вы должны стоять вот так. — Она развернула горизонтально свои ножки в атласных туфельках. — Каждый вечер это надо повторять пятьдесят раз.

Когда мадам взяла длинную ногу Алабамы и положила ее на станок, у той от усилия побагровело лицо. Наставница буквально раздирала мышцы у нее на бедре, и Алабама едва не закричала от боли. Глядя на затуманенные глаза мадам и на красную рану ее рта, Алабама даже уловила злость у нее на лице. Она подумала, что мадам жестокая женщина. И еще она подумала, что мадам мерзкая и подлая.

— Отдыхать нельзя, — сказала мадам. — Продолжайте.

Алабаму терзала боль в ногах. Русская отошла от нее, повелев повторять жуткие упражнения. Когда она вернулась, то, не обращая внимания на Алабаму, опрыскала себя из пульверизатора перед зеркалом.

— Устали? — равнодушно спросила она, не поворачиваясь.

— Да, — ответила Алабама.

— Все равно не останавливайтесь.

Спустя какое-то время русская подошла к станку.

— Когда я была маленькой и жила в России, — невозмутимо произнесла она, — то каждый вечер делала это упражнение по четыреста раз.

Ярость охватила Алабаму, словно топливо забулькало в полупрозрачной канистре. Она надеялась, что высокомерная дама почувствовала, как она ненавидит ее.

— Я сделаю это четыреста раз.

— К счастью, американки хорошо подготовлены физически. У них больше природного таланта, чем у русских, — заметила мадам. — Однако они испорчены легкой жизнью, деньгами и избытком мужей. На сегодня достаточно. У вас есть одеколон?

Алабама обтерлась ароматной жидкостью из пульверизатора мадам. Потом она оделась под смущенными и удивленными взглядами и между обнаженными телами собравшихся учениц, которые шумно перебрасывались фразами на русском языке. Мадам предложила Алабаме задержаться и побыть на уроке.

На сломанном железном стуле сидел, делая наброски, мужчина. Два массивных бородатых персонажа, очевидно, из театра, сначала заинтересовались одной девочкой, потом стали смотреть на другую; сокрушал воздух, ударяя себя по лодыжке, мальчик — в черном трико и с повязкой на голове, у него было лицо мифического пирата.

Завораживающее балетное действо набирало силы. Понемногу этот балет все смелее раскрывал себя в соблазнительной дерзости *jetés** назад, в беззаботных *pas de chats***, во множестве энергичных пируэтов, выпускавших свою ярость в прыжках и растяжках русского *stchay**** и успокоился в скольжении убаюкивающих *chasses*****. Все молчали. В студии еще как будто царил циклон.

— Вам понравилось? — с вызовом спросила мадам.

Алабама почувствовала, как ее лицо заливает горячая краска смятения. Она устала от урока. Болело и дрожало все тело. Ей открылся целый мир — при первом же взгляде на танец как на искусство. «Профанация!» — хотелось ей крикнуть будто ожившему прошлому, когда она, почувствовав сразу отчаянный стыд, вспомнила «Танец часов», который танцевала десять лет назад. А еще ей вдруг вспомнился восторг, который она испытывала в детстве, спрыгивая с кромки тротуара и в этот момент, зависнув на миг в воздухе, ударяла пяткой о пятку. Теперешнее ее состояние было близко к тогдашнему, забытому, и она не могла устоять на месте.

— Мне *понравилось.* Что это было?

Женщина отвернулась.

---

* В классическом танце — серия прыжков.

** Букв.: кошачий шаг.

*** В рукописи было несколько написаний этого слова (sctstay, schstay), обозначающего некий русский балетный термин, однако не установленный.

**** Разновидность балетного прыжка, при котором одна нога как бы догоняет другую.

— Мой балет о дилетантке, которой хочется работать в цирке.

Алабама поникла: с чего это ей почудилось, что в туманных янтарных глазах мадам мелькнула доброта? Ведь они откровенно смеялись над ней.

— Будем работать завтра в три часа.

Вечер за вечером Алабама растирала ноги кремом Элизабет Арден. Над коленом, где была порвана мышца, синели пятна. В горле она ощущала такую сухость, что поначалу решила, будто простудилась, даже померила температуру, но она оказалась нормальной, Алабама даже расстроилась. Надев купальный костюм, она попыталась поупражняться, приспособив под станок спинку софы в стиле Людовика Четырнадцатого. Упрямства ей было не занимать, и она хваталась за вызолоченные цветы на спинке, перемогая боль. Заснула она, просунув ноги между прутьями железной кровати, и несколько недель потом проспала со склеенными пальцами, добиваясь выворотности стоп. Уроки были пыткой.

Прошел почти месяц, прежде чем Алабама наконец-то могла стоять прямо в балетной позиции, держать равновесие, не сгибать спину; как скаковая лошадь в узде, научилась разворачивать плечи, так, чтобы их линия была вровень с линией бедер. Время двигалось прыжками, словно стрелки на школьных часах. Дэвид радовался ее увлечению. Это освобождало его от вечеринок, так как Алабама, у которой болели все мышцы, свободное время предпочитала проводить дома. Теперь, когда у нее появилось занятие и она перестала претендовать на его время, Дэвид мог больше работать.

Вечером Алабама, будучи не в силах пошевелиться от усталости, устраивалась у окна, поглощенная желанием добиться успеха. Ей казалось, что, достигнув цели, она справится с дьяволами, которые пока еще верховодили ею, — то есть, проявив себя, она успокоится, ведь состояние покоя, как она думала, зависело от ее внутренней уверенности в себе, и, благодаря танцу, который должен был стать каналом, по которому будут прибывать чувства, она сможет управлять ими, по своей воле любить, жалеть или радоваться. Алабама была безжалостна к себе, а тем временем лето шло своим чередом.

Жаркое июльское солнце проникало в студию, где мадам регулярно распыляла дезинфицирующие средства. Крахмал на кисейных юбках липнул к рукам, глаза заливал пот, и Алабама переставала что-либо видеть. С пола поднималась удушающая пыль, от духоты темнело в глазах. Ей казалось унизительным то, что мадам трогала лодыжки ученицы, когда они были мокрыми от жары. Человеческое тело на редкость строптиво. Алабаму приводила в ярость собственная неспособность совладать с ним. Учиться управлять своим телом — все равно что вести тяжелую борьбу с самой собой. Тогда, сказав себе: «Мое тело это я», — она стала нещадно себя изматывать, вот так это было. Некоторые танцовщицы работали, накрутив на шею банное полотенце. Было до того жарко под едва не плавившейся крышей, что надо было чем-то постоянно вытирать пот. Иногда зеркало словно заливали красные волны, если урок Алабамы был назначен на часы, когда солнце посылало на стеклянную крышу прямые лучи. Алабаму изводили бесконечные батманы без музыки. Она переставала понимать, зачем вообще ходит на эти уроки: Дэвид звал ее поплавать. И она почему-то злилась на мадам за то, что не отправилась вместе с мужем в прохладу. Злилась, хотя и не верила, что можно вновь пережить счастливое беззаботное начало их совместной жизни — или хотя бы обрести его подобие, если такое вообще возможно после всех тех экспериментов, которые истощили их с

Дэвидом чувства. И все же самое большое счастье, когда Алабама думала о радостях жизни, она находила в воспоминаниях о тех — давних — днях.

— Вы слышите? — спросила мадам. — Это для вас, — сказала она, протанцевав простенькое адажио.

— У меня не получится, — возразила Алабама. Она начала небрежно, следуя показанному рисунку, и вдруг остановилась. — Ах, как это прекрасно! — восторженно воскликнула она.

Балерина даже не обернулась.

— В танце много прекрасного, — небрежно отозвалась она, — но вам мало что подвластно — пока.

После урока Алабама сложила мокрые вещи и сунула их в чемоданчик. И тут Арьена решила выжать пропитанное потом трико на пол. Алабама держала его за один конец, а Арьена все крутила и крутила. Много надо пролить пота, чтобы научиться танцевать.

— Я собираюсь уехать на месяц, — в субботу объявила мадам. — Будете работать с мадемуазель Жаннере. Надеюсь, к моему возвращению вы уже сможете работать под музыку.

— Значит, урока в понедельник не будет?

Алабама столько времени отдавала студии, что жизнь стала казаться ей немыслимой без танцев.

— Будет — с мадемуазель.

Неожиданно по щекам Алабамы побежали горячие слезы, сквозь которые она смотрела, как усталая фигура учительницы танцев исчезает в облачке пыли. Ей бы надо было радоваться передышке; она думала, что обрадуется.

— Не надо плакать, — девушка попыталась утешить ее. — Мадам должна поехать в Руайя из-за сердца. — И она ласково улыбнулась. — Стелла сыграет вам на уроке, — заговорщицки произнесла она.

Весь жаркий август они продолжали работать. Листья высыхали и падали в пруд Сан-Сулписа; Елисейские поля закипали в автомобильных выхлопах. Париж опустел; так все говорили. Фонтаны в Тюильри творили вокруг себя горячий и почти непроницаемый туман; мидинетки, эти юные белошвейки, ходили с голыми руками. Дважды в день Алабама занималась в студии. Бонни была в Бретани у друзей няни. Дэвид пил с толпой народа в баре «Ритц», отмечая пустоту в городе.

— Почему ты никуда не ходишь со мной? — спрашивал он.

— Потому что не смогу потом работать.

— Ты все еще веришь, что у тебя получится?

— Наверно, нет; но есть только один способ узнать наверняка.

— Мы больше не живем дома.

— Потому что тебя никогда нет — мне же надо както коротать время.

— Опять дамское нытье — у меня работа.

— Я все сделаю для тебя.

— Пойдешь со мной сегодня?

Они отправились в Ле Бурже и арендовали самолет. Дэвид выпил так много бренди перед полетом, что, едва они оказались над портом Сан-Дени, он попытался уговорить пилота лететь в Марсель. Потом, уже в Париже, он потребовал, чтобы Алабама пошла с ним в кафе «Lilas»*.

— Найдем там знакомых и пообедаем.

— Дэвид, я не могу, правда. Мне делается плохо, когда я пью. Опять, как в последний раз, придется глотать морфин.

— Куда ты?

---

* Имеется в виду кафе «Сиреневый хутор» (Closerie des Lilas) на Монпарнасе, знаменитый литературный салон.

— В студию.

— Значит, ты не останешься со мной? Тогда какой толк в том, чтобы иметь жену? Если с женщиной только спишь, то для этого есть много доступных...

— Какой толк иметь мужа? Неожиданно понимаешь, что есть и другие, а ты при нем.

Такси с шумом въехало на улицу Камбон. Несчастная Алабама поднялась по лестнице. Арьена ждала ее.

— Почему такое грустное лицо? — спросила она.

— Жизнь — грустная штука, правда, Алабама? — вступила в разговор Стелла.

Когда с разогревающими упражнениями у станка было покончено, Алабама и Арьена перешли на середину зала.

— Bien, Стелла.

Кокетливо-грустная мазурка Шопена слишком резко звучала в сухом воздухе. Алабама смотрела, как Арьена пытается подражать творческим методам мадам. И такой она казалась приземистой, жалкой. А ведь она была премьершей в парижской «Опера», и почти самой знаменитой. Алабама беззвучно заплакала.

— Как трудно быть профессионалом, — прошептала она.

— Что ж, — сердито фыркнула Арьена, — здесь не пансион для jeunes filles*! Может быть, сделаете по-своему, если вам не нравится, как делаю я?

Она стояла, уперев руки в бока, властная и банальная, уверенная, что умозрительных знаний Алабамы достаточно для выполнения нужных па. Кому-то надо было разрядить атмосферу, иначе все могло случиться. Арьена начала, так пусть она и выкручивается.

— Мы работаем для вас, если вам это неизвестно, — вызывающе заявила Арьена.

* Юные девицы (*фр.*).

— У меня болит нога, — раздраженно отозвалась Алабама. — Слез ноготь.

— Надо вырастить ноготь покрепче. Вы готовы? Два, Стелла!

Оставляя позади мили и мили *pas de bourrée**, ее пальчики тыкались в пол, словно клювы голодных кур, но после десяти тысяч миль двигаешься так, что груди перестают трястись. От Арьены пахло мокрой шерстью. Еще раз и еще раз. Поворот и снова поворот; голова работала быстрее ног, и она теряла равновесие. Тогда она придумала уловку: надо направить разум против движения тела, тогда сохранишь чувство собственного достоинства и меньше заметны усилия, а это и есть стиль.

— Вы bête**, вы невозможная! — визжала Арьена. — Надо понять, прежде чем делать.

Алабама наконец-то научилась тому, что значит «держать» верхнюю часть тела, так, словно твой торс поставлен на колеса. Ее *pas de borrée* стали похожи на полет птицы. Она едва удерживалась, чтобы не затаить дыхание, когда повторяла заученные па.

Отвечая на вопросы Дэвида об уроках танцев, Алабама позволяла себе высокомерный тон. Она чувствовала, что он не поймет, даже если она попытается объяснить ему, что такое *pas de bourrée*. Но однажды она все-таки попыталась. Она то и дело повторяла: «Ты понимаешь, что я имею в виду?» и «Как ты не понимаешь?» — поэтому Дэвиду в конце концов стало скучно, и он назвал ее мистиком.

— Нет ничего такого, чего нельзя было бы объяснить, — рассерженно заявил он.

---

* Па-де-буррэ (*фр.*) — чеканный танцевальный шаг, прямо или с поворотом.

** Глупая (*фр.*).

— Потому что ты слишком разумный. А мне и так все понятно.

Дэвид вдруг спросил себя, а сама Алабама поняла ли хоть одну его картину? И, вообще, не является ли искусство выражением того, что невозможно выразить? И разве то, что невозможно выразить, не одинаково, хотя и предполагает варианты — как «Х» в физике? Этим «Х» можно обозначать все, что угодно, но при этом он остается «Х».

Мадам вернулась, когда в Париже наступила сентябрьская сухость.

— Вы очень продвинулись, — сказала она, — однако вам следует избавиться от американской вульгарности. И вы наверняка слишком много спите. Четырех часов хватит.

— Вам лучше?

— Меня поместили в какую-то кабину, — засмеялась мадам, — где я могла лишь стоять, и при этом кто-нибудь держал меня за руку. Отдых не простое дело для усталого человека. А артисту он противопоказан.

— Этим летом в Париже было, как в этой вашей кабине, — довольно грубо заметила Алабама.

— Бедняжка, вы все еще не отказались от мысли танцевать «Кошку», «La Chatte»?

Алабама засмеялась.

— Разве не вы будете решать, можно мне уже купить балетную пачку или нет?

Мадам пожала плечами.

— Почему бы не теперь?

— Сначала я хочу стать хорошей балериной.

— Для этого надо работать.

— Я работаю по четыре часа в день.

— Многовато.

— А как иначе я стану балериной?

— Не представляю, как это стать кем-то, — заявила русская.

— Я поставлю свечки Святому Иосифу.

— Наверно, это поможет. Но лучше поставить свечку русскому святому.

В последние жаркие дни Дэвид и Алабама отправлялись на Левый берег. Их квартира, обитая желтой парчой, смотрела на купол собора Сен-Сульпис, в тени которого прятались старухи, а колокола непрерывно оповещали о похоронах. Кормившиеся на площади голуби бесчинствовали на выступе у них за окном. Сев у окна, Алабама подставляла лицо вечернему ветерку и размышляла. От изнеможения пульс у нее замедлялся, как в детстве. Она вспоминала время, когда была маленькой и рядом был папа — теперь, издалека, он казался ей источником непогрешимой мудрости и надежности. Отцу она могла доверять. А вот Дэвиду... Его сомнения были ей почти ненавистны, потому что были похожи на ее собственные. Обоюдные пробы и ошибки приводили исключительно к несчастливому компромиссу. В том-то и была беда: Алабама и Дэвид не учли, что жизненные их горизонты начнут — по мере их взросления — расширяться, и воспринимали эти перемены как что-то требующее компромисса, а не как естественный ход вещей. Им казалось, что они совершенны, и они открыли свои сердца для обесцененных чувств, но не для перемен.

С осенними туманами пришла сырость. Они обедали то в одном, то в другом кафе или ресторане, где было много женщин в бриллиантах, сверкавших, словно большие рыбины в аквариуме. Иногда они отправлялись на прогулки, иногда катались в такси. Алабама все сильнее боялась за их брак, но была тверда в намерении продолжать работу. Заставляя свое тело упражняться в аттитюдах и арабесках, Алабама пыталась, вспоминая о сильном отце и о своей первой прекрасной любви к Дэвиду, о забытом отрочестве и защищенном теплом домашнего очага детстве, сплести волшебный плащ. Теперь она все чаще ощущала одиночество.

А Дэвид становился все более общительным и все чаще бывал в разных компаниях. Их жизнь напоминала завораживающую перестрелку, правда, до убийства не доходило. И Алабама полагала, что они никого не убьют — вмешаются власти, а все остальное чепуха, вроде ее истории с Жаком или его с Габриэль. Ей было все равно — она действительно стала безразличной к одиночеству. Через несколько лет она сама удивлялась, вспоминая о том, как сильно может уставать человек.

У Бонни появилась французская гувернантка, которая отравляла им совместные трапезы бесконечными: «N'est-ce pas, Monsieur?»* и «Du moins, j'aurais pensée»**. Жевала она с открытым ртом, и Алабаму начинало мутить при виде кусочков сардин на золотых коронках. К тому же за едой гувернантка не сводила взгляда с пустого осеннего двора. Пришлось поменять гувернантку, однако Алабама все равно чувствовала, что быть беде. Она решила ждать.

Бонни быстро росла и сыпала историями о Жозетте, Клодин и других ученицах из своей школы. Она подписывалась на детский журнал, переросла Гриньоля*** и начала забывать английский язык. Кое-что она все же приберегала для объяснений с родителями. Бонни стала вести себя высокомерно со своей старой английской няней, которая оставалась с ней, когда у мадемуазель были «выходные дни»: это были жуткие дни,

* «Не правда ли, месье?» (*фр.*)

** «И все же, я могла бы подумать...» (*фр.*)

*** Персонаж французского театра кукол.

когда в квартире можно было задохнуться в аромате духов «Ориган» от «Коти», а на лице Бонни выступала сыпь из-за лепешек от «Рампелмайера». Алабаме ни разу не удалось заставить няню признать тот факт, что Бонни ела их; няня твердила в ответ, что пятна появились из-за дурной крови и надо дать им выйти наружу, няня намекала на что-то вроде изгнания злых наследственных духов.

Дэвид купил Алабаме щенка, которого назвали Адажио. Горничная обращалась к нему: «Месье», — и кричала, когда он начинал носиться сломя голову, так что никто не мог его утихомирить. Обычно Адажио находился в комнате для гостей, где висели фотографические портреты ближайших родственников хозяина квартиры, которых пока еще можно было разглядеть сквозь накопившуюся грязь.

Алабаме было искренне жаль Дэвида. Она и он очень походили на обедневших людей, которые зимой перебирают оставшуюся от благополучных времен одежду. Оба повторялись, когда разговаривали друг с другом; она вытаскивала из памяти словечки, которые ему надоели до оскомины, но он терпел эти маленькие представления, привычно изображая живейший интерес. Алабама обижалась. Она всегда гордилась своими актерскими способностями.

Ноябрьский утренний воздух просачивался сквозь золотистую порошу, которая укутала Париж, и теперь все дни напоминали одно сплошное утро. Алабама в своей серой сумеречной студии ощущала себя истинной профессионалкой, стойко перенося дискомфорт неотапливаемого помещения. Девочки переодевались около плиты, которую Алабама купила для мадам; в раздевалке воняло сушившимися над плитой пуантами, затхлым одеколоном и нищетой. Когда мадам опаздывала, танцовщицы согревались, делая по сотне *relevés** под декламацию стихов Верлена. Окна никогда не открывались из-за русских, а Нэнси и Мэй, которые работали с Павловой, говорили, что им делается дурно от вони. Мэй жила в доме Христианского союза молодых женщин и приглашала Алабаму в гости на чашку чаю. Однажды, когда они вместе спускались по лестнице, она сказала Алабаме, что, мол, не может больше танцевать, потому что ее уже тошнит.

— У мадам такие грязные уши, дорогая, что меня тошнит.

Мадам ставила Мэй позади других, и Алабама посмеялась над отговоркой девушки.

Маргерит всегда одевалась в белое, Фаня в вечно грязном белье, Анис и Анна, жившие с миллионерами, носили бархатные туники, еще Сеза в сером и красном — говорили, что она еврейка, — кто-то в голубом органди, худенькие девочки в абрикосовых драпировках, похожих на складки кожи, три Тани, ничем не отличавшиеся от всех остальных русских Тань, девочки в строго-белом, которые выглядели, как мальчики в купальных костюмах, девочки в черном, похожие на взрослых женщин, суеверная девочка в розовато-лиловом, еще одна девочка, которую одевала мать и которая носила нечто светло-вишневое, слепящее всех своими переливчатыми фалдами, и худенькая, трогательная, женственная Марта, танцевавшая в «Опера Комик», с воинственным видом убегавшая сразу после занятий к поджидавшему ее мужу.

В раздевалке властвовала Арьена Женнере. Она одевалась, повернувшись лицом к стене, использовала множество средств для растирания и однажды купила пятьдесят пар пуантов, которые давала Стелле, изна-

* Подъем на пальцах (*фр.*).

шивавшей по паре в неделю. Когда мадам проводила урок, Арьена следила, чтобы девушки не шумели. Ее вульгарно вихляющие бедра отталкивали Алабаму, и все же они подружились. Теперь она после уроков сидела с Арьеной в кафе под концертным залом «Олимпия» и пила свой ежедневный аперитив «Берег Корсики» — «Cap Corse» — с сельтерской водой. Арьена заходила за кулисы в «Опера», там к танцовщице относились с большим почтением, а потом они вместе с Алабамой шли на ланч. Дэвид смертельно ненавидел ее, потому что она пыталась прочитать ему нотацию по поводу его взглядов и приверженности к алкоголю. Однако мещанкой она не была: она была парижским уличным сорванцом и знала множество смешных историй о пожарных и солдатах, а также популярных на Монмартре песенок про священников, крестьянок и рогоносцев. Если бы не вечно спущенные чулки и занудные проповеди, ее можно было бы принять за проказливого эльфа.

Арьена взяла Алабаму на последнее выступление Павловой. Двое мужчин, словно сошедшие со страниц альбомов Бирбома*, вызвались проводить их домой. Арьена им отказала.

— Кто они? — спросила Алабама.

— Не знаю — постоянные зрители, какие-нибудь меценаты.

— Тогда почему ты разговариваешь с ними так, словно сегодня в первый раз их увидела?

— Мы встречаемся не просто с патронами, сидящими в первых трех рядах, они прежде всего мужчины, — ответила Арьена. Она жила вместе с братом недалеко от Булонского леса. Иногда она плакала в раздевалке.

* Имеется в виду Макс Бирбом (1872—1956) — английский писатель и карикатурист.

— Замбелли* все еще танцует «Коппелию»! — восклицала она. — Ты не представляешь, Алабама, как трудна жизнь, ведь у тебя есть муж и дочка.

Когда она плакала, тушь стекала у нее с ресниц и высыхала неровно, как акварель. Широко расставленные серые глаза казались невинными, как нетронутый ромашковый луг.

— Ах, Арьена! — с восхищением говорила мадам. — Вот это танцовщица! Когда она плачет, это дорогого стоит.

Алабама побледнела от усталости, и у нее померкли глаза, словно их заволокло дымом осенних костров.

Арьена помогла ей освоить антраша.

— Ты не должна останавливаться после прыжка, — сказала она, — наоборот, надо тотчас двигаться дальше, чтобы один прыжок тянул за собой второй, как прыгает мяч.

— Да, — сказала мадам, — да! да! — но этого недостаточно.

Мадам никогда нельзя было угодить.

По воскресеньям Алабама и Дэвид спали допоздна, обедали «У Фойота» или где-нибудь еще поближе к дому.

— Мы обещали твоей матери приехать на Рождество, — сказал Дэвид, наклонившись над столом.

— Да, но я не представляю, как это сделать. Слишком дорого, да и ты еще не закончил парижские картины.

— Хорошо, что ты так настроена, потому что я решил отложить поездку до весны.

— К тому же, Бонни учится. Сейчас ее нельзя дергать.

— Поедем на Пасху.

* Имеется в виду Карлотта Замбелли (1875—1968) — итальянская балерина, много лет танцевавшая в «Гранд Опера». Последнее выступление на сцене в 1930 г.

— Да.

Алабаме не хотелось покидать Париж, где они оба были так несчастливы. Ее семья отдалялась от нее, так как душой она все больше погружалась в прыжки и пируэты.

Стелла принесла в студию рождественский пирог и двух цыплят для мадам, которых ей прислал из Нормандии дядя, сообщивший, что не сможет больше материально поддерживать племянницу, так как франк упал на сорок сантимов. Стелла зарабатывала переписыванием нот, чем портила зрение и обрекала себя на недоедание. Жила она в мансарде, где постоянно простужалась на сквозняках, однако ни за что не желала расстаться со студией.

— Что полька может делать в Париже? — говорила она Алабаме.

А что вообще кому-то делать в Париже? Когда доходит до главного, тогда не до национальностей.

Мадам нашла Стелле работу — переворачивать на концертах ноты для музыкантов, и Алабама платила ей десять франков за штопку носков у балеток, чтобы они не скользили.

На Рождество мадам расцеловала всех в обе щеки, и они съели пирог, принесенный Стеллой. Нормальное Рождество, ничем не хуже, чем дома, подумала Алабама. Ее ничуть не интересовало предстоящее празднование в их с Дэвидом квартире.

Арьена послала Бонни в качестве подарка дорогой наборчик для кухни, чем очень тронула Алабаму, ведь ее подруга так нуждалась в деньгах. Всем отчаянно не хватало денег.

— Придется мне отказаться от уроков, — сказала Арьена. — Свиньи-начальники платят нам в театре по тысяче франков в месяц, этого слишком мало.

Алабама пригласила мадам на обед, а потом на «Лебединое озеро». В светло-зеленом вечернем платье мадам казалась очень бледной и хрупкой. И не сводила глаз со сцены. Ее ученица танцевала в этом балете. Алабама даже представить не могла, что творится в голове женщины, которая не сводит желтых конфуцианских глаз с белых стаек танцовщиц.

— Сегодня балет измельчал, — сказала она. — Когда я танцевала, масштаб был другой.

Алабама изумилась.

— Она сделала двадцать четыре фуэте. Разве можно лучше?

Алабаме было физически больно смотреть, как воздушно-стальное тело танцовщицы изгибается и вьется в сумасшедших поворотах.

— Не знаю, можно или нельзя. Знаю лишь, что у меня было иначе, — заявила балерина, — и лучше.

После спектакля она не пошла за кулисы поздравить девушку. Алабама, Дэвид и мадам сразу же отправились в русское кабаре. Рядом с ними за столиком сидел Гернандара, пытавшийся заполнить пирамиду из бокалов, наливая шампанское в верхний бокал. Дэвид присоединился к нему. Потом они пели и дурачились на танцевальной площадке, изображая боксеров. Алабаме было стыдно, и она боялась, что мадам обидится.

Однако мадам была русской княгиней, как и все остальные русские.

— Они, как расшалившиеся дети. Не приставайте к ним. Они так хороши.

— Хороша только работа, — возразила Алабама. — Во всяком случае, я забыла все остальное.

— Почему бы не развлечься, если это можно себе позволить? — словно о чем-то вспоминая, сказала мадам. — В Испании после спектакля я пила красное вино. А в России всегда только шампанское.

При голубом верхнем свете и красном свете ламп за железными решетками белая кожа мадам сияла, как ледовый дворец в лучах арктического солнца. Пила она мало, но заказала икру и очень много курила. Платье на ней было из дешевых, и это огорчило Алабаму — ведь когда-то мадам была великой балериной. После войны мадам хотела уйти на покой, однако у нее не было денег, да и сын учился в Сорбонне. Муж жил воспоминаниями о пажеском корпусе и утолял жажду воспоминаниями, пока не превратился в некий фантом аристократии. Русские! Их вскармливали молоком галантной щедрости, а потом вмиг посадили на черствый хлеб революции, эти русские заполонили Париж! Все рвутся в Париж, все его домогаются.

На рождественскую елку к Бонни приехали няня и некоторые из друзей Дэвида. Алабаму не волновали воспоминания о Рождестве в Америке. У них в Алабаме не продавали словно бы заиндевевших домиков, которые вешали на елку. А еще в Париже цветочные магазины продавали много рождественской сирени, и накрапывал дождь. Алабама принесла цветы в студию.

Мадам пришла в восторг.

— В молодости приходилось экономить на цветах. А я любила полевые цветы, собирала букеты и бутоньерки для гостей, приезжавших к моему отцу.

Эти подробности из прошлого великой балерины были такими очаровательными, такими трогательными.

Ближе к весне Алабама откровенно, радостно гордилась силой своих негроидных бедер, похожих на бока вырезанных из дерева лодок. Она обрела полный контроль над телом и больше не терзалась мучительными мыслями о нем.

Девушки унесли стирать свою грязную одежду. На улице Капуцинов опять начиналась жара, в «Олимпии» работала другая труппа акробатов. Солнце рисовало памятные таблички на полу в студии, и Алабама уже дошла до Бетховена. Они с Арьеной дурачились на продуваемых ветром улицах и скандалили в студии. Алабама одурманивала себя работой. А дома ей казалось, что она вдруг проснулась и никак не может вспомнить сон, увиденный ночью.

II

— Пятьдесят один, пятьдесят два, пятьдесят три — я говорю вам, месье, письмо вы должны отдать мне. Я — помощница мадам. Пятьдесят четыре, пятьдесят пять...

Холодным взглядом Гастингс мерил фигурку тяжело дышавшей танцовщицы. Стелла замерла в эффектной позе искусительницы. Она часто видела, как мадам проделывала это. Глядя в лицо гостя, Стелла всем своим видом говорила, что у нее есть некая важная тайна, и ждала, когда он попросит приобщить к ней и его. Батманы удавались ей на славу. Было еще так рано, а она уже отлично réchauffé*.

— Мне хотелось бы повидать миссис Дэвид Найт, — сказал Гастингс.

— Нашу Алабаму! Она должна скоро прийти. Она такая милая, наша Алабама, — проворковала Стелла.

— У них дома никого не было, мне сказали, чтобы я ехал сюда.

Гастингс настороженно оглядывался, словно не верил своим глазам.

— Ах вот оно что! — воскликнула Стелла. — Она всегда тут. Вам надо лишь немного подождать. Прошу месье извинить меня...

* Разогрелась (*фр.*).

Пятьдесят семь, пятьдесят восемь, пятьдесят девять. На счете триста восемьдесят Гастингс собрался уходить. Стелла была вся мокрая и свистела, как дельфин, отчего даже казалось, будто она ненавидит добровольное истязание у станка. Она явно давала понять, что на этой галере она в числе лучших рабынь и что эту прекрасную рабыню Гастингс мог бы и купить.

— Передадите ей, что я заходил?

— Конечно. Скажу, что вы ушли. Жаль, что мои упражнения не заинтересовали месье. Урок начнется в пять, если месье угодно знать...

— Да, скажите ей, что я ушел. — Он с отвращением огляделся. — Но все равно она скорее всего не освободится до вечеринки.

Стелла достаточно давно занималась у мадам, чтобы обрести абсолютную преданность своей работе, подобно всем ученицам мадам. Если зрителям тут не нравилось, значит, это их вина, они лишены эстетического восприятия.

Мадам разрешила Стелле заниматься бесплатно; многие танцовщицы, у которых не было денег, ничего не платили. Но если у них появлялись деньги, они платили — такой была русская система.

Грохот падающего чемодана на лестнице возвестил о приходе ученицы.

— Заходил друг, — с важностью сообщила Стелла.

Живущей замкнуто Стелле было непонятно то, что визит мог ничего не значить. Алабама же успела подзабыть прежние свои привычки и случайные порывы. И ей на фоне неистовых поворотов и трудно дающихся, однако обязательных *jeté** приход Гастингса казался не значительным, а неприятным и неуместным эпизодом.

---

* Жете (*фр.*) — в классическом балете движение с броском ноги.

— Что ему было нужно?

— Откуда мне знать?

И все же Алабама немного расстроилась — надо разделить студию и жизнь, чтобы они никак не соприкасались, — иначе студия перестанет ее удовлетворять так же, как все остальное, будет бессмысленным и безжизненным топтанием на месте.

— Стелла, если он придет опять — если кто-нибудь придет, скажи, что ничего не знаешь обо мне — что меня тут не бывает.

— Почему? Разве вы танцуете не для того, чтобы удивить ваших друзей?

— Нет-нет! — запротестовала Алабама. — Я не могу делать две вещи одновременно — я же не пойду по авеню де Опера, делая фигуры *pas de chat* перед регулировщиком, и я не хочу, чтобы мои друзья играли в уголке в бридж, пока я танцую.

Стелла всегда с удовольствием вникала в жизненные перипетии подруг, так как ее собственная жизнь в этом смысле была пустой и проходила в мансарде разве что под ругань хозяек.

— Отлично! Зачем обыденной жизни лезть к нам, артистам? — напыщенно вопросила она.

— В прошлый раз пришел мой муж и курил в студии сигарету, — продолжала Алабама в попытке оправдать свои малопонятные возражения.

— Ах, так! — Стелла была возмущена. — Понятно. Будь я тут, непременно сказала бы, как непростительно дымить, когда люди работают.

Стелла одевалась в старые балетные юбки, унаследованные ею от других учениц, и розовые газовые кофточки, купленные в «Галери Лафайет». Чтобы было теплее, она большими булавками прикалывала кофточку поверх юбки. Днем Стелла практически жила в студии. Чтобы цветы, которые ученицы дарили мадам,

 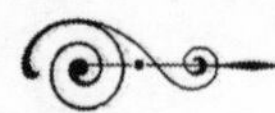

подольше сохраняли свежесть, она подрезала стебли, она отчищала зеркало, подклеивала клейкой лентой нотные альбомы, играла во время занятий на рояле, когда отсутствовала пианистка. Она считала себя советчицей мадам. А мадам считала ее обузой.

В отношении своих бесплатных уроков Стелла была очень щепетильной. И если кто-то, кроме нее, хотел оказать мадам услугу, пусть даже совершенно незначительную, Стелла устраивала сцену, сердилась и плакала. Из-за голода и постоянного напряжения ее мечтательные глаза истинной польки выцвели и стали желтовато-зелеными, как ряска на застойном пруду. Девушки называли ее «ма шер» и в середине дня покупали ей рогалик и кофе с молоком. Под тем или иным предлогом Алабама и Арьена совали ей деньги. Мадам угощала пирожными и отдавала старые платья. В благодарность Стелла *каждой* из учениц говорила, что мадам, мол, считает ее самой перспективной, и подделывала записи в рабочей книжечке мадам, отчего ее собственный восьмичасовой рабочий день растягивался иногда до девяти или даже десяти одночасовых уроков. Стелла жила в атмосфере постоянного интриганства.

Мадам была строга с ней.

— Ты же знаешь, что никогда не будешь танцевать на сцене, почему бы тебе не подыскать какую-нибудь работу? Ты постареешь, я постарею — что станется с тобой тогда?

— У меня концерт на следующей неделе. Я буду переворачивать страницы и получу двадцать франков. Пожалуйста, мадам, позвольте мне остаться!

Получив эти двадцать франков, Стелла тут же пришла к Алабаме.

— Если вы добавите немного денег, — умоляюще произнесла она, — мы сможем купить аптечку для студии. Как раз на прошлой неделе одна девочка подвернула ногу, а еще нам нужны дезинфицирующие средства, чтобы мазать царапины и волдыри.

Стелла повторяла и повторяла это, и однажды утром Алабама, не выдержав, отправилась вместе с ней за аптечкой. Они стояли в золотистых лучах солнца, словно материализовавшихся в золоченом фасаде, и ждали открытия магазина. Аптечка стоила сто франков и должна была стать сюрпризом для мадам.

— Стелла, ты сама вручи ее мадам, — сказала Алабама, — а я все равно заплачу. Такую сумму тебе не найти.

— Нет, — скорбно подтвердила Стелла. — У меня нет мужа, который мог бы за меня заплатить! Увы!

— У меня есть и другие проблемы, — жестко отозвалась Алабама, не в силах рассердиться на некрасивую и унылую польку.

Мадам была недовольна.

— Надо же учудить такое. Да в раздевалке нет места для такой громадины. — Она посмотрела в безумные глаза разочарованной польки. — Ладно, пригодится. Оставь тут. Но зачем ты тратишь на меня деньги?

И она попросила Алабаму присмотреть за Стеллой, чтобы та больше не покупала ей подарки.

Мадам сердилась, когда Стелла оставляла для нее на столе изюм и шоколадные конфеты с ликером, а еще она приносила в небольших пакетах русский хлеб: с сыром внутри и с сахарными шариками, караваи и клейкий трагически-черный хлеб, — все эти батоны даже не успевали остыть и пахли чистой духовкой, а еще «заплесневелый» эпикурейский хлеб из еврейской булочной. Едва у Стеллы заводились деньги, она что-нибудь покупала для мадам.

Вместо того чтобы сдерживать Стеллу в ее безумствах, Алабама переняла ее бессмысленную экстравагантность. Новые туфли она теперь носить не могла: у нее слишком болели ноги. Ей казалось преступлением надевать новые платья, они бы тут же пропахли одеколоном, и все равно весь день висели бы в раздевалке студии. Алабама думала, что будет работать лучше, если почувствует себя бедной. Она очень часто отказывала себе в каких-то прихотях, и теперь, отдавая стофранковую банкноту за цветы, наделяла их свойствами тех вещей, которые так радовали ее в прошлой жизни, например, эффектностью новой шляпки или бесспорным шиком нового платья.

Она покупала розы, желтые словно императорская атласная парча, белую сирень и розовые, как глазированные пирожные, тюльпаны, розы темно-красные — как стихотворения Вийона, черные бархатистые розы — как крылышко бабочки, холодные голубые гортензии напоминали только что побеленную, чистую стену, а еще были полупрозрачные ландыши, корзинка с настурциями — как из медной фольги, анемоны, словно сошедшие с акварели, задиристые попугайные тюльпаны, которые царапали воздух своими резными лепестками, и роскошные, словно покрытые взбитой пеной, пармские фиалки. Она покупала лимонно-желтые гвоздики с запахом карамели и садовые розы, пурпурные будто малиновый пудинг, и белые цветы, все, какие только отыскивались в цветочном магазине. Алабама дарила мадам гардении, плотные, как белые лайковые перчатки, и незабудки с площади Мадлен, букеты воинственных гладиолусов и нежно-шелковистые, будто готовые замурлыкать, черные тюльпаны. Она скупала цветы, похожие на салат или фрукты, нарциссы и жонкилии, маки и лихнисы, и цветы блестящие и плотоядные, как у Ван Гога. Цветы она выбирала на витринах между металлическими шарами и кактусами близ улицы Мира, а также в магазинах, где продавали в основном растения в горшках и сиреневые ирисы, и в магазинах на Левом берегу, загроможденных декоративными сооружениями из проволоки, и на открытых рынках, где крестьяне красили свои розы в ярко-абрикосовый цвет и насаживали на проволоку головки крашеных пионов.

Тратить деньги было важной частью прежней жизни Алабамы, а теперь, занявшись балетом, она потеряла интерес к материальным ценностям.

В студии не было богачек, только Нордика. Она приезжала на уроки в «роллс-ройсе» и занималась вместе с Аласией, у которой тоже был высокий статус, поскольку она окончила престижный колледж — «Брин Мор». К тому же Аласия обладала житейской хваткой. Она увела его высочество у Нордики, однако Нордика не пожелала расстаться с деньгами, и они как-то мирились друг с другом. Нордика была на удивление красивой блондинкой, а Аласия сумела растрогать милорда. Нордика трепетала от восторга, подчас хмельного, который она старалась подавить, — балетные говорили, что от этих ее восторгов страдают костюмы. Ей не удавалось, так она трепетала, ровно ехать по улице, и подруге приходилось изображать якорь, чтобы та вовремя давила на педаль автомобиля. Они обе однажды пригрозили мадам уходом из студии, потому что Стелла спрятала полупустые банки с креветками за их зеркалом, и они там постепенно протухали. И при этом Стелла твердила, что вонь такая из-за грязной одежды. Когда же девушки нашли креветки, они не пожалели бедняжку Стеллу, которой так нравилось, когда шикарная Нордика и ее подруга находились в классе, ибо они были почти что публикой.

— Polissonne!* — сказали они Стелле. — Ни к чему есть креветки дома, а уж здесь они и вовсе смердящая бомба.

У Стеллы была настолько крошечная комната, что свой чемодан ей приходилось держать на подоконнике, оставляя наклонное окошко этой мансарды полуоткрытым. Она бы задохнулась там со своими креветками.

— Ничего, — утешила ее Алабама. — Я свожу тебя к «Прюнье» поесть креветок.

Мадам сказала Алабаме, что она будет дурой, если в самом деле поведет Стеллу есть креветок к «Прюнье». Мадам могла по пальцам пересчитать дни, когда она и ее муж вместе ели икру среди мясных ароматов на улице Дюфо. Для мадам несчастья всегда ассоциировались с устричным баром — за революциями с неизбежностью следуют экскурсии к «Прюнье», нищета и трудные времена. Мадам была суеверна; она никогда не одалживала булавки и никогда не танцевала в фиолетовом платье, и в ее сознании соединились беда и рыба, которую она обожала, но редко могла себе позволить. Мадам очень боялась искушений роскоши.

От шафрана в буайбесе у Алабамы вспотели щеки, и вино «Барзак» потеряло вкус. Во время ланча Стелла беспокойно ерзала за столом и что-то прятала в салфетке. На нее ресторан «Прюнье» не произвел такого впечатления, какого ждала Алабама.

— «Барзак» — монастырское вино, — равнодушно заметила Алабама.

Втайне Стелла что-то ловила в супе, словно искала мертвое тело. Все ее внимание было поглощено этим, и она не могла даже говорить.

— Ма шер, какого черта ты там шаришь?

---

* Негодяйка! (*фр.*)

Алабаму взбесило то, что Стелла не выказывает большого восторга, и она зареклась водить бедных девушек в места, где бывают богатые люди, пустая трата денег.

— Ш-ш-ш! Ма шер Алабама, я нашла жемчужины — целых три, и такие крупные! Если официант узнает, то потребует жемчужины обратно, поэтому я спрятала их в салфетке.

— Правда? Так покажи.

— Когда мы выйдем на улицу. Уверяю вас, я не шучу. Теперь мы разбогатеем, у вас будет свой балет, а я буду в нем танцевать.

Они молча доели ланч. Стелла так разволновалась, что не стала даже бессмысленно сопротивляться, когда Алабама заплатила и за нее.

Выйдя на улицу, где уже смеркалось, она осторожно развернула салфетку.

— Мы купим мадам подарок, — радостно произнесла Стелла.

Алабама осмотрела желтые шарики.

— Это глаза лобстеров, — уверенно проговорила она.

— Откуда мне было знать? Я же их никогда еще не ела, — потерянно отозвалась Стелла.

Только представить, что живешь с единственной надеждой найти жемчужины — случайное богатство в случайной похлебке! Все равно что оставаться ребенком, который все время смотрит под ноги, выискивая оброненную кем-то монетку — только детям не надо покупать хлеб, изюм, аптечку на монетки, найденные на тротуарах!

День в студии начинался с уроков Алабамы.

В этой холодной казарме горничная скребла пол, отчаянно кашляя. Женщина совала пальцы прямо в пламя керосиновой лампы, чтобы отщепить сгоревший фитиль, и даже не обжигалась.

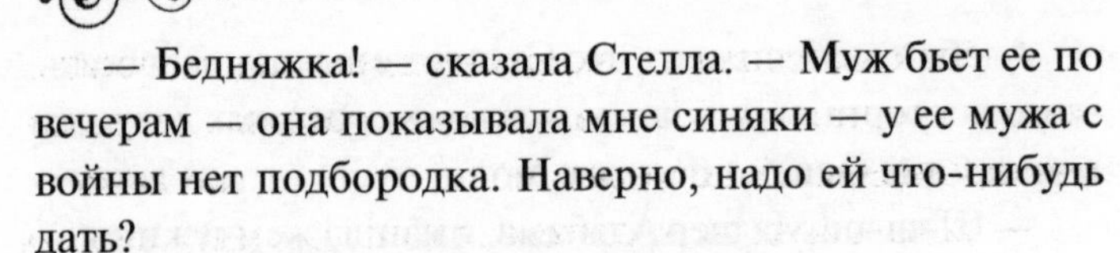

— Бедняжка! — сказала Стелла. — Муж бьет ее по вечерам — она показывала мне синяки — у ее мужа с войны нет подбородка. Наверно, надо ей что-нибудь дать?

— *Хватит,* Стелла! Нельзя помочь всем.

Слишком поздно — Алабама уже обратила внимание на черную запекшуюся кровь под ногтями горничной, где они были сломаны жесткой щеткой, смоченной в жавелевой воде. Она дала женщине десять франков и возненавидела ее за то, что сама же не устояла и пожалела ее. И так было противно работать в холодной удушающей пыли, а тут еще все эти ужасы про горничную.

Стелла отломила шипы у роз и собрала с пола рассыпавшиеся лепестки. И она, и Алабама дрожали от холода и работали в ускоренном темпе, чтобы согреться.

— Покажите мне, что показывает вам мадам на ваших уроках, — потребовала Стелла.

Алабама повторяла снова и снова, пока не начинала задыхаться и мышцы не обретали нужную эластичность. Одно и то же много лет, чтобы через три года подняться всего-навсего на дюйм выше — конечно, если это вообще случится.

— Нужно после того, как запустишь тело, повиснуть в воздухе — вот так.

Алабама подбросила свое тело вверх с колоссальной силой и безвольно опустилась на пол, словно сдувшийся шар.

— Ах, вы будете танцевать! — восхищенно вздохнула Стелла. — Вот только я не понимаю *зачем*, если у вас есть муж.

— Пойми, я ничего не добиваюсь — во всяком случае, так мне кажется, — я хочу просто избавиться от себя.

— Зачем?

— Чтобы сидеть вот так в ожидании урока и думать, что не приди я вовремя, в назначенный час, он останется ничьим и будет ждать меня.

— А ваш муж не сердится оттого, что вы надолго уходите из дома?

— Сердится. Он так сердится, что мне надо нарочно задерживаться подольше, чтобы уже не было времени на скандал.

— Ему не нравятся танцы?

— Никому не нравятся, кроме самих танцоров и садистов.

— Мы неисправимы! Покажите мне еще раз эти движения.

— У тебя не получится — ты слишком толстая.

— Покажите, тогда я смогу лучше подыграть вам на рояле во время урока.

Когда что-то не получалось с адажио, Алабама молча, но яростно ругала Стеллу.

— Вы слышите что-то не то, соберитесь, — пыталась помочь мадам.

Однако Алабама не умела слушать и музыку, и свое тело. Ее унижало то, что она должна была слушать бедрами.

— Я слышу только, как фальшивит Стелла, — с отвращением прошептала она. — Надо же держать темп.

Когда ее ученицы ссорились, мадам в этом не участвовала.

— Танцор ведет в музыке, — коротко заметила она. — В балете не мелодия главное.

Однажды пришел Дэвид со своими друзьями.

Увидев его, Алабама разозлилась на Стеллу.

— Мои уроки не цирк. Зачем ты впустила их?

— Но это же ваш *муж*! Не могу я, как дракон, охранять дверь.

— Failli, cabriole, cabriole, failli, soubresaut, failli, coupé, ballonné, ballonné, ballonné, pas de basque, deux tours*.

— Это не «Сказки Венского леса»? — негромко спросила высокая, шикарно одетая Дикки.

— Не понимаю, почему Алабама не взяла музыку Неда Вейберна, — сказала элегантная мисс Дуглас, чья прическа напоминала порфировые кудри на надгробии.

Желтое дневное солнце струилось в окно будто теплый ванильный крем.

— Failli, cabriole, — повторила Алабама и нечаянно прикусила язык.

Она подбежала к окну, старясь унять кровь, все время ощущая спиной присутствие этих красоток. Кровь струилась по подбородку.

— Что с вами, шерри?

— Ничего.

— Просто смешно так надрываться, — раздраженно заметила мисс Дуглас. — Вот уж удовольствие — постоянно быть такой взмыленной.

— Ужасно! — поддержала ее Дикки. — Перед гостями всего этого не изобразишь! И зачем тогда себя мучить?

Алабама никогда не чувствовала себя так близко к цели, как в то мгновение.

— Cabriole, failli...

Зачем. Вот русская это понимала, и Алабама почти понимала. Алабама знала, что поймет по-настоящему, когда начнет слышать руками и видеть ногами. Непостижимо, но ее друзья ощущают всего лишь необходимость слышать ушами. Вот в этом-то вся суть. Зачем! Неистовая верность искусству танца проснулась в Алабаме. Какой смысл объяснять?

---

* Перечисление балетных фигур.

«Встретимся на углу в бистро», — прочла она в записке Дэвида.

— Вы пойдете к своим друзьям? — бесстрастно спросила мадам после того, как Алабама прочитала записку.

— Нет, — сказала как отрезала Алабама.

Русская вздохнула:

— Почему?

— Жизнь слишком печальна, а я слишком грязная после урока.

— Что будете делать одна дома?

— Шестьдесят фуэте.

— Не забывайте *pas de bourrée*.

— Почему мне нельзя делать то, что делает Арьена? — взвилась Алабама. — Или хотя бы то, что делает Нордика? Стелла говорит, у меня получается не хуже.

Тогда мадам провела ее через сложности вальса из «Павильона Армиды»*, и Алабама поняла, что она все еще похожа на девочку, которая прыгает через скакалку.

— Пока вы не готовы! Для Дягилева танцевать нелегко.

Дягилев назначал репетиции на восемь часов утра. Из театра танцовщики уходили только к вечеру. После работы с мэтром они прямиком направлялись в студию. Дягилев настаивал на том, чтобы они жили в постоянном напряжении, когда движение, то есть танец, было для них необходимостью, своего рода наркотиком. Танцоры работали без передышки.

В один прекрасный день в труппе состоялась свадьба. Алабама с удивлением смотрела на пришедших де-

* Речь идет о знаменитом Большом вальсе из балета на музыку Николая Черепнина (1873—1945), премьера которого состоялась в Мариинском театре в 1907 г. В Париже балет ставили с 1909 г.

вушек, которые были в одежде на выход, в мехах и простеньких кружевах. Теперь они казались ей старше; и их всех отличала некая горделивость, так как они отлично осознавали красоту своих тел, даже в этом дешевом облачении. Стоило им поправиться хотя бы ненамного против установленных Дягилевым пятидесяти килограммов, как маэстро начинал громко и визгливо возмущаться.

— Придется похудеть. Я не могу платить за своих танцоров в гимнастическом зале, чтобы они не пыхтели, исполняя адажио.

Женщин в труппе он будто бы и не считал танцовщицами, разве что за исключением звезд. И все же они жили своей преданностью гению, творя из него кумира и отделяя себя от других из-за настоятельного требования мэтра посвятить себя целиком его балету. В его постановках не было ничего *petite marmite**, как и в его подопечных, которых он отыскивал среди русских оборвышей, некоторые были весьма преданы балету. Они жили ради танца и ради своего учителя и хозяина.

— Что вы делаете со своим лицом? — язвительно спрашивала мадам. — Мы здесь не снимаем кино. Пожалуйста, никаких эмоций.

— Раз-два-три, раз-два-три...

— Алабама, покажите, — в отчаянии плакала Стелла.

— Как я могу показать, когда сама не умею, — раздраженно отзывалась Алабама.

Она злилась оттого, что Стелла записала ее на те же часы, когда занималась сама. И мысленно твердила, что больше никогда не даст ей денег и поставит ее на место. Однако девушка отлично знала жизнь и чуяла, когда пахло жареным, поэтому она приносила Алабаме то яблоко, то пакетик мятных леденцов, так что той

* Здесь: вполсилы (*фр.*).

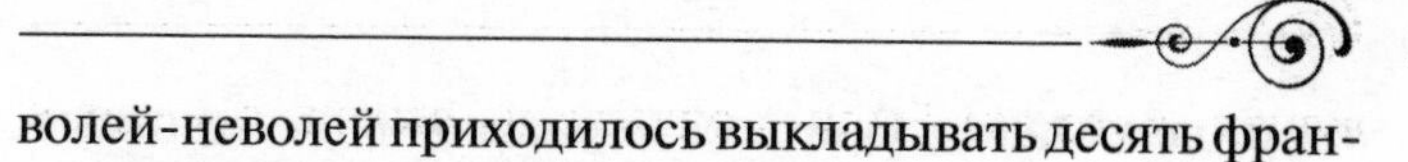

волей-неволей приходилось выкладывать десять франков за покупки.

— Если бы не вы, как бы я жила? Дядя больше не в состоянии посылать мне деньги.

— А как ты собираешься жить, когда я уеду в Америку?

— Будут другие — может быть, тоже из Америки.

Стелла непредусмотрительно улыбнулась. Она много рассуждала о трудностях, ее ждущих, но на самом деле не умела заглядывать хотя бы на день вперед.

Пришла Малин и дала Стелле денег. Малин хотела открыть собственную студию, поэтому предложила Стелле работать у нее пианисткой, если удастся переманить достаточно учениц у мадам. Бесчестную игру затеяла мать Малин — она тоже когда-то была балериной, однако не очень известной.

Мать Малин, толстая, как деликатесные колбаски, которые якобы поддерживали в ней жизнь, из-за жизненных злоключений почти ослепла. В раздутой пухлой руке она обычно держала лорнет и внимательно, не отрывая глаз, следила за дочерью.

— Послушай, — сказала она Стелле, — даже у Павловой не получаются *sauts sur les points*!* Моя Малин лучше всех. Ты приведешь своих подружек в нашу студию?

У Малин была куриная грудь, и она двигалась как корова на льду.

— Малин словно цветочек, — говорила старая квочка. Когда Малин потела, от нее несло луком. Она делала вид, будто любит мадам, и была ее давней ученицей — мать Малин рассчитывала, что мадам пристроит ее дочку в «Русский балет».

Опрыскивая пол перед занятиями, Стелла якобы нечаянно уронила лейку, и вода пролилась на то место,

* Прыжки на пуантах (*фр.*).

где стояла Малин. Она даже не соизволила извиниться, считая, что мадам оценит ее ненависть.

— Failli, cabriole, failli...

Малин поскользнулась в луже и ушибла коленку.

— Я знала, что наша аптечка пригодится, — обрадовалась Стелла. — Алабама, вы поможете мне наложить повязку?

— Раз, два, три!

— Розы уже завяли, — с упреком произнесла Стелла.

Она попросила у Алабамы старые юбки из органди, которые не сходились на ней, оставляя огромную прореху на небезупречных бедрах. Алабама взяла четыре полосы ткани и, собрав в оборки, нашила их на широкие пояса — ей стоило пять франков отутюжить юбки во французской прачечной. Красный, блеклый до белизны цвет символизировал погоду — такую как в Нормандии, зеленовато-желтый — нехорошие дни, розовый был для ранних уроков и небесно-голубой — для поздних. Утром Алабаме больше всего нравилось надевать белые юбки, они больше всего подходили к прозрачным теням на небе.

Она купила хлопковые велосипедные майки и положила их на солнце, чтобы выгорели до пастельных тонов. Выцветшую оранжевую она надевала с розовой юбкой, зеленую — с зеленовато-желтой. Находить новые сочетания стало увлекательной игрой для Алабамы. Привычная яркая одежда, которую Алабама выбирала для выхода из дома, здесь сменялась менее броской. Она выбирала цвета в зависимости от настроения.

Дэвиду не нравилось, что ее комната пропахла одеколоном. В углу постоянно лежала куча грязной одежды из студии. Широченные юбки не лезли в шкафы и ящики. Алабама изматывала себя до полусмерти и не замечала, что творится дома.

Однажды Бонни пришла пожелать ей доброго утра. Алабама опаздывала. Половина восьмого, а сырой ночной воздух испортил накрахмаленную юбку. Недовольно развернувшись, она с раздражением произнесла:

— Сегодня ты не чистила зубы.

— Чистила, — возразила малышка, рассердившись на несправедливое подозрение. — Ты сама говорила, что это надо делать раньше всего остального.

— Я говорила, а ты решила, что сегодня можно обойтись без этого. У тебя на зубах крошки от бриоши.

— Нет, я почистила.

— Бонни, не говори неправду.

— Это ты говоришь неправду! — крикнула Бонни.

— Как ты смеешь дерзить мне?

Алабама схватила дочь за маленькие ручки и звонко шлепнула ее по попке. Короткий звук, словно взрыв, — Алабама поняла, что она шлепнула Бонни слишком сильно. Обе смотрели друг на друга с упреком.

— Извини, — сделала Алабама жалкую попытку помириться. — Я не хотела сделать тебе больно.

— Тогда зачем ты меня шлепнула? — переспросила возмущенная Бонни.

— Я просто хотела наказать тебя за вранье.

Алабама сама не верила тому, что говорила, однако дать какое-то объяснение было необходимо.

Она торопливо вышла из комнаты. В коридоре около двери в комнату Бонни она остановилась.

— Мадемуазель!

— Да, мадам!

— Бонни сегодня чистила зубы?

— Конечно! Мадам приказала, чтобы она чистила зубы, как только встает с постели, хотя лично я думаю, что это портит эмаль...

— Черт! — злясь на себя, воскликнула Алабама. — Но крошки все равно были. Что же мне сказать Бонни, я ведь зря ее отругала?

Как-то днем, когда мадемуазель не было дома, няня привезла Бонни в студию. Танцовщицы стали наперегонки баловать девочку; Стелла тоже дала ей сладостей, и Бонни, давясь и брызгая слюной, терла руками рот, залепленный шоколадом. Алабама строго-настрого запретила ей шуметь, и та старалась не кашлять. Хлопая раскрасневшуюся Бонни по спине, Стелла повела ее в раздевалку.

— Ты тоже будешь танцевать, когда вырастешь?

— Нет, — твердо заявила Бонни. — Стать такой, как мамочка, слишком sériese*. Раньше она была лучше.

— Мадам, — сказала няня, — я потрясена! Как у вас ловко получается. Почти так же, как у всех остальных. Вряд ли это понравилось бы мне самой — но вам, наверно, тут хорошо.

— Господи... — в ярости прошипела Алабама.

— Всем надо что-то делать, а мадам никогда не играет в бридж, — не унималась няня. — Надо же что-то делать, поэтому, когда мы находим свое, оно захватывает нас.

Алабаме хотелось крикнуть: «Заткнись!»

— Разве бывает иначе?

Когда Дэвид сказал, что хочет еще раз приехать в студию, Алабама воспротивилась.

— Но почему? Я думал, ты хочешь показать, чего добилась.

— Ты не поймешь, — безапелляционно заявила Алабама. — Увидишь, что я делаю упражнения, которые у меня не получаются, и станешь меня отговаривать.

* Серьезно (*фр.*).

Танцовщицы постоянно работали до полного изнеможения.

— Почему déboulé*? — увещевала мадам. — Вы это уже делали — кажется.

— Ты очень похудела, — сочувственно твердил Дэвид. — Зачем себя убивать? Надеюсь, ты когда-нибудь поймешь, что в искусстве между любителем и профессионалом — огромная разница.

— Наверно, ты имел в виду себя и меня... — задумчиво отозвалась Алабама.

Дэвид показывал Алабаму своим друзьям, словно она была одной из его картин.

— Вы только пощупайте ее мускулы, — говорил он.

Кажется, натренированность ее тела стала чуть ли не единственным поводом для их общения.

Мышцы на ее тоненьком теле исходили жаром, собирая отчаяние усталости, от которого горело все внутри.

Успех Дэвида был его собственным — он заработал право критиковать, а Алабама чувствовала, что ей нечего дать миру, к тому же она не могла уйти от того, что уже осталось в прошлом.

Надежда стать членом труппы Дягилева неясно мерцала впереди, как дарующий благодать собор.

— Ты не первая учишься танцевать, — сказал Дэвид. — И не надо так ханжить.

Алабама не могла избавиться от уныния, так как лелеяла свои честолюбивые мечты, основываясь лишь на спорной лести Стеллы.

В студии Стелла была для всех посмешищем. Злые завистливые девушки срывали на массивной и неуклюжей польке досаду или просто плохое настроение.

* Вращение (*фр.*).

Она же так старалась всем угодить, что обязательно оказывалась у кого-то на пути — она льстила всем.

— Не могу найти новое трико — а я отдала за него четыреста франков, — возмутилась как-то Арьена. — У меня нет столько денег, чтобы выбрасывать на ветер четыреста франков! У нас в студии никогда прежде не случалось воровства.

Арьена обвела взглядом всех танцовщиц и остановила его на Стелле.

Призвали мадам, чтобы разрешить разгорающийся конфликт. Стелла положила трико в сундук Нордики. Разозлившись, Нордика заявила, что придется отдать в чистку все туники, но она могла бы этого и не говорить, так как Арьена держала свои вещи в идеальном состоянии.

По собственной инициативе Стелла поставила Киру позади Арьены, чтобы та могла поучиться, копируя ее замечательную технику. Кира была красавицей с длинными каштановыми волосами и роскошными формами, к тому же, протеже — неизвестно кого, — но правильно двигаться, не имея перед собой примера для подражания, она никак не могла.

— Кира! — вопила Арьена. — Не мешай мне! Она спит за станком и спит без станка. Можно подумать, что здесь лечат сном!

У Киры был надтреснутый голос.

— Арьена, — угодливо говорила она, — ты не поможешь мне с батри*?

— Тебе — с батри?! — взвилась Арьена. — Куда тебе батри, тебе разве что подойдет батарея кастрюлек на кухне. Или мне сообщить Стелле, что у меня теперь собственные протеже?

* Прыжковые движения в классическом танце.

Стелла вынуждена была попросить Киру отойти подальше от Арьены, та заплакала и отправилась к мадам.

— Почему Стелла распоряжается, где я должна стоять?

— Не знаю, — ответила мадам, — но она тут живет, так что не обращай на нее внимания.

Мадам никогда не была особенно многословной. Ей казалось закономерным то, что девушки ссорятся. Иногда она могла обсудить желтый или светло-вишневый цвета в музыке Мендельсона. Неизбежно значение ее слов начинало ускользать от Алабамы, погружавшейся в темные скорбные воды Мраморного моря русского языка.

Карие глаза мадам были как бронзово-красные дорожки в осенней буковой роще, где полно болот, затянутых туманом, и чистые озерца неожиданно выплескиваются из земли, когда, ступая, нажимаешь на нее ногой. Девушки покачивались в такт движениям рук мадам, словно буйки на прихотливых волнах. Почти ничего не произнося на своем непостижимом, затейливом восточном языке, девушки, все сами музыкантши, понимали, что, едва пианистка начинала трогательную мелодию из «Клеопатры»*, мадам тут же изнемогала от их самонадеянности. И они сразу требовали Брамса, потому что тогда уроки получались живыми и наполненными. У мадам, как известно, не было другой жизни, кроме студийной, и она жила, лишь когда сочиняла балетные сценки.

---

* Обратившись для «Русских сезонов» (1909) к образу Клеопатры, Дягилев воспользовался сюжетом «Египетских ночей» Пушкина и заказал балет Фокину, смело «прослоив» музыку Аренского фрагментами музыки Глазунова, Римского-Корсакова и Мусоргского. Но, возможно, автор имела в виду оперу Массне «Клеопатра», что менее вероятно.

— Стелла, где мадам живет? — полюбопытствовала как-то Алабама.

— Ма шер, студия и есть ее дом, — ответила Стелла, — и наш тоже.

Однажды урок Алабамы был прерван — явились какие-то люди с рулетками. Они обошли всю студию, сделали обмеры и подсчеты. Потом пришли еще раз в конце недели.

— Что это значит? — спросили девушки.

— Нам придется переехать, мои дорогие, — печально ответила мадам. — Здесь хотят устроить киностудию.

На последнем уроке Алабама пыталась перед разрозненными кусками зеркала найти потерянные пируэты и окончания тысячи арабесков.

В студии не осталось ничего, кроме толстого слоя пыли и ржавых шпилек, скопившихся за тяжелой рамой, висевшей на стене картины.

— Я подумала, что найду что-нибудь, — застенчиво произнесла она, поймав любопытный взгляд мадам.

— А тут ничего нет! — воскликнула русская, разведя руками. — В мою новую студию вы сможете надевать пачку, — добавила она. — Вы просили сообщить, когда я сочту, что вы уже стали балериной. И, кто знает, возможно, в ее складках вы что-нибудь найдете.

Этой замечательной женщине было грустно покидать выцветшие стены студии, много чего повидавшие за долгие годы.

Щедро поливая потом обшарпанный пол, Алабама работала, несмотря на подхваченный на зимних сквозняках бронхит, прожигая свою жизнь в самом буквальном смысле.

И она, и Стелла, и Арьена помогали мадам перетаскивать кучи старых юбок, сношенных балеток, ненужные сундуки. Пока они все вместе разбирали эти вещи, напоминавшие о самоотверженной борьбе танцовщиц за красоту линий тела и па, Алабама наблюдала за русской.

— Ну? — произнесла мадам. — Все это очень грустно, — помолчав, добавила она безутешно.

III

Высокие углы новой студии в Русской консерватории обтачивали свет до блеска бриллиантовых граней.

Алабама стояла одна, наедине с собственным телом, в этих равнодушных стенах, наедине с собой и своими почти осязаемыми мыслями, похожая на вдову в окружении принадлежавших прошлому вещей. Длинными ногами она разбивала белую пачку, напоминая статуэтку девы, решившей укротить луну.

— Хар-ра-шо, — произнесла балетная повелительница, и в этом раскатистом русском слове Алабаме чудились неистовые клики и гром, разносящиеся над степью. Русское лицо было белым и тускло светилось, как стекло, тронутое слабым лучом. Голубые жилки на лбу говорили о сердечном недомогании, однако мадам не была больной, разве что страдала от постоянного пребывания в мире абстракций. Жила она трудно. Ланч приносила с собой в студию: сыр, яблоко и термос с холодным чаем. Она сидела на ступеньках, что вели на возвышение, и смотрела в пространство сквозь печальные такты адажио.

Алабама приближалась к витавшей неведомо где княгине, уверенно направляя себя, так направляют крепкой рукой стрелу в луке. Болезненная улыбка оживляла ее лицо — удовольствие от танца можно обрести лишь тяжким трудом. Шея и грудь покраснели и горели огнем; плечи были сильными и твердыми и казались слишком тяжелыми для тонких точеных рук. Она не сводила нежного взгляда с белой фигуры.

— Что вы видите, когда вот так смотрите?

Нежность и самоотречение словно бы незримо окружали русскую.

— Очертания, девочка, образы.

— Красивые?

— Да...

— Я это станцую.

— Отлично. Только обрати внимание на рисунок. Па у тебя получаются, но ты всегда забываешь об общем. Без понимания общей идеи ты не сможешь ничего рассказать своим танцем.

— Я попробую.

— Начинай! Шерри, это была моя первая роль.

Алабама уничижала себя, совершая жертвенный ритуал, это походило на сладострастное самобичевание русских, которому они предавались даже во второстепенных партиях. Она медленно двигалась под торжественно-печальное адажио из «Лебединого озера».

— Минутку.

Взглядом она нашла белое прозрачное лицо в зеркале. Две улыбки встретились и соединились.

— Я это сделаю, правда, может быть, сломаю ногу, — сказала она, прежде чем начать заново.

Русская натянула шаль на плечи. Очнувшись от своих глубоких грез, она проговорила, не слишком, впрочем, убедительно:

— Не стоит — тогда ты не сможешь танцевать.

— Да, — согласилась Алабама, — не стоит рисковать.

— Давай маленькими шагами, — вздохнула старая балерина, — сможешь — так сможешь.

— Попробую.

Новая студия была не похожа на прежнюю. Здесь было меньше места, и мадам сократила количество бесплатных уроков. В раздевалке тоже не хватало места, чтобы попрактиковаться в *changement depieds**. Туники стали чище, ибо их негде было оставлять для просушки. Здесь занималось много англичанок, которые пока еще верили в возможность одновременно жить как все и танцевать, они заполняли раздевалку сплетнями о катаниях по Сене и веселых сборищах на Монпарнасе.

Вечерние классы были мучительны. Черный дым с вокзала повисал над студией, к тому же появилось слишком много мужчин. У станка работал негр, приверженец классического танца, из Фоли-Бержер. У него было потрясающее тело, но девушки смеялись над ним. Они смеялись над Александром, близоруким интеллектуалом в очках — он обычно бронировал ложу в Московском балете, в ту пору, когда служил в армии. Смеялись над Борисом, который перед уроком заходил в соседнее кафе и пил десять капель валерьянки; смеялись над Шиллером, потому что он был старым и у него опухало лицо, так как он много лет гримировался — то барменом, то клоуном. Смеялись они и над Дантоном, потому что тот умел танцевать на пуантах, хотя и старался не показывать, до чего он хорош и что на него стоит посмотреть. Девушки смеялись над всеми, кроме Лоренца — никто не смеялся над Лоренцем. У него было лицо фавна из восемнадцатого столетия, он горделиво напрягал безупречные мускулы. Глядя, как этот смуглый гений танцует шопеновскую мазурку, каждая ощущала себя помазанницей, причастившейся высшей истины, иной же в жизни просто не существует... Он был застенчив и нежен, хотя считался лучшим танцором в мире, и иногда он сидел с девушками пос-

* Перемена ног (*фр.*).

ле занятий, пил кофе из стакана и жевал русские булочки с маком. Он понимал остроумную виртуозность Моцарта и тонко чувствовал высокое безумие, против которого люди разумные давно разрабатывали вакцину, предназначенную для тех, кто собирался существовать в унылой реальности. Чувственные пассажи Бетховена не представляли трудностей для Лоренца, но революционные вихри современных музыкантов были ему не под силу. Он говорил, что не может танцевать под музыку Шумана, и в самом деле не мог, потому что постоянно опаздывал или обгонял ритм романтических музыкальных каденций. Алабама считала его совершенством.

Злобностью, не уступающей злобности гномов, и безупречной техникой Арьена купила для себя свободу от насмешек.

— Ну и ветер! — кричал кто-нибудь.

— Это Арьена делает повороты.

Ее любимым музыкантом был Лист. Она играла на своем теле, словно на ксилофоне, и была незаменимой для мадам. Когда мадам просила сделать сразу десять разных шагов подряд, только Арьена могла это исполнить. У нее был твердый подъем, и пуанты уверенно резали воздух, словно инструмент скульптора, а вот руки были коротковаты и не могли достигнуть завершенности движений, отягощенные собственной силой и рублеными линиями слишком мощных мускулов. Ей нравилось рассказывать, как когда ей потребовалась операция, врачи приходили посмотреть на ее спину, где был четко виден каждый мускул.

— А вы очень продвинулись, — сказали девушки Алабаме, толпясь перед ней, чтобы оказаться впереди.

— Оставьте место для Алабамы, — потребовала мадам.

Каждый вечер она делала четыреста батманов.

Каждый день, добираясь до площади Согласия, Арьена и Алабама спорили, кто заплатит за такси. Арьена настоятельно звала ее к себе на ланч.

— Ты часто платишь за меня, а я не люблю быть в долгу, — говорила она.

Обеих мучило желание понять, что именно в сопернице заставляет испытывать зависть, и поэтому их тянуло быть вместе. И та и другая были весьма строптивы, и это еще больше укрепляло их дружбу, дружбу двух сорванцов.

— Ты должна взглянуть на моих собак, — говорила Арьена. — Одна — настоящая поэтесса, а другая идеально воспитана.

У Арьены на маленьких столиках было много папоротников, которые блестели серебром на солнце, и много фотографий с автографами.

— У меня нет фотографии мадам.

— Может быть, она подарит нам по одной.

— Мы можем купить их у фотографа, который снимал ее, когда она в прошлом году танцевала на сцене, — забыв о незаконности сделки, предложила Арьена.

Мадам и рассердилась и обрадовалась, когда они принесли фотографии в студию.

— Я дам вам другие, получше.

Мадам подарила Алабаме такую: она в широкой юбке в горошек танцует в балете «Карнавал»*, кисти рук скрещены, отчего похожи на крылышки бабочек. Алабаму не переставали удивлять руки мадам: совсем не длинные, и довольно полные. Арьена же фотографию не получила, оттого завидовала Алабаме, и чем дальше, тем сильнее.

---

* Балет на музыку Шумана, поставленный «Русским балетом Сергея Дягилева».

Мадам справила новоселье в студии. Они выпили много сладкого шампанского, которое делают в России, и съели много клейких внутри русских пирогов. Алабама пожертвовала две бутылки шампанского марки «Поль Роже», однако князь, муж мадам, получивший образование в Париже, унес их домой, чтобы самому получить удовольствие от знаменитого напитка.

Алабаме стало плохо от сыроватого теста — и князя отправили проводить ее в такси до дома.

— Мне везде чудится запах ландышей, — сказала она.

Голова у нее кружилась от вина и духоты. И она держалась за ремни на всякий случай.

— Вы слишком много работаете, — отозвался князь.

В свете мелькающих фонарей лицо князя казалось костлявым. Поговаривали, что он содержит любовницу на деньги, которые ему дает мадам. Пианистка тоже содержала мужа — он чем-то болел. Почти все кого-то содержали. Раньше это вызывало у Алабамы негодование, но очень-очень давно — такова жизнь.

Дэвид обещал помочь Алабаме стать хорошей танцовщицей, однако не верил, что у нее получится. В Париже у него появилось много друзей. Когда он возвращался из своей студии, то чаще всего кого-то приводил с собой. Они шли обедать — в окружении гравюр Бенедетто Монтанья, кожи и цветного стекла Поля Фойо, среди плюша и букетов в ресторанах на площади Оперы. Если Алабама просила Дэвида прийти пораньше, он сердился.

— Какое у тебя право жаловаться? Из-за этого чертова балета ты забыла обо всех своих друзьях.

С его друзьями они пили «Шартрез» на бульварах под розово-кварцевыми фонарями и деревьями, которые с наступлением темноты делались похожими на веера из перьев в руках молчаливых куртизанок.

Алабаме становилось все тяжелее и тяжелее. В сплетениях уверенных фуэте ей ее ноги казались бездарными; она считала, что в стремительной элевации* из пяти антраша у нее висят груди, словно у сухопарой английской старухи. В зеркале грудей вообще не видно. Ничего у нее нет, кроме мускулов. Успех стал навязчивой идеей. Она работала на износ, под конец урока ощущая себя продырявленной рогом быка лошадью, которая тащит за собой по арене выпадающие кишки.

Дома все шло кувырком, поскольку некому было следить за порядком. Утром, прежде чем уйти, Алабама оставляла список блюд для ланча, которые повариха и не думала готовить: она хранила масло в ларе для угля и каждый день тушила кролика для Адажио, а семейству подавала то, что любила есть сама. Нанимать другую повариху не было смысла; да и сама квартира оставляла желать лучшего. Домашняя жизнь стала представлять собой существование на одной территории разных индивидов, не имеющих общих интересов.

Бонни считала, что родители — это нечто приятное и непостижимое, как Санта Клаус, который никак не влияет на ее жизнь, досаждали только проклятия мадемуазель.

Мадемуазель водила Бонни гулять в Люксембургский сад, в своих коротеньких белых перчатках девочка выглядела настоящей француженкой, когда катила обруч между клумбами с металлическими цинниями и геранью. Бонни быстро росла, и Алабаме хотелось, чтобы она начала заниматься балетом — мадам обещала посмотреть ее, как только найдется время. Но Бонни за-

* Высокие прыжки с перемещением в пространстве и фиксацией в воздухе той или иной позы.

 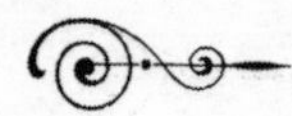

явила, что не желает танцевать, и это было совершенно непонятно Алабаме. Кстати, Бонни же сообщила, что в Тюильри мадемуазель гуляла с шофером. Мадемуазель ответила, что ниже ее достоинства опровергать нелепое предположение. Повариха стояла на том, что волосы в супе с черных усов горничной Маргерит. Адажио ел, разлегшись на диване с шелковой обивкой. Дэвид говорил, что их дом похож на приют для лодырей: наверху в девять часов утра слуги крутили на их, хозяйском, патефоне «Пульчинеллу»*, не давая ему спать. Алабама все больше и больше времени проводила в студии.

Наконец-то мадам взяла Бонни в ученицы, и ее мать вся трепетала, видя, как маленькие ручки и ножки старательно повторяют движения наставницы. Новая мадемуазель прежде работала у английского герцога; она сокрушалась из-за того, что атмосфера студии губительна для маленькой девочки. Что ж, она не говорила по-русски и думала, будто танцовщицы — это исчадия ада, которые несут тарабарщину на непонятных языках и беззастенчиво кривляются перед зеркалом. Новая мадемуазель оказалась неврастенической особой. Мадам сообщила, что таланта у Бонни вроде бы нет, но пока еще рано что-то говорить.

Однажды утром Алабама пришла на урок необычно рано. До девяти часов утра Париж похож на карандашно-чернильную зарисовку. Чтобы избежать слишком напряженного движения на бульваре Батиньоль, Алабама попыталась добраться до студии на метро. Там пахло жареной картошкой, и еще Алабама поскользнулась на мокрой лестнице. Она испугалась, как бы ей в этой кошмарной толпе не отдавили ноги. В раздевалке ждала заплаканная Стелла.

---

* Балет на музыку И. Стравинского, поставленный в 1920 г. Леонидом Мясиным в декорациях Пабло Пикассо у Дягилева.

— Вы должны помочь мне, — пролепетала она. — Арьена только и делает что издевается, а я штопаю ее балетки, привожу в порядок ее ноты. Мадам предложила мне брать деньги за то, что я играю на ее уроках, а она не хочет платить.

Арьена стояла в темноте, склонившись над своими вещами.

— Больше не буду тут танцевать. У мадам есть время для детей, для любителей, есть время для всех, а Арьена Женнере должна работать в те часы, когда в классе нет приличной пианистки.

— Я стараюсь. Ты только скажи, — рыдала Стелла.

— Я и говорю. Ты милая девушка, но играешь, как cochon*!

— Ты же не объясняешь, чего хочешь, — умоляюще проговорила Стелла. Ужасно было видеть ее лицо карлика, искаженное страхом и опухшее от слез.

— Объясняю в последний раз. Я артистка, а не учительница музыки. Поэтому Арьена уходит, а мадам пусть и дальше занимается своим детским садом.

По ее лицу тоже текли слезы, злые слезы.

— Арьена, если кто-то и уйдет, — сказала Алабама, — так это я. Тогда у тебя снова будут твои часы.

Арьена, не переставая плакать, обернулась к ней.

— Я объяснила мадам, что не могу заниматься вечером после репетиций. Мои уроки стоят денег; и я не могу платить ни за что, у меня должны быть успехи. Я плачу столько же, сколько ты.

И она вызывающе уставилась на Алабаму.

— Я зарабатываю своим трудом, — не скрывая презрения, произнесла она.

---

* Свинья (*фр.*).

— Надо начинать в детстве, — сказала Алабама. — Это ты сказала, что когда-то надо начинать — в первый раз, когда мы познакомились.

— Правильно. Но пусть начинают, как остальные, с теми, кто попроще, а не с великими балеринами.

— Я буду заниматься вместе с Бонни, — наконец произнесла Алабама. — Ты можешь остаться.

— Ты очень добрая, — засмеялась Арьена. — У мадам всегда была слабость к новеньким. Я останусь, во всяком случае, пока.

В порыве чувств она чмокнула Алабаму в нос.

Бонни, как могла, восставала против уроков. Три часа в неделю она занималась у мадам, и та была очарована девочкой. Личные чувства вклинились в отношения с ученицей. Она приносила Бонни фрукты и шоколадные язычки и усердно ставила ей ножки. На Бонни она изливала свою любовь; танцевальные эмоции были жестче, чем личная нежность. Девочка все время носилась по квартире в прыжках и *pas de bourrée*.

— Боже мой, — вздыхал Дэвид. — Хватит и одной танцовщицы в семье. Это невыносимо.

Дэвид и Алабама торопливо проходили мимо друг друга в затхлых коридорах и за едой следили друг за другом, словно в ожидании враждебного выпада.

— Алабама, если ты не прекратишь напевать, я сойду с ума, — простонал однажды Дэвид.

Она поняла, что ему досаждает музыка, которая целый день звучала у нее в голове. Ничего другого там не было. Мадам сказала ей, что она не музыкантша. А Алабама словно видела музыку, представляла ее в реальных образах — иногда музыка превращала ее в фавна, который чувствует себя вольготно в сумрачных мирах, куда нет доступа никому, кроме него самого; иногда в одинокую, забытую богами статую, омываемую волнами на пустынном берегу, — в статую Прометея.

В студии приятно повеяло успехами. Первой Арьена сдала экзамен и была зачислена в балетную труппу театра «Гранд-Опера». Она как будто распространила на студию ауру своего успеха. И привела в класс небольшую группу француженок, словно сошедших с полотна Дега, — очень кокетливых в длинных балетных юбках и с голыми спинами. Они много душились и говорили, что от запахов русских их тошнит. А русские жаловались мадам, что не могут дышать, когда им в нос бьет французский мускус. Мадам поливала пол лимонным маслом и водой, чтобы угодить всем.

— Я буду танцевать для президента Франции! — с этим торжествующим криком однажды вбежала в студию Арьена. — Наконец-то, Алабама, они оценили Женнере!

Алабама постаралась подавить приступ зависти. Она была рада за Арьену, которая много работала и не имела в жизни ничего, кроме танцев. Тем не менее ей хотелось самой быть на месте Арьены.

— Итак, придется отказаться от кексиков и коктейлей и жить по-монашески три недели. Прежде чем начать, я бы хотела устроить вечеринку, но мадам не придет. Она обедает с тобой — с Арьеной она никуда не пойдет. Я спрашивала ее, почему так, и она сказала: «Ты другое дело — у тебя нет денег». Когда-нибудь у меня тоже будут деньги.

Она смотрела на Алабаму так, словно ждала от нее возражений. Но Алабаме нечего было сказать — она никогда ни о чем таком не задумывалась.

За неделю до выступления Арьены в «Опера» назначили репетицию, которая совпала с уроком Арьены у мадам.

— Я буду работать по расписанию Алабамы.

— Если она поменяется с тобой на неделю, — согласилась мадам.

Но Алабама не могла приходить к шести. Это означало бы, что она появится дома не раньше восьми и Дэвид будет обедать один. Весь день в студии.

— Нет значит нет, — сказала мадам.

Арьена взорвалась. Она жила в ужасном нервном напряжении, разрываясь между театром и студией.

— На этот раз все! Поищу кого-нибудь другого, кто действительно поможет мне стать великой балериной! — с угрозой произнесла она.

Мадам только улыбнулась.

Алабама не стала делать одолжение Арьене; так они и работали, ненавидя друг друга, но сохраняя внешнее дружелюбие.

Профессиональная дружба не выносит сколько-нибудь серьезных испытаний. Здесь всё только для себя, и все происходящее осмысливается в ракурсе соответствия собственным желаниям — примерно так думала Алабама.

Арьена вообще не отличалась сговорчивостью. Все, что выходило за пределы ее коронного жанра, она делать не желала, считая это напрасной тратой сил. По лицу ее катились слезы, когда она, снова всплыв, села на ступеньки и уставилась в зеркало. Танцоры — люди чуткие, почти дети природы, и Арьена своим поведением деморализовала студию.

Теперь в студии мадам появились танцовщицы несколько иные, не такие, как ее постоянные ученицы. Шли репетиции в труппе Иды Рубинштейн, и ее балерины вновь получали достаточно денег и могли позволить себе заниматься у мадам. Уехавшие в Южную Америку девушки возвращались обратно из распущенной труппы Анны Павловой* — одни только шаги не были

* Эту великую русскую балерину, кстати, в труппе называли «мадам».

достаточным критерием силы и техники, по мнению Арьены. Они формировали тело, но понемногу возвращалась музыка Шумана и Глинки, которого Арьена ненавидела сильнее всего, — она забывалась в возбуждающих громыханиях Листа и мелодраматических всхлипах Леонкавалло.

— Я уйду отсюда, — сказала она Алабаме, — на следующей неделе. — У нее были твердо сжаты губы. — Мадам глупа. Она неизвестно для чего жертвует моей карьерой. Но ведь есть и другие!

— Арьена, не так становятся великими, — заметила мадам. — Тебе надо передохнуть.

— Мне больше здесь нечего делать, поэтому лучше я уйду, — возразила Арьена.

Перед утренними занятиями девушки практически ничего не ели, разве что посыпанный солью сухой кренделек — студия располагалась так далеко от тех мест, где они жили, что им просто в горло ничего не лезло в такую рань; все были раздражены. Зимнее солнце тусклыми квадратами пробивалось сквозь туман, и серые здания на площади Республики выглядели как выстуженные казармы.

Мадам приказала Алабаме и Арьене продемонстрировать остальным самые трудные шаги. Но Арьена была уже сложившейся балериной. Алабама понимала, что будет выглядеть слабее, чем яркая и сильная француженка. Когда все танцевали вместе, обычно определенная комбинация шагов больше подходила Арьене, и она задавала тон, а не Алабама с ее лиричным исполнением, более всего ей удававшимся, и однако же Арьена всегда кричала, что эти плавные па Алабаме не под силу. Нарочно, чтобы всем продемонстрировать — Алабама занимается вместе с балеринами не по праву.

Алабама дарила мадам цветы, которые быстро вяли и скукоживались в слишком жаркой студии. Будь тут

поудобнее, приходило бы больше зрителей. Как-то заглянул критик Императорского балета, чтобы посмотреть на урок Алабамы. Влиятельный педант, он ушел, что-то проговорив по-русски.

— Что он сказал? — спросила Алабама, когда осталась наедине с мадам. — Я плохо танцевала — он подумает, что вы плохой учитель.

Она чувствовала себя несчастной, не видя воодушевления мадам: этот человек был балетным критиком номер один в Европе.

Мадам мечтательно поглядела на нее.

— Месье знает, какой я учитель.

Вот и все, что она сказала.

Через несколько дней Алабама получила приглашение:

По совету месье N приглашаю вас на сольный дебют в опере «Фауст» в театре «Сан-Карло», Неаполь. Роль небольшая, но потом будут другие. В Неаполе есть пансионы, в которых можно вполне удобно устроиться за тридцать лир в неделю.

Алабама понимала, что Дэвид, Бонни и мадемуазель не смогут жить в пансионе на тридцать лир в неделю. Дэвид вообще не мог жить в Неаполе — он называл его городом с открытки. Да и французской школы для Бонни в Неаполе не было. Там ничего не предвиделось, кроме коралловых бус, простуд, грязных комнат и балета.

— Мне нельзя волноваться, — сказала она себе, — мне надо работать.

— Ты поедешь? — с надеждой спросила мадам.

— Нет, не поеду, и вы поможете мне станцевать «Кошку».

Мадам уклонилась от определенного ответа. Глядеть в бездонные глаза было все равно что гулять по сверкающей гальке — там, где не растут деревья и палит августовское солнце, примерно так подумалось Алабаме.

— Получить дебют нелегко. Отказываться не принято.

Дэвид воспринял приглашение как некую досадную случайность.

— Ты не сможешь, — сказал он. — Весной мы едем домой. Родители стареют, и мы обещали им приехать еще в прошлом году.

— Я тоже старею.

— У нас есть обязательства, — настаивал Дэвид.

Алабаме стало все безразлично. В душе Дэвид был лучше нее и не хотел никого обижать, подумала она.

— Не хочу возвращаться в Америку.

Арьена и Алабама безжалостно дразнили друг друга. Они работали больше и целенаправленнее остальных. Слишком устав, чтобы переодеться, они сидели на полу раздевалки и истерически хохотали, хлопая друг друга полотенцами, мокрыми от одеколона или лимонной воды мадам.

— А я думаю... — произносила Алабама.

— Tiens! — взвизгивала Арьена. — Ребеночек начинает думать. Ах! Ma fille*, это ошибка — все, что ты думаешь. Почему бы тебе не отправиться домой и не постирать мужнины носки?

— Méchanite**, — отвечала Алабама, — я покажу тебе, как критиковать старших!

Полотенце смачно хлопнуло по твердым ягодицам Арьены.

— Мне нужно больше места. Я не могу одеваться рядом с этой воображалой, — отозвалась Арьена и, с серьезным видом обернувшись к Алабаме, вопроси-

* Моя деточка (*фр.*).

** Злодейка (*фр.*).

тельно посмотрела на нее. — Это правда — здесь мне больше нет места, поскольку ты своими затейливыми пачками заполонила всю раздевалку. Где уж тут повесить мои простенькие?

— Вот тебе новенькая пачка! Дарю!

— Зеленый не мой цвет. У нас во Франции зеленый цвет — к неудаче.

Арьена обиделась.

— Если бы у меня был муж, который платил бы за меня, я тоже покупала бы и покупала новые пачки, — недовольно продолжала она.

— Какое твое дело, кто платит? Или это все, о чем патроны из первых трех рядов говорят с тобой?

Арьена толкнула Алабаму на обнаженных девиц. Кто-то торопливо пихнул ее обратно на обернувшуюся Арьену. Флакон с одеколоном упал на пол, и обе сразу умолкли. По глазам Алабамы полоснуло полотенце. Сгруппировавшись, она бросилась на горячую скользкую Арьену.

— Вот! — завизжала Арьена. — Смотри, что ты натворила! Теперь я пойду в полицию, и пусть они там все запишут! — Она заплакала и стала вопить, как настоящий апаш. — Это проявится не сегодня, а позже. У меня будет рак! Ты со всей силы ударила меня в грудь! Пусть они там запишут, чтобы, когда у меня будет рак, ты заплатила мне кучу денег, даже если будешь на краю земли! Ты заплатишь!

Вся студия слышала ее. Из-за шума мадам не могла продолжать урок. Русские разделились, кто-то принял сторону француженки, кто-то — американки.

— Продажная нация! — вопили танцовщицы, не разбирая кто есть кто.

— Американцам нельзя верить!

— Это французам нельзя верить!

— И американцы и французы слишком нервные.

Русские широко улыбались высокомерной русской улыбкой, словно давно забыли, почему улыбаются, словно улыбка была признаком превосходства в сложившихся обстоятельствах. Шум стоял оглушительный, хотя все старались говорить вполголоса. Мадам возмутилась — она рассердилась на обеих.

Алабама поскорее оделась. Выйдя на свежий воздух и ожидая такси, она почувствовала, что у нее подгибаются колени. Не хватало еще простудиться, ведь шляпку она надела прямо на мокрые волосы.

Верхняя губа замерзала и была горько-соленой от высыхающего пота. И чулок один она натянула не свой. Что это такое, спрашивала она себя, — подрались, словно повздорившие посудомойки, едва сумели взять себя в руки!

«Боже мой! — мысленно произнесла она. — Ужасно! Совершенно, абсолютно ужасно!»

Ей хотелось оказаться в прохладном поэтическом месте и заснуть на прохладном ложе из папоротников.

В этот день она больше не пошла в студию. В квартире было пусто. Она слышала, как Адажио скребется в дверь, просится на улицу. Комнаты звенели от пустоты. В комнате Бонни она нашла красную гвоздику, какие дают в ресторанах, вянущую в горшке из-под мармелада.

— Почему я не покупаю цветы ей? — пробормотала Алабама.

Неумело залатанная кукольная пачка лежала на детской кроватке; стоявшие у двери туфельки были стерты на носках. Алабама взяла со стола открытый альбом для рисования. Бонни изобразила нелепую фигуру с растрепанными космами желтых волос. Внизу было написано: «Моя мама самая красивая на свете». На другой странице две фигурки крепко держались за руки, и позади тащилось нечто, являющееся, по мнению Бонни, собакой, надпись гласила: «Мама и папа идут гулять». И ниже: «C'est trés chic, mes parents ensemble!»*

«Боже мой!» — подумала Алабама. Она почти забыла о том, что Бонни все больше и больше думает о жизни, она ведь взрослеет. Бонни гордилась своими родителями так же, как в ее возрасте Алабама гордилась своими, наделяя их всеми совершенствами, какие только могла вообразить. Наверно, Бонни ужасно не хватает красоты и стиля в своей жизни, ощущения какого-то порядка. Родители других детей были для них чем-то еще, кроме далекого «шика». Алабаме оставалось лишь горько упрекать себя.

Всю вторую половину дня она спала. Из подсознания явилось ощущение, которое испытывает побитый ребенок, во сне у нее болели все кости, и першило в горле. Когда же она проснулась, то ей показалось, будто она проплакала несколько часов.

Алабама видела, как в окно к ней заглядывают звезды. Еще много часов она могла бы пролежать в постели, прислушиваясь к уличному шуму.

С этих пор Алабама посещала только собственные уроки, стараясь избегать встреч с Арьеной. Работая, она слышала, как та гогочет в раздевалке, словно призывая других девушек присоединиться к ней. Те смотрели на нее с любопытством. Мадам сказала, что Алабама не должна обращать на нее внимания.

Торопливо одеваясь, Алабама, скрытая пыльными занавесками, тайком смотрела на танцовщиц. Неумеха Стелла, хитрюга Арьена, заискиванья, споры за передний ряд — все это хорошо было видно в свете солнца, падавшем через стеклянную крышу: совсем как кружа-

* Шикарная пара — мои родители (*фр.*).

щий рой насекомых, когда смотришь сквозь стенку стеклянного кувшина.

— Ларвы*! — с презрением воскликнула несчастная Алабама.

Ей хотелось бы родиться в балете или навсегда бросить его.

Когда Алабама думала о том, чтобы бросить занятия, она как будто заболевала и старела. Мили и мили, отмеренные бесчисленными *pas de bourrée*, должны были стать тропинкой, которая непременно куда-то приведет.

Потом умер Дягилев**. Костюмы и декорации великого «Русского балета» гнили во французском суде — он никогда не умел делать деньги.

Летом некоторые танцовщицы изображали нечто сомнительное вокруг бассейна в «Лидо», ублажая пьяных американцев; некоторые работали в мюзик-холлах; англичанки вернулись в Англию. Прозрачные целлулоидные декорации «Кошки», тыкавшие в зрителей серебряными мечами прожекторов в Париже и Монте-Карло, Лондоне и Берлине, находились с табличкой «Не курить» в сыром, кишащем крысами хранилище на Сене, запертые в каменном туннеле, где серый свет с реки бродил над черной, насквозь промокшей землей и неровным дном.

— Какой в этом смысл? — спросила Алабама.

— Ты не можешь вот так ни за что ни про что забыть о потерянном времени, о работе, о деньгах, — возразил Дэвид. — Попробуем организовать что-нибудь в Америке.

Очень мило со стороны Дэвида. Однако Алабама знала, что не будет танцевать в Америке.

---

* Злые духи в римской мифологии.

** Сергей Павлович Дягилев умер в 1929 году.

То и дело исчезающее солнце окончательно скрылось из виду на последнем уроке Алабамы.

— Не забудешь свое адажио? — спросила мадам. — Посылай ко мне учеников, когда приедешь в Америку.

— Мадам, — вдруг заговорила Алабама, — как вы думаете, я еще могу поехать в Неаполь? Пожалуйста, повидайтесь побыстрее с тем господином и скажите ему, что я еду немедленно.

Глядеть в глаза этой русской женщины — все равно что смотреть на диаграмму из черно-белых пирамидок, в которых иногда были соединены шесть, иногда семь треугольников. Ее глаза — это сплошной оптический обман.

— Ах, так! Уверена, место еще не занято. Можете выехать завтра? Нельзя терять время.

— Да, — подтвердила Алабама. — Я еду.

ЧАСТЬ ЧЕТВЕРТАЯ

I

Георгины выглядывали из зеленых оловянных банок на вокзальных цветочных прилавках, словно бумажные веера, которые дают с пакетами воздушной кукурузы; апельсины лежали кучками, как пули Менье*, вдоль газетных киосков; в витринах вокзального буфета были выставлены напоказ три американских грейпфрута, этакая гастрономическая приманка. Влажный воздух тяжелым одеялом висел между окошками поезда и Парижем.

Алабама и Дэвид наполняли дымом бронзовых сигарет спальный вагон второго класса. Дэвид позвонил, чтобы принесли еще одну подушку.

— Если тебе что-то понадобится, я сразу же примчусь, — сказал он.

Алабама расплакалась и проглотила целую ложку желтых успокоительных таблеток.

— Тебе будет нелегко объяснять всем и каждому, почему я вдруг уеха...

— Как только я разделаюсь с квартирой, уеду в Швейцарию — и пришлю к тебе Бонни, когда ты устроишься.

Дэвид закашлялся от пахнувшего плесенью воздуха. Бутылка «Перье» зашипела у окошка вагона.

---

* Имеется в виду Юлий Менье — известный оружейный мастер.

— Глупо ездить вторым классом. Почему ты не разрешила поменять билет на первый? — спросил он.

— Мне хотелось с самого начала знать, насколько я справляюсь.

Баррикадой встало между ними разное отношение к происходящему. Подсознательное облегчение сковало их расставание печалью — бесчисленные непроизвольные ассоциации топили прощальные слова в платоническом отчаянии.

— Я пришлю тебе денег. А сейчас мне лучше пойти.

— До свидания... Ах, Дэвид! — Вагон толкнуло. — Проследи, чтобы мадемуазель покупала Бонни белье в Старой Англии...

— Я скажу ей... до свидания, дорогая!

Поезд тронулся.

Алабама убрала голову в сумрачный вагон, освещенный так, словно тут готовятся к спиритическому сеансу. Ее лицо расплющилось в зеркале, став похожим на каменную резьбу. Костюм никак не подходил для второго класса. Ивонна Дэвидсон сотворила его под впечатлением военного парада — небесно-голубой шлем и раскидистая пелерина были слишком велики и роскошны для узеньких скрипучих, с кружевными накидками скамеек.

Алабама перебрала в уме свои планы, словно по-матерински утешала себя, как несчастного ребенка. С хозяйкой балетной студии она увиделась перед самым отъездом. Мадемуазель подарила ей несколько кактусиков магуэев*, это так мило с ее стороны. Жаль, что Алабама забыла их на каминной полке. И в прачечной остались кое-какие вещи — мадемуазель упакует их с простынями. Вероятно, Дэвид оставит простыни в «Америкен Экспресс». Сложить вещи для отправки

* Американская агава.

будет нетрудно, не так уж их много: чайный сервиз, в котором кое-чего недостает, реликвия со времен паломничества в Валенсию из Сен-Рафаэля, несколько фотографий — Алабама пожалела, что не отложила ту, на которой Дэвид на веранде в Коннектикуте, кое-какие книги и картины Дэвида.

Все еще был виден Париж, его электрическое сияние издали напоминало пламя в печи для обжига. Под красным грубым одеялом руки Алабамы мгновенно вспотели. В вагоне пахло, как в кармане маленького мальчика. Мысли Алабамы крутились вокруг тарабарщины на французском, складывавшейся в такт стуку колес:

La belle main gauche l'éther compact,
S'étendre dans l'air qui fait le beau
Trouve la haut le rhythm intact
Battre des ailes d'un triste oiseou.*

Алабама поднялась, чтобы найти карандаш.

«Le bruit constant de mille moineaux»**, — добавила она. А вдруг письмо потерялось? Нет, оно лежало в маникюрном наборе.

Алабама решила, что надо поспать — говорить в поезде не с кем. Разбудил ее топот в коридоре. Вероятно, граница. Алабама нажала на звонок. Долго никого не было. Наконец появился мужчина в зеленой униформе, точно такой, как у циркового укротителя зверей.

— Можно воды? — чуть ли не извиняющимся тоном попросила Алабама.

Мужчина стал тупо озираться. Его таинственное магнетическое молчание слишком затянулось.

---

* Неловкий взмах, прелестная рука
Ритму невнятному подвластна,
В нем трепет крыльев — так легка,
Так грусти этой трель прекрасна... (*фр.*)

** Как гомон воробьиный страстный (*фр.*).

— Аква, де лер, вода, — продолжала втолковывать ему Алабама.

— Фрейлейн звонила, — наконец произнес он.

— Послушайте.

Она сделала несколько взмахов руками, изображая кроль, потом раз пять выразительно глотнула и побулькала горлом. И с ожиданием посмотрела на проводника.

— Нет, нет, нет! — в испуге крикнул он и бросился вон из вагона.

Алабама достала итальянский разговорник и позвонила еще раз.

— Do' — veh pos'— so com — prat' — eh ben — zee' — no*, — произнесла она по книжке. Мужчина весело засмеялся. Вероятно, она нашла не ту страницу.

— Ничего, — обреченно проговорила Алабама и вернулась к своему сочинительству. Однако рифмы вылетели у нее из головы. Тогда она мысленно переместилась в Швейцарию. Ей не удавалось вспомнить, Байрон или кто-то другой пересек Альпы, опустив занавески в карете. Алабама выглянула в окно — в темноте сияли бидоны с молоком. Кстати, белье для Бонни придется заказать у белошвейки, подумала Алабама. Мадемуазель справится. Алабама встала и потянулась, не отрывая взгляда от двери.

Тот цирковой укротитель предупредил ее, что во втором классе нельзя самой открывать дверь, и завтрак ей тоже не подадут.

На следующий день из окна вагона-ресторана она увидела землю, на которой море будто из милости оставило несколько деревьев с листьями-метелками, словно бы смахивавшими пыль с прозрачного неба. Редкие плывущие облака напоминали пивную пену;

* Где бы мне куплю бензино (*искаж. ит.*).

крепости возвышались на холмах, как сдвинутые набок короны. Никто не пел «O Sole Mio!»*.

На завтрак подали мед и хлеб, которым можно было забивать гвозди. Алабама была в ужасе, не представляя, как без помощи Дэвида сделает пересадку в Риме. На вокзале в Риме было полно пальм. А прямо напротив него фонтаны, казалось, старательно отмывали стены терм императора Каракаллы своими солнечными струями. У Алабамы поднялось настроение, едва она ощутила искреннее дружелюбие, витавшее в воздухе.

«Ballonné, deux tours»**, — мысленно повторяла она. Другой поезд был грязным. Никаких ковров на полу, и пахло в нем фашистами и оружием. Надписи на табличках звучали как литания: Асти Спуманте, Лагрима Кристи, Спумони, Тортони. Ей казалось, что она что-то потеряла, но что? Письмо было на месте, в маникюрном наборе. Алабама постаралась взять себя в руки, так маленький мальчик, гуляя в саду, берет в ладошку светлячка.

— Cinque minuti mangiare***, — сказал вокзальный служитель.

— Хорошо, — отозвалась Алабама и стала считать на пальцах, — una, due, tre... Раз, два, три. Все в порядке.

Поезд поворачивал то в одну, то в другую сторону, огибая беспорядочно раскинувшиеся кварталы Неаполя. Водители повозок забывали съехать с рельсов, сонные мужчины забывали, что собирались в центр города, дети открывали рты и глаза и забывали заплакать. А сколько пыли было в городе! Деликатесы забивали нос острыми запахами, кубами, треугольниками, кругами запахов. Неаполь словно отступал от ярко осве-

* «О мое солнце!» (*ит.*)

** Баллонне, два оборота (*фр.*).

*** Пять минут на еду (*ит.*).

щенных площадей, ловко притворяясь послушным строгости черных каменных фасадов.

— Venti lire*! — словно рассуждая с самим собой, проговорил возчик.

— В письме, — заносчиво возразила Алабама, — сказано, что в Неаполе можно жить на тридцать лир в неделю.

— Venti, venti, venti, — не оборачиваясь, пел итальянец.

«Трудно тут придется, если не выучить итальянский», — подумала Алабама.

Она назвала адрес, который ей прислали. Подчеркнуто артистично размахивая кнутом, возчик подгонял лошадку, нерешительно бившую подковами в щедрой ночи. Когда Алабама отдала деньги возчику, он уставился на нее широко открытыми карими глазами, напомнившими ей чашки на дереве, в которые собирают драгоценный сок. Ей казалось, что он никогда не отведет взгляд.

— Синьорине понравится Неаполь, — неожиданно заявил он. — «Голос города нежен, как голос одиночества».

Повозка скрылась между красными и зелеными фонарями, окаймлявшими залив и напоминавшими филигранные каменья на кубках с ядом времен Ренессанса. Липкая сладость обсиженного мухами юга доносилась с легким ветерком, умеряя восторг, рожденный полупрозрачным аквамариновым пространством моря.

Свет над дверью пансиона отражался круглыми бликами на ногтях Алабамы. От ее стремительных шагов воздух в прихожей взбудоражился, сонное спокойствие, царившее тут, было безжалостно нарушено.

* Двадцать лир (*ит.*).

— Итак, я буду здесь жить, — сказала Алабама. — Что ж, здесь так здесь.

Хозяйка сообщила, что в комнате есть балкон — он и вправду был, разве что без пола, но с железными перилами, прикрученными к облезлым розовым стенам. Однако имелся умывальник с гигантскими кранами, из которых струи воды, разбиваясь о раковину, летели наружу, заливая клеенку на полу. Напротив окна Алабамы, изгибаясь, волнорез забирал внутрь свившуюся в клубок синюю ночь, и от порта поднималась вонь, как из адской бездны. За свои тридцать лир Алабама получила белую железную кровать, которая когда-то была зеленой, кленовый шкаф со срезанным наискось зеркалом, мутневшим на итальянском солнце, и кресло-качалку с брюссельским ковром. Капуста три раза в день, стакан вина из Амалфи, по воскресеньям ньокки*, по ночам хоровое исполнение бездельниками песенки про сердце красавицы** под балконом тоже были включены в счет. Комната была большая, но какая-то нескладная, со множеством выступов и углов, и вскоре у Алабамы возникло ощущение, что она занимает целую квартиру. Хотя в Неаполе все — хотя бы чуть-чуть — было золоченым, в своей комнате Алабама не смогла найти ни следа позолоты, однако ей казалось, что когда-то потолок украшала золотая фольга. Звуки шагов доносились с тротуара внизу, грея душу воспоминаниями. Ночи были абсолютно в духе классических романов; в темноте мелькали какие-то смутные тени, как фантастические сгустки живого счастья; кактусы своими колючками протыкали лето; рыбьи спины сверкали в открытых лодках, как кусочки слюды.

* Клецки, как правило, картофельные, которые варят или запекают.

** Имеется в виду «песенка Герцога» из оперы Верди «Риголетто».

С Алабамой в театре занималась мадам Сиргева. Она постоянно сокрушалась о том, как дорого обходится электричество; и в викторианских громадинах почти не было слышно рояля. Закулисная темнота и сумерки между световыми кругами под тремя шарами, горевшими наверху, делили сцену на три небольшие уютные части. Похожая на призрак, мадам гордо шествовала среди тарлатановых юбочек, скрипа балеток, приглушенного дыхания девушек.

— Легче, легче, старайтесь не шуметь, — повторяла она.

Мадам была бледной, крашеной, высохшей, ее изуродовала бедность, она походила на вымоченную в кислоте шкуру. Крашеные черные волосы были жесткими, как набивка для подушек, и вдоль пробора желтая — отросшая — полоска. На уроки она приходила в блузке с рукавами-буфами и плиссированной юбке, после занятий она не переодевалась, просто надевала пальто.

Кружась и кружась, словно выводя круглые буквы в тетрадке для чистописания, Алабама чертила невидимую ровную линию на кругах света.

— Совсем как мадам! — воскликнула мадам Сиргева. — В России мы вместе учились в Императорской школе танца. Это я натаскивала ее в антраша, хотя они все равно ей не удавались. Mes enfants!* Счет на четыре, пожалуйста, четыре четверти. По-жа-луй-ста!

Алабама постепенно, но настойчиво прокладывала себе путь в балет, словно закладывала фрагменты музыки в механическое пианино.

Здешние девушки совсем не походили на русских. У них были грязные шеи, и в театр они являлись с бумажными пакетами, внутри которых прятались толстые бутерброды. Они ели чеснок, к тому же оказались тол-

---

* Деточки! (*фр.*)

ще русских, с короткими ногами; и танцевали они с согнутыми коленями, на которых морщились трико из итальянского шелка.

— Бог и дьявол! — кричала Сиргева. — Мойра, ты опять не в такт, а премьера уже через три недели.

— Ах, синьора! — воскликнула Мойра. — Molto bella!*

— Ах, — едва не задохнулась мадам, обращаясь к Алабаме. — Ты видишь? Я даю им, можно сказать, железные пуанты, чтобы они держали их ленивые ноги, а стоит мне отвернуться, и они танцуют на всей стопе — и за все это мне платят всего-навсего тысячу шестьсот лир! Слава Богу, теперь у меня есть хоть *одна* балерина из русской школы!

Она продолжала и продолжала монотонно, словно взбивала масло, говорить. Потом уселась в сыром зрительном зале и, натянув на плечи котиковую пелеринку — всю выцветшую и крашеную, как ее волосы, — стала кашлять в носовой платок.

— Матерь Мария, — вздыхали девушки. — Пресвятая Мария!

Они стояли в темноте, сбившись в испуганные стайки. Они побаивались Алабаму — из-за ее одежды. На спинках парусиновых стульев она повесила свои вещи: двухсотдолларовое черное тюлевое платье от «Adieu Sagesse»**, мшистые розы плыли в тумане духов, почему-то вспоминались семечки в клубничном мороженом, в дорогом тумане — за сто, двести долларов; желтая клоунская бахрома, зеленовато-желтый плащ с капюшоном, белые туфли, синие туфли, серебряные заколки, металлические заколки, шляпы и красные сандалии,

* Какая красота! (*ит.*)

** Прощай, благоразумие (*фр.*). Имеются в виду дом моды Жана Пату и его же духи.

 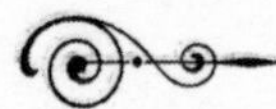

туфли со знаками зодиака, бархатная пелерина, мягкая, как поросшая дерном крыша старого шато, шляпка из фазаньих перьев — в Париже ей даже в голову не приходило, что у нее так много вещей. Придется отныне обходиться ими, иначе на теперешние ее шестьсот лир в месяц не прожить. Хорошо, что Дэвид не скупился на покупки. После урока Алабама одевалась, стоя среди прекрасных вещей, глядя на них как строгий отец, проверяющий целость игрушек сына.

— О Мадонна, — робко перешептывались девушки, тыкая пальцами в ее белье. Алабама рассердилась, ей не хотелось, чтобы они пачкали колбасой ее шифоновые трусики.

Алабама писала Дэвиду два раза в неделю — их квартира казалась ей далекой и скучной. Приближались репетиции — любая жизнь в сравнении с этим была бы невыносимо серой. Бонни написала ей на листке бумаги, где наверху были французские детские стихи.

Дорогая мамочка!

Я была хозяйкой дома, когда пришли леди и джентльмен, пока папа застегивал манжеты. Я живу хорошо. Мадемуазель и горничная сказали, что никогда не видели такую замечательную коробку с красками, какую ты прислала мне. Когда ее принесли, я подпрыгнула от радости и сразу нарисовала несколько картинок в desgens a lá mer, nous qui jouons au croquet et une vase avec des fleurs dedans d'aspprés nature. По воскресеньям я буду ходить в Париже в воскресную школу, чтобы узнать об ужасных страданиях Иисуса Христа.*

Твоя любящая дочь, Бонни Найт.

* Как мы играем в крикет у моря, и вазу с цветами, очень похоже (*фр.*).

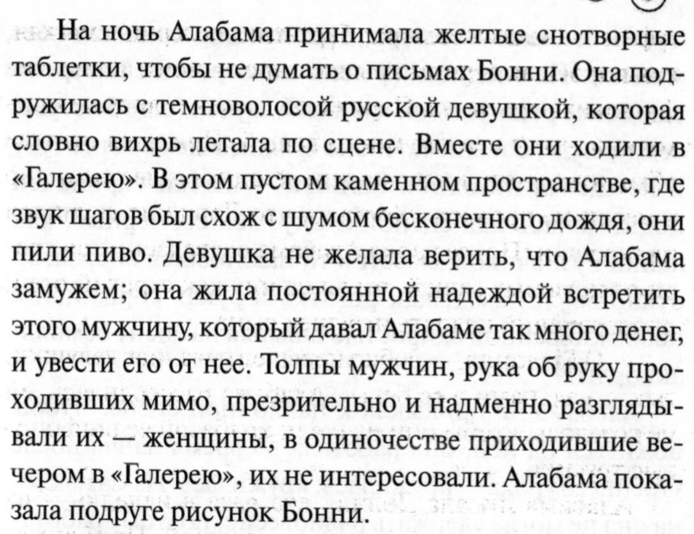

На ночь Алабама принимала желтые снотворные таблетки, чтобы не думать о письмах Бонни. Она подружилась с темноволосой русской девушкой, которая словно вихрь летала по сцене. Вместе они ходили в «Галерею». В этом пустом каменном пространстве, где звук шагов был схож с шумом бесконечного дождя, они пили пиво. Девушка не желала верить, что Алабама замужем; она жила постоянной надеждой встретить этого мужчину, который давал Алабаме так много денег, и увести его от нее. Толпы мужчин, рука об руку проходивших мимо, презрительно и надменно разглядывали их — женщины, в одиночестве приходившие вечером в «Галерею», их не интересовали. Алабама показала подруге рисунок Бонни.

— Ты счастливая, — сказала девушка. — Но еще счастливее те, которые не выходят замуж.

У нее были темно-карие глаза, в которых, когда она выпивала пару бокалов, теплились огоньки, красные и прозрачные, как скрипичная канифоль. В особых случаях она надевала черный сетчатый пояс с трусиками и лавандовые подвязки, купила, когда работала в «Русском балете». Когда был еще жив Дягилев.

Репетируя в большом пустом театре, труппа вновь и вновь повторяла танцы из «Фауста». Дирижер почти молниеносно прогонял трехминутное соло Алабамы. Мадам Сигрева не смела спорить с маэстро. В конце концов она со слезами на глазах остановила репетицию.

— Вы убиваете моих девочек, — прорыдала она. — Это бесчеловечно.

Дирижер бросил палочку на рояль; волосы стояли дыбом у него на голове, как трава на глинистой почве.

— Sapristi!* — вскричал он. — Так написано в нотах!

* Черт побери! (*фр.*)

Он выбежал из театра, и репетицию закончили без музыки. На следующий день маэстро был настроен еще более решительно, и музыка звучала еще быстрее, чем прежде. Он внимательно вглядывался в партитуру и не сделал ни одной ошибки. Смычки скрипачей поднимались над сценой и опускались, черные, как лапки кузнечиков; маэстро то наклонялся вперед, то отклонялся назад, как рогатка в руках сорванца, с необыкновенной скоростью швыряя на сцену бемоль-аккорды.

Алабама не привыкла к наклонной сцене. Чтобы обжиться на ней, она работала во время ланча после утреннего урока — кружилась, кружилась. Из-за наклона она не могла удержать равновесие, поэтому работала столько, что, когда, сидя на полу, одевалась после репетиций, ощущала себя старухой, сидящей у костра в далекой северной стране. Почти неправдоподобно голубой воздух и еще более голубой Неаполитанский залив слепили ее по дороге домой так, что она то и дело спотыкалась.

Когда же наконец закончилось первое выступление, Алабама села у постамента статуи Венеры Милосской за дверьми артистического фойе, а с другой стороны затхлого холла на нее смотрела Афина Паллада. Казалось, сердце ее бьется во всем теле, и даже в глазах, волосы приклеились к потной голове; «браво» и «брависсимо» звенели в ушах, как назойливые комары.

— Что ж, дело сделано, — сказала Алабама.

Она не стала заходить к девушкам, собравшимся в раздевалке, хотела подольше сохранить эти чары. Она знала, что в зеркале раздевалки ее взгляд упрется в отвисшие груди, похожие на сухие августовские тыковки, а потом в резиновые ягодицы, похожие на жуткие искусственные фрукты Джорджии О'Киф*.

Дэвид заказал для Алабамы корзину с белыми каллами.

На карточке было написано: «От двух твоих любимых». Вернее, так должно было быть, но неаполитанская цветочница вместо sweethearts написала sweat-hearts**, однако Алабаме не было смешно, и целых три недели она не писала Дэвиду. Намазав лицо кольдкремом и посасывая половинку лимона, она принесла посылку в гримерную. Русская подруга обняла ее. Все вокруг ждали, что дальше последует что-то более интересное; но мужчин в полутемных коридорах так и не появилось. Балерины обычно не отличались красотой, да и молодостью тоже. На пустых лицах отражалась такая усталость, что, казалось, если бы не мускулы, ставшие прочными, как веревки, за многие годы упорного труда, танцовщицы развалились бы на части. Шеи напоминали мотки перекрученной грязной пряжи, это когда они были тонкими, а шеи толстые обычно обвисали, и тогда складки походили на тесто, вывалившееся из формы. Волосы их были чернее черного и не радовали чувства никакими оттенками.

— Господи! — закричали все в полном восторге, — какие красивые каллы! Сколько же они стоят? Такие и в собор можно отнести!

Мадам Сиргева благодарно расцеловала Алабаму.

— Ты отлично справилась! Когда мы будем составлять программу на год, ты получишь звездную роль — наши девушки слишком уродливые. У меня с ними

---

* Джорджия О'Киф (1887—1986) — знаменитая американская художница.

** Вместо слова «любимые» (sweethearts), букв.: «милые сердца» — «потные сердца» (sweat-hearts).

ничего не получается. Прежде тут не интересовались балетом — а теперь посмотрим! Не волнуйся. Я напишу мадам! И цветы чудесные, piccola* балерина, — ласково проговорила она.

А потом Алабама сидела на подоконнике и слушала еженощную «песенку Герцога».

— Что ж, — проговорила она с тяжким вздохом, — успех успехом, а надо что-то делать.

Для начала Алабама привела в порядок шкаф, потом стала вспоминать своих друзей в Париже. Воскресных друзей с женами в атласных пальто, произносивших безупречные тосты на солнечных чужеземных пляжах; шумных друзей, заглушавших Шопена ритмами современного джаза под изысканное марочное вино; образованных друзей, которые тряслись над Дэвидом, как родители — над первенцем. Обычно они и ее куда-нибудь вывозили. Каллы в Париже не были бы перевязаны белым тюлевым бантом и не лежали бы в коробке.

Алабама послала Дэвиду газетные вырезки. Все в один голос твердили, что балет имел успех и что теперь в труппе мадам Сиргева есть опытная балерина. Она явно талантлива и должна получить роль побольше, писали газеты. Итальянцы любят блондинок; они говорили, что Алабама воздушна, словно ангел Фра Анжелико**, так как она гораздо худее остальных балерин.

Мадам Сиргева гордилась отзывами журналистов. А Алабаме казалось гораздо важнее то, что она открыла для себя новую мастерскую пуантов в Милане; и эти пуанты были мягче пуха. Алабама заказала сто пар — Дэвид прислал деньги. Они с Бонни жили в Швейцарии. Алабама надеялась, что он купил Бонни шерстяные

* Маленькая (*ит.*).

** Фра Анжелико (ок. 1400—1455) — итальянский художник эпохи Ренессанса, был монахом.

штанишки — девочкам до десяти лет следует держать животики в тепле. На Рождество он написал, что купил Бонни синий лыжный костюм, и прислал сделанные на «Кодаке» фотографии — снежных гор и как они вместе катятся с горы.

Рождественский колокольный звон, несколько астматичный, стелился над Неаполем; плоские металлические звуки напоминали скрип железных настилов на крышах. Ступени публичных зданий были уставлены нарциссами и выкрашенными в оранжевый цвет розами, с которых стекала красная вода. Алабама отправилась посмотреть на восковую сцену Рождества в монастыре бенедиктинцев. Везде стояли каллы и свечки, и везде она видела судорожно улыбавшиеся, изнуренные лица. От отблесков свечей на позолоте, от напевов, то взмывавших, то падавших, напоминавших мелодии прилива и отлива на хаотичных берегах, напевов, славящих рождение Человека, от тяжелой походки женщин, головы которых были покрыты черными кружевами, Алабама испытывала все более глубинный восторг, словно все точнее настраивала душу на верный лад. В Неаполе одежды священников были из белого атласа, расшитого страстоцветами и гранатами. Во время службы Алабама думала о Бурбонах и гемофилии, о папских счетах и вишневом ликере. Сияние золотого дамаска на алтаре было теплым и щедрым — под стать тому, что он олицетворял. Ее мысли метались в голове, как леопарды в клетке. В теле Алабамы накопилось столько статического напряжения от постоянной плетки-работы, что она не могла толком справиться с собой и в себе разобраться. Алабама говорила себе, что люди не имеют права на провал. Но при этом не очень понимала, что такое провал. Она подумала о елке для Бонни. Мадемуазель могла бы заняться ею не хуже нее самой.

Вдруг она засмеялась, постучав по своей душе, как по клавишам рояля, когда его настраивают.

— Религия — это замечательно, — сказала она русской подруге, — но в ней слишком много смысла.

Русская девушка рассказала Алабаме о знакомом священнике, который до того разволновался из-за историй, услышанных на исповеди, что напился перед святым причастием. Он пил всю неделю, а в воскресенье никто из прихожан не пришел к нему на исповедь, они тоже пили всю неделю и хотели опохмелиться. Его церковь прославилась как мерзкий притон, бравший вино для причастия, то есть кровь Христа, в синагоге, рассказала девушка. Верующие перестали в эту церковь ходить, и сама она тоже.

— Я, — болтала она, — всегда была очень верующей. Как-то, еще в России, я вдруг увидела, что мою карету везет белая лошадь*, так сразу оттуда выскочила и три мили шла до театра пешком, а была страшная метель, я потом заболела воспалением легких. С тех пор гораздо больше боюсь священников и белых лошадей, чем Господа нашего Спасителя.

«Фауста» давали в Оперном три раза за зиму, и тарлатановая пачка Алабамы цвета чайной розы, поначалу напоминавшая замерзший фонтан, в конце концов вся пошла разводами и смялась. Алабама любила уроки наутро после спектакля — после напряжения и пережитого волнения она ощущала приятную опустошенность и покой, как распустившийся бутон в цветущем саду, хотя лицо у нее было бледным, а остатки грима в уголках глаз расплывались от пота.

— Вот он, путь на Голгофу! — стонали девушки. — Ноги болят, хочется спать! Мама побила меня вчера за

* Видимо, девушка намекает на библейского бледного коня, символ смерти.

то, что я пришла слишком поздно, а отец больше не желает покупать мне сыр «Бель Паезе» — как прикажете работать на козьем сыре?

— Ах, — откровенничали толстые мамаши, — она bellissima, моя дочка, — она должна стать балериной, но эти американцы все гребут под себя. Муссолини им покажет, клянусь святым причастием!

В честь завершения Великого поста театр потребовал поставить настоящий балет: наконец-то Алабама получила возможность танцевать в «Лебедином озере».

Когда начались репетиции, пришло письмо от Дэвида, он спрашивал, не возьмет ли она Бонни, на две недели? Алабаме позволили пропустить утренний класс, чтобы встретить дочь на вокзале.

Лощеный офицер помог Бонни и мадемуазель выйти из поезда, и они сразу окунулись в неаполитанскую тарабарщину звуков и цвета.

— Мамочка! — радостно закричала Бонни. — Мамочка!

Она с восторгом прижалась к коленям Алабамы; ласковый ветер откинул назад ее челку. Круглое личико было красным и полупрозрачным, как в день ее появления на свет. Нос изменил форму; руки тоже становились другими. Пальчики теперь были широкими на концах, словно на картине испанского примитивиста, совсем как у Дэвида. Бонни становилась копией своего отца.

— В поезде она подала отличный пример всем окружающим, — сказала мадемуазель, приглаживая волосы.

Бонни липла к матери, злясь на собственнический тон мадемуазели. Ей исполнилось семь лет, она только начинала постигать мир и осмысливать свое положение в нем, ее переполняла детская нетерпимость, обычная при первых шагах в познании социальных правил и устоев.

— А де твой атомобиль? — от возбуждения комкая слова, спросила Бонни.

— Дорогая, у меня нет автомобиля. Зато нас ждет кеб, в нем тебе будет гораздо приятнее ехать до пансиона.

На лице Бонни легко читалось, что она решила не показывать разочарования.

— У папы есть автомобиль, — заявила она, словно критикуя мать.

— А мы здесь ездим в колясках.

И Алабама посадила дочь на примятую обивку.

— Ты и папа очень «шикарные», — испытующе произнесла Бонни. — Ты должна купить автомобиль...

— Мадемуазель, это вы внушили ей?

— Да, мадам. Мне бы самой хотелось быть на месте мадемуазель Бонни, — с чувством произнесла мадемуазель.

— Полагаю, я буду очень богатой, — проговорила Бонни.

— Боже мой, нет! Выбросить это из головы. Тебе придется работать, иначе ты не получишь того, что хочешь, — поэтому я хотела, чтобы ты танцевала. Мне было очень жаль, что ты забросила танцы.

— Мне не нравится танцевать, мне нравятся подарки. На прощание мадам подарила мне серебряную вечернюю сумочку. И там были зеркальце, расческа и настоящая пудра — вот это мне нравится. Хочешь посмотреть?

Из маленького саквояжа Бонни достала неполную колоду карт, несколько старых бумажных кукол, пустой спичечный коробок, бутылочку, два сувенирных веера и блокнот.

— При мне в твоих вещах было больше порядка, — заметила Алабама, глядя на кучу этих «сокровищ».

Бонни засмеялась.

— Теперь я чаще делаю, что хочу, — отозвалась она. — Вот.

Когда Алабама взяла в руки похожую на серебристый конверт сумочку, у нее вдруг подступил к горлу комок. Слабый запах одеколона вызвал в памяти бусы мадам из горного хрусталя, музыкальное позвякивание тарелки из чеканного серебра, когда Дэвид и Бонни ждали ее к обеду, — воспоминания взметнулись, как снежные хлопья в прозрачном пресс-папье из стекла.

— Очень красивая, — сказала она.

— Почему ты плачешь? Я буду иногда давать тебе ее поносить.

— Глаза заслезились из-за запаха. Что это у тебя в саквояже такое пахучее?

— Мадам, — вмешалась в разговор мадемуазель, — такую же микстуру делают для принца Уэльского. Одна часть лимона, одна часть одеколона, одна часть жасминовых духов от «Коти» и...

Алабама, не сдержавшись, рассмеялась.

— Все это смешиваете, потом наливаете две части спирта и кладете половину тушки дохлой кошки!

У Бонни глаза стали круглыми от презрения.

— И вы берете это в поезд, чтобы протирать руки! — воскликнула она, — или когда у вас vertige*?

— Понятно... Или когда в моторе кончается масло. Приехали.

Коляску тряхнуло, и она остановилась перед розовым доходным домом. Бонни недоверчиво осмотрела стену с осыпающейся штукатуркой и пустой подъезд. Оттуда пахло сыростью и мочой. Каменные лестницы

* Головокружение (*фр.*).

несли на себе воспоминания не об одном поколении обитателей.

— Мадам не ошиблась? — капризно спросила мадемуазель.

— Нет, — весело ответила Алабама. — У вас с Бонни будет своя комната. Неужели вам *не нравится* Неаполь?

— Ненавижу Италию, — сказала Бонни. — Во Франции лучше.

— Откуда тебе знать? Ты же только что приехала.

— Итальянцы все очень грязные, разве нет? — Мадемуазель нехотя нарушила свою притворную невозмутимость.

— Ах, — послышался голос хозяйки, мгновенно прижавшей Бонни к необъятному животу. — Матерь Божья, что за прелестный ребенок!

Ее груди повисли над потрясенной малышкой, как мешки с песком.

— Dieu! — вздохнула мадемуазель. — Итальянцы очень набожны!

Пасхальный стол был украшен мрачными крестиками из высушенных листьев пальметто. Стояло блюдо, полное ньокки, и бутылка вина с Капри, а еще была красная карточка с купидончиками в обрамлении золотых лучей, очень похоже на какой-то орден. Днем они отправились гулять по пыльным белым дорогам, по круто поднимающимся вверх ступенчатым аллеям, словно бы рассеченным яркими половиками, которые вывесили для просушки на солнце. Бонни сидела в комнате Алабамы, пока та собиралась на репетицию. Покачиваясь в кресле-качалке, она что-то рисовала.

— Нет, совсем не похож, — заявила она, — лучше нарисую карикатуру. Это папочка, когда он был молодым.

— Твоему папе всего тридцать два года, — сказала Алабама.

— Ой какой старый!

— Не такой уж и старый, дорогая, в сравнении с твоими семью годами.

— Ну, конечно — если считать в обратную сторону, — согласилась Бонни.

— А если начнешь с середины, то мы и вовсе юная семейка.

— Хочу начать, когда мне будет двадцать и у меня будет шестеро детей.

— А мужей сколько?

— Нет, мужей не будет. Наверно, они разъедутся к этому времени, — неуверенно ответила Бонни. — Как в одном кино.

— Что же это за замечательный фильм?

— Он про танцы, поэтому папа взял меня. Там дама в «Русском балете». У нее не было детей, только муж, и они много плакали.

— Наверно, интересно.

— Да. Там играла Габриэль Гиббс. Мамочка, она тебе нравится?

— Я никогда не видела ее в кино, только в жизни, так что не знаю.

— Она моя любимая актриса. И она очень красивая.

— Надо посмотреть какой-нибудь фильм с нею.

— Будь мы в Париже, обязательно посмотрели бы. И я бы взяла вечернюю сумочку.

Каждый день во время репетиций Бонни сидела вместе с мадемуазель в холодном театре, затерявшаяся среди темных украшений, среди розовых и золотых сигарных ободков, явно напуганная серьезностью происходящего, пустым залом и мадам Сиргева. А Алабама в это время вновь и вновь повторяла адажио.

— Черт побери! — задыхаясь, проговорила мадам. — Никто не делает это с двумя поворотами! Ма шер Алабама — будешь танцевать с оркестром, сама поймешь, что это невозможно!

По пути домой они прошли мимо человека, который глотал лягушек. Лягушки были привязаны за лапки к веревке, он их заглатывал, а потом вытаскивал наружу, четырех сразу. Бонни смотрела на это с отвращением и восторгом. Ее мутило, но она была, как зачарованная.

От пирогов и макарон, постоянно подаваемых на обед, на коже Бонни появилась сыпь.

— Это стригущий лишай, от грязи, — заявила мадемуазель. — Если мы останемся тут, мадам, у Бонни будет рожистое воспаление, — пригрозила она. — К тому же у нас грязная ванна.

— Вода как бульон, мясной бульон, — как ни обидно, Бонни приняла сторону мадемуазель, — только без горошка!

— А я хотела устроить для Бонни вечеринку, — сказала Алабама.

— Мадам, вы не знаете, где можно взять градусник? — торопливо вмешалась мадемуазель.

Надя, русская танцовщица, откуда-то раздобыла для вечеринки маленького мальчика. Мадам Сиргева привела своего племянника. Хотя весь Неаполь был завален букетами анемонов и всякими ночными цветами, бледными фиалками, похожими на эмалевые броши, бессмертниками с васильками, притягательными таинственными азалиями, хозяйка пансиона настояла на том, чтобы украсить детский стол ядовитыми розово-желтыми бумажными цветами.

Она тоже привела двух детей, одного с болячкой под носом, а другого — остриженного наголо. Они были в вельветовых штанишках, лоснящихся сзади, словно голова каторжника. Стол она уставила жестким печеньем, медом и теплым розоватым лимонадом.

Русский мальчик принес обезьянку, которая прыгала по столу и пробовала все джемы, заодно разбрасывая ложки. Алабама сидела у себя в комнате. Устроившись на низком подоконнике, она наблюдала за всеми из-за чахлой пальмы; гувернантка никак не могла совладать с происходящим.

— Tiens, Бонни! Et tu, ah, mon pauvre chouchou!* — беспрерывно восклицала она.

Это было похоже на колдовское заклинание. Интересно, что за волшебный напиток изобрела она, кому он был предназначен в былые лета? Алабама замечталась. К реальности ее вернул громкий крик Бонни.

— Ah, quelle sale bête!**

— Ничего страшного, дорогая, подойди сюда, и я смажу ранку йодом, — не поднимаясь с подоконника, Алабама позвала дочь.

— Серж взял обезьянку, — запинаясь, бормотала Бонни, — и как бр-о-о-сил ее в меня, он противный, в этом Неаполе все дети противные!

Алабама посадила дочь на колени. Она казалась такой маленькой, такой беззащитной.

— Обезьянкам тоже надо что-то кушать, — поддразнила она Бонни.

— Еще хорошо, что она не укусила тебя за нос, — беспечно произнес Серж.

Обоих итальянцев заботила лишь обезьянка, которую они восторженно гладили и нараспев утешали, их уговоры походили на мелодичную неаполитанскую песню.

— Че-че-че, — стрекотала обезьянка.

---

* Ах ты моя бедная малышка! (*фр.*)

** До чего же гадкое животное! (*фр.*)

— Давайте, я расскажу вам одну историю, — предложила Алабама.

Глаза детей так и впились в нее, как капли дождя в оконное стекло, и маленькие личики потянулись к ней, словно белые облачка к луне.

Но тут вдруг Серж заявил:

— Я бы ни за что не пришел, если бы знал, что не будет кьянти!

— И мы, и мы, клянемся Девой Марией, — эхом отозвались итальянцы.

— Значит, вы не хотите послушать о греческих храмах, сверкающих красной и синей красками? — настаивала Алабама.

— Хотим, синьора.

— Отлично. Только все эти храмы теперь белые, потому что за многие-премногие годы краски выцвели, хотя были такие яркие и...

— Мамочка, можно мне компот?

— Ты хочешь слушать о храмах или нет? — резко спросила Алабама. Все затаили дыхание...

— И нарядные. Вот и все, что мне известно о них, — слабым голосом закончила Алабама.

— А теперь мне можно компота?

Бонни смотрела, как ярко-красная капля стекает по наглаженным складкам ее платья.

— Мадам не думает, что для одного дня достаточно? — в смятении спросила мадемуазель.

— Наверно, я заболела, немножко, — призналась Бонни. Она была ужасно бледной.

Врач сказал, что дело скорей всего в перемене климата. Алабама забыла взять в аптеке прописанное им рвотное средство, ну а Бонни отправилась на неделю в постель, пила лимонную воду и мясной бульон, пока ее мать репетировала вальс. Алабама была в растерянности. Мадам Сиргева оказалась права — она смогла бы сделать два поворота, только если бы оркестр играл медленнее. Маэстро был непреклонен.

— Матерь Божья, — в темных углах перешептывались девушки. — Она так сломает себе спину!

Так или иначе, она осталась в целости и сохранности, и сама усадила Бонни с мадемуазель в поезд, купив им в дорогу спиртовую лампу.

— Мадам, что мы будем с ней делать? — недовольно спросила мадемуазель.

— Англичане обычно путешествуют с такими лампами, — объяснила Алабама, — чтобы позаботиться о ребенке, если у него вдруг начнется круп. У нас никогда ничего такого нет, поэтому мы чаще имеем дело с больницами. Детишки, конечно, все равно выздоравливают, это уже потом кто-то предпочитает спиртовые лампы, а кто-то — больницы.

— Мадам, у Бонни нет крупа, — обиженно произнесла мадемуазель. — Ее болезнь — результат единственно нашего визита.

Ей хотелось, чтобы поезд поскорее тронулся и она вместе с Бонни оказалась подальше от неаполитанских несуразностей. Алабаме тоже хотелось поскорее выпутаться из сложного положения.

— Надо было купить билеты на поезд «люкс», — сказала Бонни. — Так хочется поскорее приехать в Париж.

— Это и есть поезд «люкс», а ты настоящая задавала!

Бонни с невозмутимым скептицизмом посмотрела на мать.

— Мамочка, на свете много вещей, которых ты не знаешь.

— Вполне возможно.

— Ах, — не скрывая одобрения, всполошилась мадемуазель. — Au'voir, мадам, au'voir! Удачи вам!

— Мамочка, до свидания. Не танцуй слишком много! — со светской небрежностью крикнула Бонни, когда поезд тронулся с места.

Тополи перед вокзалом звенели верхушками, словно карманы, набитые серебряными монетами; поезд печально засвистел на повороте.

— Пять лир, — сказала Алабама извозчику с загнутыми по-собачьи ушами, — отвезите меня в Оперный театр.

Весь вечер она просидела одна — без Бонни. До тех пор ей даже в голову не приходило, до чего полнее была ее жизнь, пока Бонни не уехала. Ей стало жаль, что она не посидела с дочкой подольше, пока та лежала в постели. Наверно, могла бы пропустить некоторые репетиции. Ей хотелось, чтобы дочь увидела ее в спектакле. Еще неделя репетиций, и состоится ее настоящий дебют в качестве балерины!

Алабама бросила сломанный веер и пачку открыток, оставленных Бонни, в корзину для мусора. Вряд ли стоит посылать их в Париж. После этого она принялась за штопку своих миланских трико. Итальянские пуанты на диво хороши, а вот итальянские трико — слишком плотные и врезаются в бедра, когда исполняешь арабеск «круазе».

II

— Хорошо провела время?

Дэвид встретил Бонни там, где стояли в розовом цвету яблони и Женевское озеро раскинуло свою сеть, страхуя бесстрашно изогнувшиеся, ну просто акробаты, горы. Напротив станции Веве над рекой перекинулся красивый мост, похожий на карандашный рисунок; подпирая друг друга, горы вставали из воды, проглядывая сквозь стебли роз «Дороти Перкинс» и заросли фиолетовых клематисов. Ни пяди, ни уголка, ни расщелинки Природа не оставила без растительности: нарциссы обводили горы молочно-белыми полосами, дома соединялись с землей посредством щиплющих траву коров и горшков с геранью. Дамы в кружевах и с зонтиками, дамы в платьях из холстинки и в белых туфельках, дамы с мандариновыми улыбками были постоянными элементами в облике привокзальной площади. Женевское озеро, много веков битое жестоким сверканием солнца, грозило кулаком высоким небесам, проклиная Бога из безопасного бытия в Женевской республике.

— Хорошо, — коротко ответила Бонни.

— Как там мама? — Дэвиду требовался более полный ответ.

Одет он был по дорогому летнему каталогу, даже Бонни заметила, как ее отец изумительно элегантен, что предполагало высокое портновское искусство. Он был весь в жемчужно-сером и выглядел так, будто влез в свитер из ангорской шерсти и фланелевые брюки с такой точностью, что ничуть не нарушил их первозданное совершенство. Не будь он настолько красив, ему ни за что не удалось бы выглядеть таким дерзким и одновременно значительным. Бонни гордилась отцом.

— Мамочка танцевала, — сказала Бонни.

По улицам Веве расползались глубокие тени, словно разнежившиеся летние пьяницы; полные влаги облака плавали, как водные лилии, по блестящей поверхности небесного озера.

Они забрались в автобус и доехали до отеля.

— Комнаты, князь, — сказал печальный и вежливый администратор, — будут стоить восемь долларов в день из-за праздника.

Гостиничный служащий отнес багаж в золотисто-белые апартаменты.

— Какая красивая гостиная! — воскликнула Бонни. — Даже телефон есть. Такая elegance!

Она закружилась, включая ярко-красные напольные светильники.

— У меня своя комната и своя ванная, — напевала она. — Очень мило, папочка, что ты дал мадемуазель vacances*!

— Как вашему высочеству нравится ванная комната?

— Ну — чище, если вам угодно, чем в Неаполе.

— Ванна в Неаполе была грязной?

— Мамочка сказала, что нет... — нерешительно проговорила Бонни, — а мадемуазель сказала, что да. Все говорят по-разному, — призналась она.

— Алабама должна была сама за этим проследить.

Он услышал из ванной тоненький дрожащий голосок, напевающий «avez-vous planter les shoux?** Зато плеска воды слышно не было.

— Ты вымыла коленки?

— Еще нет... a la manière de chez-nous, à la manière de chez-nous...***

— Бонни, поспеши.

— Можно мне сегодня лечь спать в десять часов?.. ...on les plante avec le nez...»****

Бонни, хохоча, пронеслась по всем комнатам.

Золотистое солнце угасало, легкий ветерок шевелил занавески, зажженные лампы в розовых тенях уходящего дня напоминали костры. Стоявшие в комнате

---

* Выходные (*фр.*).

** «Вы умеете сажать капусту? (*фр.*)

*** ...Так, как мы, так, как мы (*фр.*).

**** ... Носом мы ее сажаем...» — Бонни напевает старинную французскую песенку.

цветы были прекрасны. Где-то должны быть часы. В маленькой головке Бонни мысли безостановочно сменяли одна другую. Верхушки деревьев снаружи казались ярко-синими.

— Мама ничего *не говорила?* — спросил Дэвид.

— А знаешь, — ответила Бонни, — она устроила для меня вечеринку.

— Это хорошо. Расскажешь, как все было?

— Ладно. Там была обезьянка, потом я заболела, а мадемуазель раскричалась из-за пятна на моем платье.

— Понятно... А что мама сказала?

— Мамочка сказала, что, если бы не оркестр, она могла бы делать два поворота.

— Наверно, это очень интересно, — предположил Дэвид.

— Очень, — поддакнула Бонни. — Это было очень интересно. Папочка...

— Да, дорогая?

— Папочка, я люблю тебя.

Дэвид дурашливо качнулся, изображая громкий смех.

— Могла бы любить и посильнее.

— Я тоже так думаю. Разрешишь мне сегодня поспать с тобой?

— Конечно же, нет!

— Было бы так хорошо.

— У тебя точно такая же кровать.

Девочка вдруг заговорила на удивление деловито:

— С тобой не так страшно. Неудивительно, что мамочке нравилось спать в твоей постели.

— Глупости!

— Когда я выйду замуж, вся моя семья будет спать на одной большой кровати. Тогда я ни о ком не буду беспокоиться, и они не будут бояться темноты. Тебе

 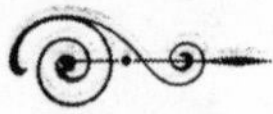

ведь нравилось спать с родителями до того, как ты встретил мамочку, нравилось?

— У нас были родители — потом у нас появилась ты. Современное поколение — это поколение одиночек, к сожалению, им не к кому прислониться.

— Почему?

— Потому что покой возможен, только когда не забываешь о прошлом и чего-то ждешь в будущем. Поторопись, а то не успеешь одеться к приходу наших друзей.

— И дети тоже будут?

— Будут. Я пригласил детей одного моего приятеля, чтобы тебе не было скучно. Мы собираемся в Монтрё посмотреть на танцы. Однако, — сказал Дэвид, — небо как будто затягивается тучами. Похоже, пойдет дождь.

— Ой нет, папочка!

— Мне тоже было бы жаль. Всегда что-нибудь портит вечеринку, или обезьяны или дождь. А вот и наши друзья.

Следом за гувернанткой по гостиничному двору брели три светловолосых ребенка в угасающем свете солнца, которое окрашивало в розовый цвет стволы каких-то хвойных деревьев.

— Bonjour*, — сказала Бонни и, подражая гранд-даме, с нарочитой томностью протянула руку. Но тотчас забыв про светские манеры, налетела на пришедшую девочку. — Ой, на тебе платье, точь-в-точь как у Алисы в Стране Чудес! — взвизгнула она.

Девочка была на несколько лет старше Бонни.

— Gruss gott**, — сдержанно произнесла она, — у тебя тоже миленькое платьице.

* Здравствуйте (*фр.*).

** Здравствуй (*нем.*).

— Et bonjour, Mademoiselle! — Мальчики были младше сестры. Они по-армейски вытянулись перед Бонни, как положено швейцарским школьникам.

Дети выглядели очень живописно на аллее из подстриженных платанов. Зеленые холмы, вытянувшиеся вдаль, напоминали море на картинке из полузабытой сказки. С фасада отеля свисали синие и розовато-лиловые гроздья горных вьющихся растений. Детские голоса рассекали ясный воздух, и ощущение абсолютной уединенности еще больше усиливалось горными громадами Альп.

— Что значит «это»? Я видел в газете, — произнес голос восьмилетнего мальчишки.

— Не будь дурачком, это всего лишь сексапильность, — ответил другой голос, постарше.

— И это есть лишь у очень красивых леди в кино, — сказала Бонни.

— А у мужчин разве этого, хотя бы иногда, не бывает? — разочарованно переспросил первый мальчишеский голос.

— Папа говорит, это есть у всех, — уверенно отозвалась девочка постарше.

— А мама говорит, что не у всех. Бонни, что говорят твои родители?

— Ничего не говорят, потому что я не читала газету.

— Станешь постарше, прочитаешь, — сказала Джиневра, — если об этом еще будут писать.

— Я видел папу в ванне, — выжидающе прошептал маленький мальчик.

— Ну и что? — фыркнула Бонни.

— Как это «ну и что»?

— А так. Ну и что? — переспросила Бонни.

— Я плавал голый с ним вместе.

— Дети... дети! — приструнил их Дэвид.

Черные тени укрывали озеро, эхо неизвестно чего спускалось по горам и парило над водой. Заморосило, швейцарский дождик мочил землю. Плоские упругие плети вьюнков вокруг окон отеля пролились широкими красными потоками; георгины поникли перед бурей.

— Ну какой праздник в дождь?! — в отчаянии закричали дети.

— Наверно, танцовщики, как и мы, наденут калоши, — предположила Бонни.

— И, может, у них даже есть дрессированные котики, — с надеждой проговорил мальчик помладше.

Дождь медленными мерцающими струйками падал с расплакавшегося солнца. Деревянная платформа вокруг эстрады быстро намокла и окрасилась в цвета отсыревшего серпантина и конфетти. Намокший свет, проходя сквозь красные и оранжевые зонтики-грибы, делал их еще ярче, они вспыхивали, как лампы в магазине электротоваров, модная публика сверкала в ярком целлофане дождевиков.

— А что будет, если дождь зальет трубу? — спросила Бонни, когда оркестр появился у основания промытых дождем и похожих на шиншилл гор.

— Будет очень красиво, — ответил мальчик. — Я, когда я купаюсь, то залезаю под воду и дую — получается такое красивое, такое громкое бульканье.

— Это чудесно, — подтвердила Джиневра, — когда мой брат булькает.

Сырой воздух приглушал музыку, словно губка; девочки стряхивали воду со шляпок; просмоленное полотно декораций было скатано, и стали видны скользкие, опасные подмостки.

— Они дают «Прометея»*, — сказал Дэвид, проглядывая программку. — Я вам потом расскажу о нем.

---

* Имеется в виду балет Сержа Лифаря на музыку Бетховена.

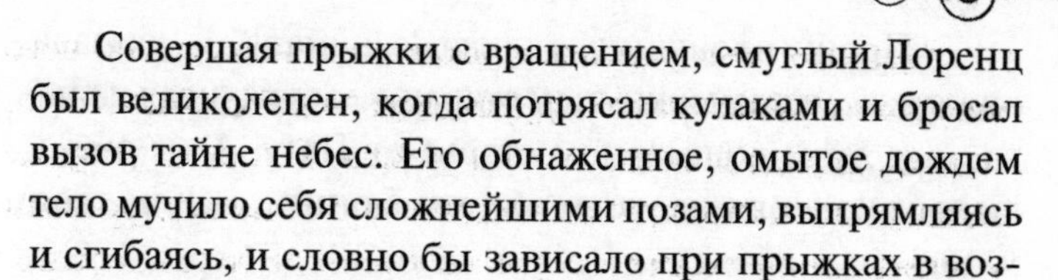

Совершая прыжки с вращением, смуглый Лоренц был великолепен, когда потрясал кулаками и бросал вызов тайне небес. Его обнаженное, омытое дождем тело мучило себя сложнейшими позами, выпрямляясь и сгибаясь, и словно бы зависало при прыжках в воздухе, подобно падающему листку бумаги.

— Бонни, посмотри, — позвал дочь Дэвид, — вон твоя старая подружка!

Одолевая целый лабиринт немыслимых поворотов, Арьена представляла розового купидона. Мокрая, неубедительная, она упорно старалась выудить небесную суть из своей роли. Труженица балерина под маской артистки вымучивала непростую интерпретацию.

Неожиданно Дэвида охватила жалость к девушке, которой приходилось танцевать для зрителей, думающих в это время о своей мокнущей одежде и прочих погодных сюрпризах. Танцовщики тоже думали о дожде и успели немного замерзнуть, прежде чем зазвучало взрывное крещендо финала.

— Мне больше всего понравились те, которые в черном, которые дрались, — сказала Бонни.

— И мне тоже, — согласился с ней мальчик, — особенно было здорово, когда они колотили друг дружку.

— Давайте пообедаем в Монтрё — слишком сыро, чтобы ехать обратно, — предложил Дэвид.

В холле отеля сидело много людей, для которых ожидание явно было привычным состоянием: здешние сумерки пропитались ароматом кофе и французских булочек; вода с плащей стекала на пол.

— Bonjour! — вдруг закричала Бонни. — Вы очень хорошо танцевали, даже лучше, чем в Париже!

Стройная, элегантно одетая Арьена пересекала комнату. Она обернулась, словно манекенщица, демонстрируя себя. Легкая морщинка легла на миг между безмятежно изогнутых бровей, — балерина явно смутилась.

— Прошу прощения, я такая dégouttant*, — сказала она тут же, с подчеркнутым старанием отряхивая пальто, — в этом кошмарном старье от Пату! А ты очень выросла! — она ласково обняла Бонни. — Как твоя мама?

— Она тоже танцует.

— Я знаю.

Арьена постаралась как можно скорее отделаться от девочки. Свой спектакль успеха она ведь уже разыграла — Пату был очень популярен у звезд балета — он шил лучшие полупальто. Арьена ловко упомянула Пату. И с такой великолепной небрежностью!

— Мне пора к себе, наша *étoile*** ждет меня. Au 'voir, cher David! Au 'voir, ma petite Bonnie!

Дети лакомились за столом, и перед войной это еще не стало анахронизмом в ночных ресторанах, где играла музыка. Тени от бокалов с вином пересекали стол топазовыми стрелами, пиво рвалось на свободу из серебряных кружек, а дети не могли сдержать смех: несмотря на строгие оклики их отцов, он вырывался, как кипящая вода из-под крышки кастрюли.

— Я хочу закуску, — заявила Бонни.

— Что с тобой, девочка? На ночь это нехорошо.

— Я тоже хочу, — захныкал один из мальчиков.

— Старшие заказывают для младших, — не пошел на поводу у детей Дэвид. — Я расскажу вам о Прометее, и вы даже не заметите, что не получили желаемого. Прометей был прикован к высокой скале, и...

— Можно мне заказать абрикосовый джем? — спросила Джиневра.

— Так ты хочешь послушать о Прометее или нет? — теряя терпение, спросил Дэвид.

---

* Противная (*фр.*).

** Звезда (*фр.*).

— Да, сэр. О да, конечно.

— Так вот, — продолжил Дэвид, — он висел и висел на скале многие годы...

— Это есть в моей «Мифологии», — с гордостью сообщила Бонни.

— И что потом? — спросил маленький мальчик. — Он там висел? А потом?

— Что потом? Ну... — Дэвид сиял от приятного возбуждения, с удовольствием демонстрируя детям свою эрудицию и обаяние, словно дорогие рубашки потрясенным лакеям. — Мм... Ты помнишь, что там произошло? — запинаясь, обратился он к Бонни.

— Нет. Я забыла, совсем давно читала.

— Если это все, можно мне еще компот? — вежливо спросила Джиневра.

Домой возвращались мерцающей огнями ночью, проезжая мимо деревень и садов, из которых над дорогой свешивали головы длинные подсолнухи. Дети дремали на подушках, защищенные сверкающей броней автомобиля Дэвида. Они были в полной безопасности в его роскошном автомобиле: в автомобиле-к-вашим-услугам, в автомобиле-тайне, в автомобиле-для-раджи, автомобиле-смерти, первоклассном-автомобиле, который, пыхтя, бросал хозяйские деньги на летний ветер, как вельможа — щедрое подаяние. Там, где в ночном небе словно бы отражалось озеро, они мчались, как воздушный шарик, мчались по округлости живого и плотного, как ртуть, земного шара. Они ехали сквозь черные, непроницаемые тени, клубившиеся над дорогой, словно дым из лаборатории алхимика, они летели мимо озаренных смутным светом горных вершин.

— Мне бы не хотелось быть художником, — сонно произнес мальчик помладше, — мне бы хотелось быть дрессированным морским котиком, — уточнил он.

— А я буду художницей, — заявила Бонни. — А они будут ужинать, когда мы ляжем спать.

— Но, — резонно возразила Джиневра, — мы уже поужинали.

— Да, — согласилась Бонни, — но ужинать всегда приятно.

— Только не когда полный живот.

— Когда живот полный, тогда уже все равно, приятно или нет, — не унималась Бонни.

— Почему ты все время споришь? — Джиневра холодно отвернулась и придвинулась ближе к окошку.

— Потому что ты перебила меня, когда я думала, что мне было бы приятно.

— Наверно, мы сразу поедем в ваш отель, — предложил Дэвид. — Вы ведь устали.

— Папа говорит, что трудности укрепляют характер, — сказал мальчик постарше.

— Боюсь, это испортит наш вечер, — произнес Дэвид.

Шагая по коридору вдвоем с отцом, Бонни неожиданно спросила:

— Полагаю, я не очень прилично себя вела?

— Не очень. Хорошо бы тебе понять, что общение с людьми гораздо важнее, чем переваривание пищи, знаешь ли.

— Но эти люди должны были вести себя так, чтобы я чувствовала себя *хорошо,* ведь правда? А они были все заодно.

— Дети всегда заодно, — отозвался Дэвид. — Бонни, люди похожи на справочники — никогда не находишь нужную информацию, однако читать все же стоит.

— У нас очень хорошие комнаты, — заметила Бонни. — А что это в ванной такое на потолке, из чего вода брызжет, как из шланга?

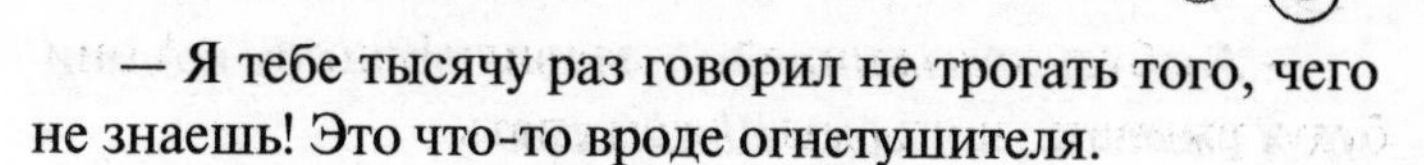

— Я тебе тысячу раз говорил не трогать того, чего не знаешь! Это что-то вроде огнетушителя.

— Они думают, что в ванной всегда может случиться пожар?

— Да нет же, пожары случаются очень редко.

— Конечно, пожар это очень плохо, но было бы забавно посмотреть, как все забегают.

— Ты готова лечь в постель? Я хочу, чтобы ты написала письмо маме.

— Да, папочка.

И Бонни уселась в тихой гостиной с большими величественными окнами, выходящими на словно нарисованную сепией площадь.

«Дорогая мамочка!

Как ты понимаешь, мы опять в Швейцарии...

Гостиная была очень просторной и тихой.

... швейцарцы очень интересные! Один служащий в отеле называет папу князем!..

Под напором ветра занавески отодвинулись, потом плавно вернулись на свое место.

...Figurez-vous, Mamman, что я княжна. Представляешь, какие глупости приходят им в голову...*

Вокруг было многовато ламп даже для такой «шикарной» комнаты.

...на мадемуазель Арьене было пальто от Пату. Она рада твоему успеху...

Они даже украсили цветами комнату папы, чтобы сделать ее еще красивей.

* Это значит, мама (*фр.*).

...Если бы я была княжной, то все делала бы по-своему. Я бы привезла тебя в Швейцарию...

Подушки в гостиной были жесткие, но очень хорошенькие, с золотыми кисточками, свисающими вдоль ножек кресла.

Мне было хорошо, когда ты жила дома...

Тени задвигались. Лишь малыши боятся теней или вещей, двигающихся по ночам.

...Мне пока почти нечего рассказать. Я очень стараюсь казаться избалованной...

Вряд ли тени что-то скрывают. Но они перемещаются. Дверь открылась?!!

— О-о-ой! — в ужасе завизжала Бонни.

— Ш-ш-ш, — успокоил Дэвид дочь, обнимая ее, чтобы защитить от всех напастей.

— Я тебя напугал?

— Нет... Это тени. Иногда я делаюсь очень глупой, когда остаюсь одна.

— Понятно. Со взрослыми такое тоже случается.

Свет из окон отеля освещал сонный парк; в воздухе чувствовалось ожидание, похожее на поникший флаг, когда нет ветра.

— Папочка, не выключай свет.

— Еще не хватало! Тебе нечего бояться — у тебя есть я и мамочка.

— Мамочка в Неаполе, — сказала Бонни, — а когда я засну, ты обязательно уйдешь!

— Ладно, не выключу, но все равно это нелепо!

Через несколько часов, когда Дэвид на цыпочках вошел в спальню Бонни, то обнаружил, что там темно. Сама Бонни слишком крепко зажмурила глаза, и было ясно, что она не спит. Для большего спокойствия она все же немного приоткрыла дверь в гостиную.

— Почему ты не спишь?

— Я думала, — прошептала Бонни. — Тут лучше, чем в Италии с мамочкиным успехом.

— У меня тоже успех, — сказал Дэвид, — только я заработал его до твоего рождения, поэтому он для тебя привычен!

В тишине хорошо было слышно жужжание насекомых за окном, сновавших в кронах деревьев.

— Неужели в Неаполе было так плохо?

— Ну... — Бонни помедлила. — Конечно, я не знаю, каково там мамочке...

— Она что-нибудь говорила обо мне?

— Она сказала — сейчас вспомню, — я не знаю, что мамочка сказала. Она лишь сказала, папочка, что хочет дать мне один совет, вот такой: что нельзя быть пассажиром всю свою жизнь, надо самой сесть за руль.

— Ты поняла?

— Нет, — вздохнула благодарная и утешенная Бонни.

Лето пришло из Лозанны в Женеву, украшая берега Женевского озера, будто рисовало изящный узор на краешке фарфорового блюда. Поля желтели на жаре, горы напротив окон отеля оставались неизменными даже в самый солнечный день.

Бонни, изображая отрешенную от мира сивиллу, наблюдала за чернильной тенью горы Юра, вклинившейся между зарослями тростника и краем озера. Белые птицы, пролетавшие то тут, то там, словно бы расставляли нужные акценты в этом ограниченном, но огромном пространстве. Птицы были так похожи на значки ударения.

— Хорошо поспала, малышка? — спрашивали ее постояльцы, оправлявшиеся после долгой болезни и рисовавшие пейзажи в саду.

— Да, — вежливо отвечала Бонни, — но, пожалуйста, меня не отвлекайте — я стою на страже и должна сообщить о приближении врага.

— А можно мне быть королем замка? — спросил, высунувшись из окна, Дэвид. — И отрубить тебе голову, если ты прозеваешь вражеское войско?

— Ты узник, и я вырвала у тебя язык, так что тебе нечем жаловаться — но я все равно хорошо с тобой обращаюсь, — смилостивилась Бонни, — поэтому тебе не обязательно чувствовать себя таким уж несчастным, папочка. Только если ты сам захочешь! Лично я предпочла бы быть несчастной.

— Ладно, — согласился Дэвид, — я самый несчастный среди несчастных! В прачечной испортили мою розовую рубашку, и меня только что пригласили на свадьбу.

— Я запрещаю тебе покидать замок, — строго произнесла Бонни.

— Что ж, теперь я несчастлив вдвое меньше.

— Раз ты так, не буду больше с тобой играть. Ты должен быть печальным и тосковать по родному дому и любимой жене.

— Посмотри! Я уже весь в слезах!

Дэвид задрапировался полотенцем, скорбно застыв над купальными халатами, сохнувшими на подоконнике.

Посыльный, принесший телеграмму, явно был удивлен видом американского князя. Дэвид распечатал конверт.

— У папы удар, — прочитал он. — Выздоровление сомнительно. Приезжай немедленно. Постарайся не слишком напугать Алабаму. Люблю. Милли Беггс.

Дэвид отрешенно смотрел на белых бабочек, порхавших под деревьями с прихотливо изогнутыми ветками, изредка ударявшимися о землю. Он как будто наблюдал за собственными чувствами, скользившими по ставшему эфемерным настоящему, как падавший вдоль стекла листок телеграфного бланка. Телеграмма в одно мгновение напополам разрезала их жизнь, словно сработавшая гильотина. Схватив карандаш, Дэвид принялся писать телеграмму Алабаме, потом решил позвонить ей, но вспомнил, что театр днем закрыт. Тогда он послал телеграмму в пансион.

— Что случилось, папочка? Ты больше не играешь?

— Нет, дорогая. Иди сюда, Бонни. У нас плохая новость.

— Какая?

— Твой дедушка умирает, поэтому нам надо вернуться в Америку. Я пошлю за мадемуазель, она пока побудет с тобой. Мама, наверно, приедет прямо в Париж, и мы там встретимся — или я поплыву из Италии.

— Не надо из Италии, — сказала Бонни. — Лучше из Франции.

В полной растерянности они ждали ответа из Неаполя.

И он свалился на них как гром среди ясного неба, как ледяной айсберг с небес. Из истеричных воплей итальянки Дэвид в конце концов понял, что нагрянула еще одна беда.

— Мадам заболела и уже два дня в больнице. Вы должны приехать и спасти ее. Здесь некому за ней ухаживать, но она не дала нам ваш адрес, все говорит, что справится сама. Это очень серьезно. Нам не на кого положиться, кроме как на вас и на Бога.

— Бонни, — простонал Дэвид, — где, черт его побери, адрес мадемуазель?

— Не знаю, папочка.

— Тогда складывай вещи — и побыстрее.

— Ах, папочка, я только что приехала из Неаполя, — заплакала Бонни. — Я не хочу никуда ехать!

— Мы нужны твоей матери, — коротко произнес Дэвид. Они успели на ночной экспресс.

В итальянской больнице было почти как в инквизиции — им пришлось ждать снаружи вместе с хозяйкой пансиона и мадам Сиргева. Двери открыли только в два часа.

— Она такая талантливая, — стонала мадам. — Со временем могла бы стать великой балериной...

— Ради всего святого, такая молоденькая! — всхлипывала итальянка.

— У нее не было времени, — печально произнесла мадам Сиргева. — Она слишком поздно начала танцевать.

— И всегда, синьор, была одна, помоги ей Господь, — почтительно вздохнула итальянка.

Улицы огибали засеянные травой газоны, образуя некий математический рисунок — некие пророческие диаграммы ученого доктора. Уборщица открыла дверь.

На Дэвида пахнуло эфиром, но его это не остановило. Два врача в приемной обсуждали последнюю игру в гольф. Их одежда делала их похожими на инквизиторов — да еще запах зеленого мыла.

Дэвиду было очень жалко Бонни.

Неужели английский интерн сумел одним ударом послать мяч в лунку? Дэвид не мог в такое поверить.

Врачи сказали, что инфекция была в клее на коробке с пуантами — она проникла внутрь организма через лопнувший волдырь. Они несколько раз повторили «разрез», это звучало как «аллилуйя, Дева Мария».

— Остается только ждать, — повторяли они поочередно.

— Надо было сразу продезинфицировать ранку, — проговорила мадам Сиргева. — Я побуду с Бонни.

Добравшись наконец до палаты, Дэвид уставился в потолок.

— При чем тут нога?! — крикнула Алабама — У меня болит живот. Это невыносимо!

Почему врач все время твердит про ногу? Почему он не прислушивается к ней самой и даже и не думает назначить грелку со льдом?

— Посмотрим, — сказал врач, безразлично глядя в окно.

— Мне хочется пить! Пожалуйста, дайте мне воды!

Медицинская сестра продолжала методично прибирать на передвижном столике.

— Non c'èacqua*, — прошептала она.

Могла бы и не шептать, и так все было ясно.

Двери в больнице открывались и закрывались. В палате Алабамы стояла жуткая вонь. Нога лежала на табурете в желтой жидкости, которая через некоторое время побелела. У Алабамы сильно болела спина. Словно ее поколотили тяжелыми палками.

— У меня есть немного апельсинового сока, — сказала Алабама, так ей показалось. На самом деле это сказала Бонни. Дэвид принесет мне шоколадное мороженое, и меня вырвет; рвота пахнет, как газированная вода, думала Алабама. Из ее щиколотки торчали две стеклянные трубки, как стебельки, и они напоминали ей головной убор китайской императрицы — наверное, из-за них внутри ноги что-то колыхалось.

Стены палаты тихо скользили куда-то, одна за другой, словно страницы перелистываемого альбома. Перед глазами мелькали серые, розовые, светло-лиловые тени. Не слышно было ни звука.

Пришли два врача и стали о чем-то совещаться. Какое отношение Салоники имеют к ее спине?

* Воды нет (*ит.*).

— Мне нужна подушка, — слабым голосом произнесла Алабама. — У меня сломалась шея!

Врачи продолжали с равнодушным видом стоять в изножье кровати. Окна открылись, как слепящие белые пещеры, приглашая в белые туннели, которые накрыли кровать, словно тентом. Внутри этого сияния было легко дышать — Алабама не чувствовала своего тела, воздух был необычайно легким.

— Сегодня в три, — сказал один из врачей и ушел. А другой продолжал говорить сам с собой.

— Я не могу оперировать, — услышала Алабама, — сегодня я должен стоять тут и считать белых бабочек.

— Значит, девушка была изнасилована каллой, — произнес он. — Или... нет, кажется, это душевой шланг выкинул такую штуку! — торжествующе воскликнул он.

Потом врач залился дьявольским смехом. Как у него получалось смеяться так, словно он Пульчинелла*? Но он был тощим, как спичка, и высоким, как Эйфелева башня! Медицинская сестра пересмеивалась с другой сестрой.

— Это не Пульчинелла, — вроде бы Алабама сказала сестре. — Скорее он Аполлон Мусагет**.

— Вы не понимаете! С чего бы мне думать, что вы понимаете? — с презрением крикнула она.

Переглянувшись, девушки значительно улыбнулись и ушли. Опять стены... Алабама решила расстроить коварный замысел стен, пусть не думают, что смогут раз-

---

* Персонаж комедии дель-арто — с горбом или большим животом, один из самых любимых в Италии. Вероятно, воспоминание о балете И. Стравинского «Пульчинелла».

** Здесь: Аполлон — предводитель и покровитель Муз. Вероятно, ассоциация с одноименным балетом И. Стравинского в постановке Баланчина (1928).

давить ее, пока они будут складываться, придавить альбомной страницей, словно бутон из свадебного букета. Алабама пролежала в больнице несколько недель. Из-за запаха, поднимавшегося от таза, у нее невыносимо саднило горло, она то и дело отплевывала красную слизь.

В эти жуткие недели Дэвид плакал, шагая по улицам, плакал, лежа ночью в постели, и жизнь казалась ему бессмысленной, конченой. Потом он предался отчаянию, и убийство и насилие играли в его сердце, пока он не выдохся.

Дважды в день он приходил в больницу и слушал врачей, рассказывавших про заражение крови.

Наконец они разрешили ему увидеться с ней. Он уткнулся лицом в одеяло, подсунул руки под измученное тело и заплакал, как ребенок. У нее были приподняты ноги, как в кресле дантиста. Будто на средневековой дыбе, было растянуто ее тело, и голова откинута назад.

Не переставая рыдать, Дэвид крепко прижал ее к себе. Алабаме он казался пришельцем из другого мира. Его ритмы не совпадали со стерильными, изнурительными ритмами больницы. Алабаме казалось, что она едва знает его.

Он не сводил глаз с ее лица. И не смел посмотреть в изножье кровати.

— Дорогая, все пройдет, — попытался он успокоить ее. — Еще немного, и ты выздоровеешь.

Однако это ее не успокоило. Он что-то недоговаривал. В письмах ее матери ничего не было про ногу, и он почему-то не приводил сюда Бонни.

«Наверно, я очень похудела», — подумала Алабама. Судно врезалось ей в позвоночник, а руки стали похожи на птичьи лапы, держащиеся за воздух, будто за насест. Она готова была уцепиться за небесный свод, лишь бы дать ноге отдых. Кисти рук стали узкими и хрупкими, синими на костяшках пальцев, как у ощипанной птицы.

Иногда нога болела так сильно, что Алабама закрывала глаза и уплывала на волнах сумеречного бреда. Оказывалась она всегда в одном и том же месте. Это было озеро, и до того чистое, что проглядывалось до самого дна; а посреди озера темнел остров, как заброшенный туда чертов палец. Там были фаллические тополи и пышные, в буйном цвету, кусты розовой герани, и лес белоствольных деревьев, с которых, как с неба, падали листья и покрывали землю. В воде скользили похожие на сгустки облаков водоросли: жирные плотоядные листья на алых стеблях, длинные стебли, как щупальца, без листьев, шуршащие шары йодина и странные химические плоды стоячей воды. Вороны каркали то в одной стороне густого тумана, то в другой. Слово «болезнь» исчезало в ядовитых парах, а потом выныривало и металось по всему острову, пока не оказывалось на белой дороге, которая бежала ровно посередке. Но вот слово «болезнь» закрутилось на узкой ленточке тропы, как поджаривающаяся свинья на вертеле, и Алабама проснулась с ощущением, что эти зловещие буквы впились в ее глазные яблоки.

Время от времени она впадала в забытье, и тогда ей грезилась мама, она приносила ей холодный лимонад, но это случалось, лишь когда боль отступала.

Дэвид появлялся, едва что-нибудь случалось, словно отец, наблюдающий за ребенком, который учится ходить.

— Ну вот — тебе пора узнать, Алабама... — проговорил он в конце концов.

Алабама вся обмерла. Она почувствовала, как душа ее рвется на части.

— Я знала — давно знала, — сказала она с вымученным спокойствием.

— Бедняжка ты моя... нога твоя цела. До *этого* не дошло, — сочувственно произнес он. — Но танцевать ты не сможешь. Тебе это очень будет тяжело?

— Придется ходить на костылях?

— Нет — никаких костылей. Но сухожилия перерезаны, и им пришлось почистить артерию. Но ты будешь ходить, правда, немного прихрамывая. Постарайся об этом не думать.

— Ах, мое тело — столько труда — и все впустую!

— Бедняжка моя... зато теперь мы опять вместе. Дорогая, мы опять обрели друг друга.

— Да... только это и осталось, — прорыдала Алабама.

Она размышляла о том, что всегда надеялась получить от жизни то, что ей хочется... Что ж, такого оборота она не могла предвидеть. Чтобы это пережить, придется потратить много душевных сил...

Ее мать тоже не ожидала смерти своего сыночка, и наверняка случались дни, когда отец не хотел, чтобы его дочери залезали к нему на колени и тянули из него душу.

Отец! Хорошо бы попасть домой, пока он еще жив. Если не будет отца, в этом мире ей больше не от кого ждать помощи.

И тут Алабама вдруг с ужасом осознала, что после смерти отца она сама станет последним прибежищем для родных, если им потребуется помощь.

III

Семейство Найтов вышло из поезда на старый кирпичный вокзал. Южный город бесшумно спал на просторной палитре хлопковых полей. От забытой тишины у Алабамы заложило уши, словно она оказалась в безвоздушном пространстве. Полусонные негры раскинулись на лестнице, словно воплощения некоего измученного трудами небесного творца. Большая площадь вся в бархатных тенях, убаюканная напевами Юга, растянулась, как мягкая промокашка, в окружении окрестных владений.

— Мы найдем тут красивый дом и будем в нем жить? — спросила Бонни.

— Que c'est drôle!* — воскликнула мадемуазель. — Сколько же тут негров! А миссионеры здесь есть, чтобы их научили?

— Научили чему? — не поняла Алабама.

— Как? Вере, конечно.

— У них с верой все в порядке. Они много поют.

— Очень хорошо. А они симпатичные.

— Они не будут ко мне приставать? — спросила Бонни.

— Разумеется, нет. Здесь гораздо спокойнее, чем где бы то ни было. Твоя мама тут выросла. Я была с ними на речке, когда они совершали обряд крещения, — продолжала Алабама, — четвертого июля в пять часов утра. Все были в белых одеждах, и красное солнце освещало грязный берег реки. Меня переполнял восторг, даже захотелось принять их веру.

— Вот бы и мне посмотреть.

— Может, еще посмотришь.

Джоанна ждала их в маленьком коричневом «форде».

Увидев сестру впервые после стольких лет, Алабама вновь ощутила себя маленькой девочкой. Старый город, в котором ее отец проработал почти всю жизнь, теперь воспринимался как надежный защитник. Хорошо бродить по земле, когда душа полна азарта и стремления

* Просто удивительно! (*фр.*)

ничего не упустить в этом мире, но теперь, когда из всех нитей необъятных горизонтов нужно было сплести хоть какое-то пристанище, как приятно ощущать, что любимые руки, помогавшие прежде, снова помогут тебе соорудить надежный приют.

— Как хорошо, что ты приехала, — печально произнесла Джоанна.

— Дедушке очень плохо? — спросила Бонни.

— Да, дорогая. Я так и думала, что Бонни прелестное дитя.

— Джоанна, а как твои ребята?

Джоанна почти не изменилась. Она была человеком консервативным, совсем как их мама.

— Отлично. Но я не решилась их привезти. Для детей все это ужасно.

— Да. Пожалуй, мы оставим Бонни в отеле. Она сможет приходить к нам утром.

— Только пусть поздоровается. Мама обожает ее. — Джоанна обернулась к Дэвиду. — Она всегда любила Алабаму больше всех из нас.

— Ерунда! Просто я младшая.

Автомобиль ехал по знакомым улицам. Нежный, полный невнятных порывов вечер, запах покрывающейся испариной земли, сверчки в траве, деревья с тяжелыми кронами, соединявшимися в горячем воздухе, — все это приглушало безотчетный страх в сердце Алабамы, но внушало детскую беспомощность.

— Можно еще что-нибудь сделать? — спросила она.

— Мы все перепробовали. От старости нет лекарства.

— Как мама?

— Как всегда — храбрится... как я рада, что ты смогла приехать.

Автомобиль остановился перед тихим домом. Сколько раз она шагала тут пешком после танцев, чтобы не разбудить отца скрипом тормозов! В воздухе стоял милый запах спящих садов. Словно колокола, подвластные ветру с залива, раскачивались орехи-пеканы, туда-сюда, туда-сюда. Ничего не изменилось. Дружелюбные окна засветились по благословению отцовской души, дверь распахнулась его волей. Тридцать лет он прожил в этом доме, наблюдал, как цветут нарциссы, видел, как от утреннего солнца морщился пурпурный вьюнок, обрезал больные ростки на розах и обожал папоротники мисс Милли.

— Ну, разве они не красавцы? — часто повторял он. Размеренная, примечательная разве что отсутствием каких-либо колоритных интонаций, его сдержанная манера говорить была под стать аристократизму его духа.

Однажды, когда ярко светила луна, он поймал красную бабочку в виноградных плетях и приколол ее к календарю, висевшему над камином.

— Самое место для нее, — сказал он, расправляя хрупкие крылышки на железнодорожной карте Юга. У Судьи было чувство юмора.

Непогрешимый человек! Как же дети злорадствовали, когда Судья что-то делал не так! Будь то неудачная операция на зобике цыпленка (с помощью перочинного ножа и ниток из корзинки с рукоделием Милли), или опрокинутый стакан с чаем за воскресным обедом, или пятно от индейки на чистой одежде в день Благодарения — все эти недоразумения больно отзывались в сердце и мозгу этого достойнейшего человека.

Алабаму охватил страх перед неведомым, неотвратимым чувством потери. Она и Дэвид поднялись по ступенькам. До чего же высокими казались ей в детстве эти цементные плиты с проросшими папоротниками, когда она прыгала с одной на другую... а вот здесь она сидела, когда ей рассказывали про Санта-Клауса, а она ненавидела и рассказчика, и своих родителей за то, что это неправда, а ей все рассказывали, и она плакала: «Я буду верить...» Между горячими кирпичами на крыльце росла сухая бермудская трава, щекотавшая ее заголившиеся ножки, а вон там была ветка, на которой отец запретил ей качаться. Удивительно, как она могла качаться на такой тонкой ветке. «Ты не должна ее обижать», — сказал как-то отец.

— Дереву не больно.

— По моему разумению, больно. Если хочешь что-то иметь, бережно ко всему относись, и к деревьям тоже. Ко всем вещам.

И это говорил он, человек, у которого почти не было вещей! Гравированный портрет отца да миниатюрный портрет Милли, три каштана, привезенные из Теннесси, пара золотых запонок, страховой полис и несколько пар тонких летних носков — вот и все, что лежало у него в верхнем ящике бюро, вспомнила Алабама.

— Здравствуй, дорогая, — робко поцеловала ее мать, — и ты, моя дорогая! Можно мне поцеловать тебя в головку?

Бонни прильнула к бабушке.

— Бабушка, а я увижусь с дедушкой?

— Тебе будет грустно, дорогая.

Лицо старой дамы было бледным и напряженным. Она, как всегда, поворачивалась то в одну, то в другую сторону, ласково утешая своих детей, которых ждало очередное тяжкое испытание.

— О-хо-о-о-о... Милли, — послышался слабый голос Судьи.

Усталый врач вышел на веранду.

— Кузина Милли, если дети хотят видеть отца, сейчас самое время — он в сознании. — Врач с нежностью посмотрел на Алабаму. — Хорошо, что ты приехала.

Вся дрожа, Алабама последовала за худощавой надежной спиной в комнату. Ее отец! До чего же он ослаб, и бледный какой! Она едва не заплакала, остро осознав, что не может предотвратить бессмысленную и неизбежную потерю.

Алабама тихо села на кровать. И это ее красивый отец!

— Привет, детка. — Его взгляд задержался на ее лице. — Ты пока останешься тут?

— Да. Здесь хорошо.

— Я тоже всегда так думал.

Усталый взгляд обратился в сторону двери. Испуганная Бонни ждала в коридоре.

— Я хочу посмотреть на малышку.

Ласковая улыбка осветила лицо Судьи. Бонни робко приблизилась к кровати.

— Ну, здравствуй, детка. Ты похожа на маленькую птичку, — улыбнулся он. — А уж красивая, как целых две маленькие птички.

— Дедушка, а когда ты опять будешь здоровым?

— Скоро. Но сейчас я немного устал. Увидимся завтра.

И он махнул рукой, чтобы ее увели.

Едва Алабама осталась наедине с отцом, сердце ее замерло от боли. Он стал таким худым, таким маленьким за время болезни, под конец своей нелегкой жизни. Нелегкой, ведь ему приходилось всех их содержать. Благородство этой наполненной заботами о ближних жизни побудило Алабаму дать себе множество клятв.

— Ах, папа, мне так много надо спросить у тебя.

— Малышка.

Старик потрепал ее по руке. Его запястья стали тонкими, как птичьи ножки. Откуда он брал силы кормить их всех?

— Мне казалось, что ты тоже не знаешь. И только теперь...

Она погладила его по седым волосам, это была особая, южная, седина.

— Мне надо поспать, малышка.

— Спи, — сказала она. — Спи.

Алабама долго сидела рядом с отцом. Ей было неприятно, что сиделка обращается с ним как с ребенком. Ведь ее отец знал все. Сердце у нее исходило слезами.

Но старик с важным видом открыл глаза. Он все и всегда делал с необыкновенным достоинством.

— Ты хотела о чем-то меня спросить?

— Я подумала, ты скажешь мне. Наши тела даны нам, чтобы отвлекать от душевных терзаний? Да? Я подумала, ты знаешь, почему, когда телу надо прекратить пытку разума, оно не оправдывает надежд и терпит неудачу? И почему, когда нам так мучительно в наших телах, душа бросает нас, как временное убежище?

Старик молчал.

— Почему нам требуются годы и годы, чтобы, обучая чему-то тело, обучать разум, а он потом снова за утешением обращается к измученному телу? Почему, папа?

— Спроси что-нибудь полегче, — словно издалека, слабым голосом ответил старик.

— Судье надо поспать, — сказала сиделка.

— Ухожу.

Алабама остановилась в коридоре. Лампа не горела, отец выключил ее, когда слег; на вешалке все еще висела его шляпа.

Когда человек перестает думать о своих убеждениях и маленьких прихотях, он уже никто. Никто! В кровати лежит непонятно кто — но это мой отец, и я любила его. Не пожелай он, и меня не было бы на свете, думала Алабама. Наверно, все мы случайные составляющие на первичной стадии преобразований органической материи. Не может быть, чтобы я была целью жизни моего отца — но может быть, что целью моей жизни является то, что я научилась ценить его прекрасную душу.

Алабама пошла к матери.

— Судья Беггс сказал вчера, — Милли вела беседу с тенями, — что ему хотелось бы покататься в маленьком автомобиле, чтобы посмотреть на людей, сидящих на своих верандах. Все лето он старался, хотел научиться водить автомобиль, но он слишком стар. «Милли, — сказал он, — прикажи седому ангелу одеть меня. Я хочу выйти из дома». Сиделку называет седым ангелом. У него всегда был скучноватый юмор. А свой автомобильчик он любил.

Она вела себя как хорошая мать, она говорила и говорила — словно могла научить Остина жить снова, для этого ей нужно только повторять и повторять не раз сказанное. Как мать говорит о своем малыше, она рассказывала Алабаме о больном Судье, о ее отце.

— Он сказал, что хочет заказать в Филадельфии новые рубашки. Он сказал, что хочет бекон на завтрак.

— Он дал маме чек на тысячу долларов для владельца похоронного бюро, — вставила Джоанна.

— Да. — Мисс Милли засмеялась, словно над шалостью капризного ребенка. — А потом сказал: «Но ты вернешь его мне, если я не умру».

«Ах, бедная мамочка, — подумала Алабама, — ведь все это время он идет к смерти. Мама знает, но не может сказать себе: «Он умирает». И я тоже не могу».

Милли так давно ухаживала за ним, и в здоровье, и в болезни. Она пеклась о нем, когда он был молодым, и другие молодые клерки в юридической конторе уже тогда величали его «мистером Беггсом»; она пеклась о нем, когда он стал старше и был обременен бедностью и заботами; и когда он сделался стариком, и у него появилось время быть добрым.

— Моя бедная мама, — сказала Алабама. — Ты отдала отцу свою жизнь.

— Мой папа сказал, что мы можем пожениться, — отозвалась мать Алабамы, — когда узнал, что дядя твоего отца тридцать два года заседал в сенате Соединенных Штатов и брат его отца был генералом у конфедератов. Он пришел в юридическую контору моего отца просить моей руки. *Мой* отец восемнадцать лет был в сенате и конгрессе Конфедерации.

Алабама увидела свою мать, какой она была, то есть частью мужского уклада жизни. Милли как будто не думала о собственной жизни, не думала о том, что у нее ничего не останется после смерти мужа. Он был отцом ее детей, ее девочек, которые покинули ее ради собственных мужей, собственной семейной жизни.

— Мой отец был гордым человеком, — произнесла Милли с гордостью. — Когда я была маленькой, то обожала его. Нас было двадцать детей, и лишь две девочки.

— А где ваши братья? — спросил Дэвид.

— Умерли, разъехались.

— Они были братья наполовину, — пояснила Джоанна.

— Весной приезжал мой настоящий брат. Потом он уехал, пообещал написать, но так и не написал.

— Мамин брат очень милый человек, — проговорила Джоанна. — У него аптека в Чикаго.

— Ваш отец был очень добр к нему, катал его в автомобиле.

— Мама, почему ты сама не напишешь ему?

— Я не подумала взять у него адрес. Когда я переехала к вашему отцу, у меня появилось столько дел, что я забыла о себе.

Бонни заснула на жесткой скамейке на веранде. Когда Алабама в детстве там засыпала, отец на руках относил ее в постель. Дэвид взял на руки спящую девочку.

— Нам пора, — сказал он.

— Папочка, — прошептала Бонни, уютно располагаясь под пиджаком отца. — Мой папочка.

— Вы завтра придете?

— Рано утром, — ответила Алабама.

Белые волосы ее матери были уложены вокруг головы короной, как у флорентийской святой. Алабама обняла мать. И тотчас вспомнила, что чувствовала, когда была рядом с ней!

Каждый день Алабама отправлялась в старый дом, как всегда, чистый и даже сияющий внутри. Она приносила отцу что-нибудь вкусненькое и еще приносила цветы. Он любил желтые цветы.

— Когда мы были маленькими, то собирали в лесу желтые фиалки, — сказала мать.

Приходили врачи, качали головами, приходили друзья, их было очень много, больше, чем у кого бы то ни было, и они приносили пироги и цветы, приходили старые слуги справиться о здоровье Судьи, молочник оставлял лишнюю пинту молока, платя за нее из своего кармана, чтобы выразить свое сочувствие семье, приходили коллеги Судьи с печальными и благородными лицами, как на марках или камеях. Судья же лежал в кровати и беспокоился из-за денег.

— Нам не по карману моя болезнь, — повторял он снова и снова. — Мне пора встать. Мое лежание стоит много денег.

Его дети обсудили это. Они решили поделить расходы между собой. Судья не разрешил бы им брать его жалованье, если бы знал, что ему не суждено поправиться. Его дети были в состоянии ему помочь.

Алабама и Дэвид арендовали дом поблизости. Он был больше отцовского дома, с розами в саду и изгородью из бирючины, еще там посадили ирисы, чтобы осушить почву, а под окнами росли кусты.

Алабама попыталась уговорить мать, чтобы она прокатилась с ней в автомобиле. Уже месяц та не выходила из дома.

— Не могу, — ответила Милли. — Вдруг понадоблюсь твоему отцу, а меня не будет.

Она постоянно ждала особых слов от Судьи, чувствуя, что он должен сказать ей что-нибудь, прежде чем оставит ее одну.

— Ну, на полчасика, — в конце концов согласилась Милли.

Алабама повезла мать мимо местного Капитолия, где ее отец провел так много лет своей жизни. Клерки посылали им розы с клумбы под окном его кабинета. Неужели его книги покрылись пылью, подумала Алабама. Наверное, он заранее написал что-нибудь на прощание, и сейчас его послание лежит в каком-нибудь ящике.

— Почему ты вышла замуж за папу?

— Он хотел жениться на мне. Вообще-то у меня было много поклонников.

Старая дама посмотрела на дочь, словно ожидая возражений. Она была красивее своих дочерей. На ее лице читались такая целостность натуры, такая чисто-

та... Конечно, у нее должно было быть очень много поклонников.

— Один хотел подарить мне обезьянку. Он сказал маме, что у всех обезьянок туберкулез. Тогда моя бабушка поглядела на него и сказала: «По мне, так ты выглядишь вполне здоровым». Она была француженкой, и очень красивой француженкой. Один молодой человек прислал мне поросенка со своей плантации, а другой прислал койота из Нью-Мехико, но кто-то пил не в меру, а еще один женился на кузине Лил.

— Где они все?

— Умерли или давно разъехались, кто куда. Я бы и не узнала их, если бы увидела. Красивые деревья, правда?

Они проехали мимо дома, где когда-то встретились мама и папа — на «Новогоднем балу», как сказала мама.

— Он был там самым красивым мужчиной, а я как раз гостила у твоей кузины Мэри.

Кузина Мэри была старой, и у нее постоянно слезились глаза под очками. От нее уже почти ничего не осталось, но она все равно всегда устраивала «Новогодний бал».

Алабама не могла представить отца танцующим.

Когда она в конце концов увидела его в гробу, у него было совсем юное и такое красивое, такое веселое лицо, что Алабама сразу подумала о том давнем «Новогоднем бале».

«Лишь смерть придает истинную изысканность», — отметила она мысленно. Она боялась смотреть на него, боялась увидеть что-то незнакомое и ужасное на усохшем мертвом лице. Оказалось, бояться было нечего — скульптурная, застывшая красота.

В почти пустом кабинете не было никаких бумаг, да и в шкатулке со страховками тоже ничего не нашлось, кроме крошечного старомодного кошелька с тремя монетками в пять центов, завернутыми в старинную газету.

— Наверно, это были первые деньги, которые он заработал.

— Его мать платила ему за то, что он ухаживал за палисадником.

В его вещах и за книгами тоже ничего не было спрятано.

— Наверно, он забыл, — сказала Алабама, — оставить нам письмо.

От Штата прислали венок, и от Суда тоже был венок. Алабама очень гордилась своим отцом.

Бедняжка мисс Милли! На черную соломенную шляпку, купленную в прошлом году, она приколола черную траурную вуаль. В этой шляпке она собиралась бродить с Судьей по горам.

Джоанна кричала, что не надо ничего черного.

— Я не могу, — сказала она.

И они не надели черных платьев.

На похоронах не звучала музыка. Судья не любил песен, разве что немелодичную «Песенку о старике Граймзе»*, которую пел детям. На похоронах читали гимн «Веди, Благостный свет».

Судья упокоился на холме под пеканами и дубом. Напротив его могилы виднелся купол местного Капитолия, закрывавшего заходящее солнце. Цветы завяли, и дети посадили жасмин и гиацинты. На старом кладбище царил покой. Здесь росли и луговые цветы, и кусты роз, да таких старых, что цветы с годами потеряли свои краски. Индийская сирень и ливанские кедры простирали свои ветки над могильными плитами. Ржавые кресты конфедератов утопали в клематисе и пыла-

* Стихотворение из «Песенок Матушки Гусыни».

ющей пурпуром траве. Переплетенные нарциссы и белые цветы заполонили размытые берега, и ивы карабкались вверх по рушащейся крутизне. На могиле Судьи можно было прочитать:

ОСТИН БЕГГС
апрель 1857 года — ноябрь 1931 года

Что сказал отец? Оставшись одна на холме, Алабама устремила взгляд за серый горизонт, пытаясь вновь услышать бесстрастный размеренный голос. Она не могла припомнить, чтобы он вообще что-нибудь говорил. Последние его высказывания были:

— Нам не по карману моя болезнь. — А когда мыслями он был уже далеко: — Что ж, сынок, я тоже никогда не мог заработать денег.

Еще он сказал, что Бонни красива, как целых две маленькие птички, но что он говорил ей самой, когда она была маленькой? Алабама не могла вспомнить. И не видела на сером небе ничего, кроме туч, предвещавших холодный дождь.

Один раз он сказал: «Если ты хочешь выбирать, значит, ты возомнила себя богиней». Это когда она захотела жить по-своему. Нелегко быть богиней далеко от Олимпа.

Алабама убежала, едва на нее упали первые злые капли дождя.

— Мы, конечно же, сами виноваты в том, — сказала она, — что втайне подражали кому-то. Мой отец завещал мне сплошные сомнения.

Сильно запыхавшись, Алабама завела автомобиль и поехала вниз по скользкой дороге из красной глины. Ей было так одиноко без отца.

— Любой скажет, во что нужно верить, только попроси, — сказала она Дэвиду, — но мало кто предложит что-то большее, чем выбрала ты сама, — только бы не меньшее. Очень трудно найти человека, который берет на себя ответственность большую, чем его просят.

— Очень просто быть любимым — и очень трудно любить самому, — отозвался Дэвид.

Дикси приехала через месяц.

— Теперь у меня много места, если кто-то захочет пожить со мной, — печально проговорила Милли.

Дочери проводили с матерью много времени, стараясь отвлечь ее от грустных мыслей.

— Алабама, пожалуйста, забери себе красную герань, — настоятельно просила мать. — Здесь ей больше некому радоваться.

Джоанна взяла старый письменный стол, упаковала его и увезла.

— Пригляди, чтобы не чинили угол, попорченный снарядом янки, который пробил крышу в доме моего отца, — от этого стол станет только хуже.

Дикси попросила серебряную чашу для пунша и отослала ее в Нью-Йорк, в свой дом.

— Постарайся не помять ее, — сказала Милли. — Это ручная работа. Ее сделали из серебряных долларов, которые сберегли рабы, чтобы отдать их твоему дедушке после своего освобождения. Дети, берите, что хотите.

Алабама хотела получить портреты, Дикси взяла старую кровать, на которой родились она сама и ее мать, и сын Дикси.

Мисс Милли искала утешения в прошлом.

— Дом моего отца был разделен коридорами на четыре части, — повторяла она. — За двойными окнами гостиной росла сирень, а ближе к реке был яблоневый сад. Когда папа умер, я уводила вас, детей, в сад, подальше от печального дома. Моя мама была очень ласковой, но потом она изменилась — навсегда.

— Мне нравится этот дагерротип, — сказала Алабама. — Кто это?

— Моя мама и маленькая сестренка. Она умерла в тюрьме федералов во время войны. Папу сочли предателем. Штат Кентукки не откололся от Союза. Папу хотели повесить за то, что он не поддерживал Союз.

Милли в конце концов согласилась переехать в дом поменьше. Остину не понравился бы маленький дом. Но девочки уговорили ее. Они выстроили свои воспоминания на старом камине, как коллекцию ненужного хлама, потом закрыли ставни в доме Остина и оставили там и самого хозяина. Так было лучше для Милли — воспоминания могут быть опасны, если больше ничего нет в жизни.

У них всех дома были больше, чем у Остина, и уж точно намного больше того дома, который он оставил Милли, однако они съехались к Милли, чтобы подпитаться ее воспоминаниями об их отце и укрепиться ее духом, как новообращенные — идеями культа.

Судья говорил: «Вот нагрянут старость и болезни, тогда пожалеешь, что не накопил денег».

Его дочери неизбежно должны были на себе ощутить хватку этого мира — чтобы представить себе некое прибежище на горизонте.

Ночи Алабама проводила в раздумьях: неизбежное происходит с людьми, но они внутренне готовы к этому. Ребенок прощает своих родителей, когда осознает, что его рождение — подарок прихотливого случая.

— Нам надо начать с самого начала, — сказала она Дэвиду, — с новыми ассоциациями, с новыми ожиданиями, за которые мы заплатим своим опытом, как вырезными купонами.

— Взрослое морализаторство!

— Правильно, ведь мы и есть взрослые, разве нет?

— Боже мой! Вот уж не думал! А мои картины тоже утратили молодость?..

— Они хороши, как прежде.

— Алабама, мне пора приниматься за работу. Почему мы пустили на ветер лучшие годы своей жизни?

— Чтобы в конце у нас не осталось нерастраченного времени.

— Ты неисправимая софистка.

— Все люди софисты, разве что одни в личной жизни, а другие — в философии.

— То есть?

— То есть цель в этой игре сделать все так, чтобы, когда Бонни будет столько же лет, сколько нам теперь, и она начнет анализировать нашу жизнь, ей удастся найти замечательную мозаику с портретами двух богов домашнего очага. Глядя на это изображение, она почувствует, что не совсем напрасно в какой-то период своей жизни была вынуждена пожертвовать своей страстью к неведомым дарам неизведанного ради сохранения этого — по ее мнению — сокровища, которое получила от нас. Тогда она поверит в то, что ее азарт и беспокойство осталось в прошлом.

В день собрания евангелистов послышался голос Бонни на подъездной аллее.

— До свидания, миссис Джонсон. Мама и папа будут очень рады, что благодаря вашей любезности и доброте я так хорошо провела время.

С довольным видом она поднялась по ступенькам, и Алабама услыхала, как она мурлычет в холле.

— Наверно, тебе очень понравилось...

— Сборище противных старикашек!

— Тогда почему ты врала?

— Ты же сама говорила, — сказала Бонни, высокомерно глядя на мать, — когда мне не понравилась одна дама, что я вела себя невежливо. Так что теперь ты, надеюсь, довольна мною.

— О да!

Люди ничего не понимают в своих отношениях! Как только начинают понимать, отношения заканчиваются.

— Совесть, — прошептала сама себе Алабама, — мне кажется, есть окончательное предательство.

Она лишь попросила Бонни поберечь чувства дамы.

Девочка часто играла в доме бабушки. Они понарошку занимались домашним хозяйством. Бонни изображала главу семьи; ее бабушка получила вполне милого ребенка.

— Когда я была маленькой, детей не держали в строгости, — говорила она.

Ей было жаль Бонни, так как девочке надлежало многое узнать о жизни, прежде чем она начнется для нее. Алабама и Дэвид настаивали на этом.

— В детстве твоя мать ела так много сладостей в угловой лавочке, что мне нелегко было утаить это от ее отца.

— И я буду такой же, как мамочка, — объявила Бонни.

— Будешь-будешь, — засмеялась бабушка. — Но, знаешь, все меняется. Когда я была маленькой, горничная и кучер спорили о том, можно ли мне брать в церковь по воскресеньям большую оплетенную бутыль. Дисциплина была тогда скорее для проформы, и наказывали кого-то редко.

Бонни внимательно смотрела на старую даму.

— Бабушка, расскажи мне, как все было, когда ты была маленькой.

— Я была очень счастлива в Кентукки.

— А как? Ну же!

— Не помню. Была похожа на тебя.

— Я стану другой. Мамочка говорит, что я смогу стать актрисой, если захочу, и учиться в Европе.

— А я училась в Филадельфии. Тогда все обдумывалось заранее.

— А еще я буду гранд-дамой и буду носить красивые платья.

— Шелковые платья для моей мамы привозили из Нового Орлеана.

— А еще ты что-нибудь помнишь?

— Помню своего папу. Он привозил мне игрушки из Луисвиля и считал, что девушки должны рано выходить замуж.

— Ну же, бабушка.

— Я не хотела замуж. Мне и без того было хорошо.

— А когда ты вышла замуж, тебе тоже было хорошо?

— О да, дорогая, но по-другому.

— Ничего одинакового не бывает, правда?

— Не бывает.

Старая дама засмеялась. Она очень гордилась своими внуками. Они были умными и воспитанными детьми. Приятно было смотреть на нее и на Бонни, которые делали вид, будто знают все на свете, все и обо всем, они постоянно делали такой вид.

— Мы скоро уедем, — со вздохом произнесла девочка.

— Да, — вздохнула ее бабушка.

— Послезавтра уезжаем, — сказал Дэвид.

Из окон столовой в доме Найтов было видно, как тянулись к земле деревья, похожие на оперившихся цыплят. Яркое щедрое небо плыло над землей, ветерок поднимал занавески, словно паруса.

— Вы никогда нигде не задерживаетесь надолго, — проговорила девочка, причесанная по-китайски, — но я на вас не в обиде.

— Мы когда-то думали, — отозвалась Алабама, — что жизнь в одном месте не похожа на жизнь в другом месте.

— Прошлым летом сестра ездила в Париж. Она сказала, что там... что туалеты в Париже на всех улицах... хотела бы я посмотреть!

Какофония звуков, витавшая над столом, то стихала, то усиливалась, совсем как в скерцо Прокофьева. Алабама вносила в это отрывистое стаккато то единственное, что так хорошо знала: *schstay, schstay, brisé, schstay,* — эта танцевальная фраза звучала у нее в голове. Алабаме пришло на ум, что всю оставшуюся жизнь она будет вот так сочинять, упорядочивая ритмы и звуки жизни, втискивая их в определенные правила.

— Алабама, о чем ты думаешь?

— О форме вещей, — ответила она. Застольная беседа врывалась в ее мысли, как стук копыт на мостовой.

— Говорят, он ударил ее в грудь.

— Соседям пришлось позакрывать двери, чтобы защититься от пуль.

— Только представьте, четверо в одной постели!

— И Джей выпрыгивал из фрамуги, так что они больше не могут снимать этот дом.

— А я не виню его жену, даже если он обещал спать на балконе.

— Она сказала, что лучше всего аборты делает один врач в Бирмингеме, но они поехали в Нью-Йорк.

— Миссис Джеймс была в Техасе, когда все случилось, и как-то Джеймсу удалось все замять.

— Шеф полиции привез ее в патрульной машине.

— Они встретились возле могилы ее мужа. Говорят, он намеренно похоронил свою жену рядом, с этого все и началось.

— До чего по-гречески!

— Боже! Как-то это не по-человечески.

— Напротив. Вполне человеческие страсти.

— Помпейи.

— Никто не хочет домашнего вина? Я процедила его через старенькое полотенце, но осадок все равно есть.

В Сен-Рафаэле, вспоминала Алабама, вино было сладким и теплым. Оно липло, как сироп, к горлу и склеивало мир в одно целое, несмотря на жару и испарения моря.

— Как прошла ваша выставка? Мы видели репродукции.

— Нам нравятся недавние картины. Никто еще так не насыщал балет жизнью со времени...

— Я хотел, — сказал Дэвид, — передать ощущение ритма, с каким глаз ловит каждое движение вальса, и ритм мазков совпадает с танцевальным тактом, какой отмеривали бы ваши ноги.

— Ах, мистер Найт, — восклицали дамы, — до чего чудесная мысль!

Мужчины говорили «молодчина» и «здорово», так повелось с начала депрессии.

Скользнув по их лицам, как по тропинкам, свет останавливался в глазах, словно паруса детских корабликов, отражавшихся в пруду. Кольца от камней, брошенных с берега гуляющими, ширились и исчезали, и глаза оставались глубокими и спокойными.

— Ах, — сетовали гости, — мир ужасен и трагичен, и мы не можем избавиться от желаний.

— И мы не можем — вот почему у нас на плечах лишь кусок от глобуса, и тот держится непрочно.

— Можно спросить, что это?

— А, это тайная жизнь мужчины и женщины — они с тоской думают о том, насколько могли бы быть лучше, будь они другими людьми или даже самими собой, и чувствуют, что не использовали полностью свои возможности. Я достиг предела и теперь могу лишь выражать невыразимое, вкушать еду, не ощущая ее вкуса, вдыхать запах прошлого, читать статистические справочники и спать в неудобных позах.

— Когда я вернусь к аллегорической школе, — продолжал Дэвид, — мой Иисус посмеется над глупыми людьми, которым плевать на его печальное положение, и вы увидите по его лицу, что и ему хочется откусить от их сэндвичей, если кто-то на миг вытащит гвозди из его рук...

— Мы все приедем в Нью-Йорк посмотреть на эту картину.

— И римские солдаты на переднем плане тоже хотят свой кусок сэндвича, однако у них слишком сильно развито чувство профессионального долга, и это не позволяет им просить.

— Когда она будет выставлена?

— О, еще не скоро — сначала я нарисую все остальное, что есть на земле.

На столе с коктейлями были еще горы всякой еды: канапе, похожие на золотых рыбок, округлые горки икры, масло, украшенное выпуклыми гранями, и запотевшие бокалы, испарина на их боках сгущалась под бременем стольких отражений — отражений всех этих невероятно аппетитных деликатесов.

— Вы оба счастливцы, — говорили Найтам.

— Хотите сказать, мы легче других расстаемся с частью себя — и при этом, и благодаря этому, всегда остаемся целыми и невредимыми? — спросила Алабама.

— Вам легко живется, — говорили им.

— Мы научились делать выводы из полученного опыта, — сказала Алабама. — Когда человек взрослеет

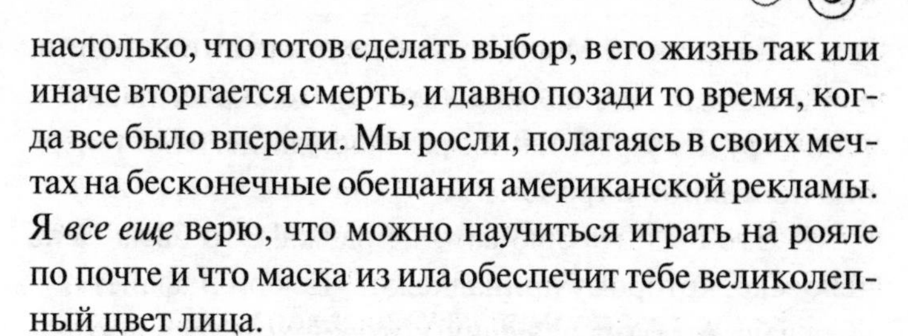

настолько, что готов сделать выбор, в его жизнь так или иначе вторгается смерть, и давно позади то время, когда все было впереди. Мы росли, полагаясь в своих мечтах на бесконечные обещания американской рекламы. Я *все еще* верю, что можно научиться играть на рояле по почте и что маска из ила обеспечит тебе великолепный цвет лица.

— В сравнении с остальными вы счастливица.

— Я тихонько сижу и гляжу на мир, говоря себе: «Ах, счастливы те люди, которые не забыли слово “непреодолимый”».

— Нельзя же, чтобы тебя до бесконечности сбивало с ног, — вмешался Дэвид.

— Равновесие, — заговорили все. — Нам нужно равновесие. Как в Европе с равновесием? Лучше, чем у нас?

— Лучше налейте себе еще выпить — вы же для этого сюда пришли?

У миссис Макгинти были короткие седые волосы и лицо сатира, а у Джейн были волосы, как водоворот в горной речке. Волосы Фэнни напоминали цветом толстый слой пыли на мебели из красного дерева, Вероника покрасила волосы в темный цвет, ближе к пробору. У Мэри волосы были, как у деревенской девушки, как у Мод, а у Милдред — летящие, как у «Крылатой Победы».

— Говорят, у него платиновый желудок, и все, что он ест, просто проваливается в маленький мешок. Но он живет с этим уже много лет.

— Дыра у него в голове от случайного взрыва, хотя он всем говорит, что получил ее на войне.

— Она состригала волосы, переходя от одного художника к другому, а потом оказалась у кубистов, и ей пришлось камуфлировать голый череп.

 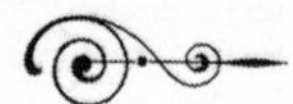

— Я говорила Мэри, что ей не понравится гашиш, а она сказала, что должна хоть как-то скрасить свое с таким трудом заработанное разочарование, и вот теперь она постоянно в трансе.

— Это был, говорю вам, не раджа! Это была жена человека, которому принадлежит «Галери Лафайет», — убеждала Алабама девушку, которой хотелось поговорить о жизни за границей.

Гости собрались уходить.

— Мы заговорили вас до смерти.

— Вы еще до смерти устанете, пока будете паковаться.

— Смерть вечеринке, когда все съедено.

— Я до смерти счастлива. Это было чудесно!

— До свидания, до свидания, и в ваших путешествиях не забывайте нас, приезжайте еще.

— Обязательно приедем навестить своих родных.

Обязательно, подумала Алабама, отныне мы будем искать перспективу в своей жизни, связь между собой и ценностями, более стабильными, чем даже мы сами, о существовании которых мы узнали, оказавшись сейчас в доме моего отца.

— Мы еще приедем.

Автомобили катили прочь с цементной подъездной дорожки.

— До свидания!

— До свидания!

— Надо немного проветрить комнату, — сказала Алабама. — Надеюсь, они не ставили мокрые бокалы на хозяйскую мебель.

— Алабама, — отозвался Дэвид, — нам всем будет лучше, если ты опорожнишь пепельницы чуть позже, когда гости отъедут подальше.

— Пойми, я не просто очищаю пепельницы. Я сейчас складываю кучу, которую назвала «прошлое», на помойку все, что когда-то было мною, теперь я готова жить дальше.

Они уселись в приятной вечерней полутьме, глядя друг на друга в окружении того, что осталось после вечеринки; серебряные бокалы и серебряный поднос, перемешавшиеся ароматы духов; они сидели вместе, глядя, как сумерки плывут по тихой гостиной, которую они скоро покинут, как чистую холодную реку, где плещется форель.

Литературно-художественное издание

12+

Фицджеральд Зельда

Спаси меня, вальс

Роман

Ответственный корректор И.Н. Мокина
Компьютерная верстка: Р.В. Рыдалин
Технический редактор Н.И. Духанина

Подписано в печать 27.01.14. Формат 84х108 $^{1}/_{32}$.
Усл. печ. л. 16,8. Тираж 2000 экз. Заказ № 460

Общероссийский классификатор продукции
ОК-005-93, том 2; 953000 — книги, брошюры

Наши электронные адреса: WWW.AST.RU
E-mail: astpub@aha.ru

ООО «Издательство АСТ»
129085, г. Москва, Звездный бульвар, д. 21, строение 3, комната 5

Отпечатано с готового оригинал-макета
в ОАО «Издательско-полиграфическое предприятие «Правда Севера».
163002, г. Архангельск, пр. Новгородский, 32.
Тел./факс (8182) 64-14-54, тел.: (8182) 65-37-65, 65-38-78, 29-20-81